★「Monster」2020年

★「Mind The Gap」2019年

★「Heart Mender」2020年

トレヴァー・ブラウン

柔らかな色調で誘い込む毒の世界

Trevor Brown

★「Canary」2021年

トレヴァー・ブラウンは、少女が秘めている闇を、かわいらしさをまとわせながら赤裸々にする。かわいらしさをまとわせることで、その傷、痛々しさ、異質なものへの偏執を肯定する。闇や異質といっても、それは社会などが一方的に決めつけた価値観であり、否定すべきものではないからだ。トレヴァーは、そうした社会へのシニカルな視線も失わない。

そのトレヴァーが、パステル調の作品を中心にまとめた画集を自身で発行し、またそれらを展示する個展も開催する。タイトルは「Pastel Poison」。脱色したかのような柔らかな色調ゆえ、闇が明るさでカモフラージュされた印象。かわいらしさで観る者を惹き付け毒の世界に誘い込んでいたトレヴァーだが、ある意味、その間口を広くした試みであると捉えることもできなくはなかろう。だがさらに穿った見方をすれば、もしかしたらその色合いには、異質なものを排除し消し去ろうとする＝脱色しようとする風潮への皮肉もあったりするのかもしれない。

いずれにせよ、トレヴァーらしい毒は健在。ぜひ原画で、そして画集で、そのシニカルな世界に浸りたい。（沙）

★トレヴァー・ブラウン個展
「Pastel Poison」
2023年1月31日（火）～2月5日（日）会期中無休
13:00～19:00（最終日～17:00）入場無料
場所／東京・渋谷 GALLERY LE DECO 6
Tel.03-5485-5188 https://ledeco.net/

★トレヴァー・ブラウン画集
「Pastel Poison」
A4判・並製・100頁・税別3000円
※購入方法などは下記トレヴァー・ブラウンのTwitter、ブログを参照のこと。
Twitter @_babyart
ブログ baby-art.blogspot.com

真珠子
SHINJUKO

★上は個展用作品。下の4点は作品集「真珠子メモリアル」より。

うさぎの子を宿したら
あの人のもとへ走ります
だれが何と言おうとも

さまざまなものに恋する天衣無縫さ

20年の作家活動をギュッと凝縮した作品集「真珠子メモリアル」を発売し、昨年12月に阿佐ヶ谷のRED CUBE GALLERYで開催したその出版記念展も、会期が延長されるなど評判になった真珠子。その作品には、さまざまなものに恋する奔放さがあふれている。その真珠子が、次は名曲喫茶カオリ座にて個展を開催する。

この個展では、「うさ子」が夜、おばあちゃん家でいろいろなものとの出会いや発見をする様子を描いた作品がずらり並ぶという。カオリ座は、ファンシーで昭和的なものが溢れる中にクラシックが流れる不思議空間（怪しいビルだけど、ぜひ気軽に!）。真珠子の作品世界との相性も抜群で、この空間ともども、天衣無縫な魅力に満ちた別世界が出迎えてくれるだろう。うさ子とともに、夜の冒険に出かけてみよう。(沙)

★真珠子個展「うさ子の夜」

2023年3月3日(金)～19日(日) 火曜休
12:00～22:00(最終日～21:00) 要オーダー
場所／東京・大久保 名曲喫茶カオリ座
Tel.03-3368-6548
大久保駅南口(百人町1-23-19南口共同ビルB1F)

★真珠子 作品集
「真珠子メモリアル～〝娘〟を育んだ20年」
B5判・カバー装・128頁・税別3200円
発行・アトリエサード、発売・書苑新社

三浦悦子の世界〈27〉

［baby ブロッケン］

［矢印の日記］

彼の嫌いなところを文字に起こしました。ノート2ページ分。

好きなところ→服のセンス。えっ！ ひとつだけ？ もっと突き詰めてみよう。

黒スレンダーなズボンの着こなし→深掘り→→→靴

なんと靴にたどり着きました！

そう、それを履いていない彼は嫌いなのでした。愕然としました。

私は、モラハラ人間への気付きが遅くて、自分を犠牲にしていたのです。

あの綺麗な靴に恋していました。

恋愛は物語のもっとも主要なテーマであり続け、
古今東西さまざまな、実に多くの恋愛模様が描かれてきた。

その恋は、ときに相手の「美」に虜になることから始まる。
もちろん「美」といっても、内面的な美もあるだろう。
しかし多くの物語の場合、問題となるとしたら、外見的な美だ。
（とりわけヴィジュアルで表現される場合）

そしてその「美」（の存在）に固執するあまり
イビツな関係性が生まれることもしばしばである。
いわゆる偏愛的、狂的、病的な愛。

もちろん、理想とする「美」は人それぞれで違うだろうし、
「美」という概念を、あたかも絶対的なもののように標榜するつもりはないけど、
だが昨今、韓流やバーチャルアイドルや整形、写真加工アプリなど、
理想美を愛でる傾向はすっかり定着している、ような気がする。

そんな、「美」に過剰に魅了されてしまった者たちの物語を、
覗いてみようではないか――

（沙月樹京）

★ジョン・エヴァレット・ミレー「オフィーリア」(1852)

珠かな子

TAMA Kanako

禁忌に手を伸ばし、捉えた美

珠かな子が、セルフポートレートから一歩踏み出し他者を撮影した「蜜の魔法」シリーズ。２０２１年にそれを発表した個展のステートメントでは、「女の子には幸せの魔法と呪いがかかっていて」、それを「少しだけ覗かせてもらって」と、やや控えめな表現をしていた。何人も撮影しながらも、どこか遠い位置から見ている感覚があったのかもしれないが、その距離感もよかった。

しかし次に開く個展では、「見るなと言われると、こっそり覗きたくなる」「禁忌と言われると、どうしても触れてみたくなる」と、さらに被写体に迫っていこうとする。モデルは一人に絞り、その対象にじっくり向き合って丁寧に撮影していった写真展だ。

なお、「蜜の魔法」シリーズがその写真展に合わせて本になる。さまざまなモデルの表情を光と色彩で捉え、しばしば多重露光を使って浮かび上がらせた女の子の「蜜」がきらめく1冊だ。（沙）

★写真集「蜜の魔法」表紙イメージ

★珠かな子 写真展「見るなの禁忌」

「蜜の魔法」出版記念

2023年2月17日（金）～26日（日）会期中無休

13:00～19:00 入場無料

場所／東京・神保町 神保町画廊

Tel.03-3295-1160

http://www.jinbochogarou.com/

★珠かな子 写真集「蜜の魔法」

B5判・カバー装・80頁

2023年2月下旬発売予定

（上記個展にて先行発売！）

発行・アトリエサード、発売・書苑新社

尾崎南

OZAKI Minami

眼差しに魅了され、過酷な運命の中、愛を貫く

1989年から91年にかけて尾崎南が少女漫画誌「マーガレット」に連載した『絶愛-1989-』。小5のころ出会った鋭い眼差しの少女のことが忘れられないでいた南條晃司。人気歌手となった16のとき、サッカー少年・泉拓人に出会うが、その拓人こそ、想い続けていた少女だった──つまり少女だと思っていたが、実は少年だった(!)という衝撃の展開で始まるこの作品、過酷な運命に抗いながら愛を貫こうとする男性同士の愛を、ドラマチックかつエロティックに描き、人気を博した。

★尾崎南 個展「絶愛」
2023年2月9日(木)～3月12日(日)
会期中無休
12:00～19:00(土・日・祝は～17:00)
入場料/オンラインチケット800円
当日券1000円
(空きがある場合のみ販売)
場所/東京・銀座 ヴァニラ画廊
Tel.03-5568-1233
http://www.vanilla-gallery.com/

その作品と、続編『BRONZE ZETSUAI since 1989』から作者自身が厳選した原画を展示・販売する個展が開催される。美への魅了と、それをどのような障害があっても手放さないという熱情が、繊細な作画で表現された作品群。ファンには見逃せない展覧会だ。(沙)

図版はいずれも、©ozakiminami

©ozakiminami

宮西計三

MIYANISHI Keizo

偏執的な美の欲動を描く
愛の殉教者

★「Medusa」2019

★（右上）「lily」2023
（右下）「岩窟のマドンナ」2018
（左上）「単眼母子合ワセノ鏡」2016
（左下）「無花果」2016
画像提供：ギャラリー白線

★宮西計三個展『新境地』

――ボクは今、生きながら天国に居る。
そこで皆に伝えたいことがある

2023年2月4日（土）～12日（日） 会期中無休
13:00～20:00 入場無料
場所／東京・阿佐ヶ谷 ギャラリー白線 https://hakusen.jp/

※宮西計三、3年ぶりの新作展

→記事p.97

あおいうにインタビュー

◉取材・文＝志賀信夫

アートとメンヘラ、統一教会二世、そして性

二〇一四年に二回、二〇一五年に「Special」、以降も何度か開催された「メンヘラ展」は多くの注目を集めた。メンヘラとは、メンタルヘルス（心の健康）に由来し、心に何らかの問題を抱えて、周囲をハラハラさせる人という意味のネットスラングである。そうしたうつ病、躁うつ病、統合失調症、ADHDなどを抱えるアーティストたちが集結し、魅力的、個性的な展示を行った。その中心になったのが、あおいうにである。あおいうには当時、東京藝術大学在学中で、自らも病を抱えていた。多くの賛同とともに批判も巻き起こったが、それまでの「アウトサイダーアート」という位置づけとは異なり、多様な当事者が自ら企画して展開する画期的なものだった。

当時、あおいうには、「私達の目的は、アートセラピーでも、メンヘラに安住することでもありません。承認欲求を満たすためだけのものでもありません。アートは社会との、鑑賞者との、作品との、自分との、コミュニケーションツールの一つです。自分のメンタリティを全て曝け出さなければ、表現になりません。アートを通して、メンヘラが世界と繋がる。ネットとリアルが繋がる。メンヘラのリアルを伝える。メンヘラと意識を共有する。そんな展示にしたいと思っています」と語っている。

その後あおいは個展を中心に活動してきたが、二〇二二年一〇月には、東京・秋葉原の画廊、アート・ラボ・トーキョーで移転前最後の展覧会として、個展「窓ぎわのグミ」を開催。また彼女は、統一教会二世であることも、以前からカミングアウトしている。今回、そのことも含めて、話を聞いた。

美術一家だった

あおいうには、両親ともに趣味で油絵を描いていて、家にたくさん飾ってあり、美術全集もあり、それを見て育った。子どものころ、姉が漫画を描いていて、自分も描き始めると、すぐに追い越したという。その姉はいま学芸員になっている。妹も絵が好きで、現在、仕事でイラストや漫画を描いている。あおいうには当時、絵で賞状を四〇枚ぐらいもらっていた。子どものころは、ざっくり「絵が好き」という程度だったので、漫画家になるか、美少女ゲームの原画師になるか、美術家になるかで迷っていた。だが、大学生になるころには、「自分には絵画しかない」と思うようになっていた。

子どものころの絵を見せてもらったが、小学校低学年のころから大人顔負け、明らかに才能が感じられる絵ばかりで、驚くしかない。水彩が多いが、デッサン、木版などさまざまな素材、技法で描いている。彼女の多様な表現は子どものころからだった。

あおいうには、茨城県立太田第一高等学校で美術教諭から美術を学び、高校二年のころから茨城県水戸市の美術予備校、冬季講習では御茶ノ水美術学院にも通った。一浪のときは一人で上京し、芸大油画合格率一位の新宿美術学院に入学、二浪を経て、東京藝術大学油画科に合格した。

統一教会二世として

あおいうにの母は、統一教会の信者だった。統一教会信者は、教祖の文鮮明を「アボジ」「お父様」などと呼ぶのが一般的だという。

彼女は、幼くて人の気持ちがわからなかったころ、家族で食卓を囲んでいるときに、「お父様がさあ」と教祖の話をしたら、本当の父が激怒することもあったという。父は非信者で、後に家を出た。

その後、母親もあおいうにも、統一教会を離れた。ただ、明確な「脱会」というものはなく、教会に行かなくなった状態なので、おそらく籍や記録は教会に残っているという。母親は、献金も相当したようだ。そして、思春期になり統一教会から離れていく過程で、その信仰に代わる「父」のような存在、生きる支柱となったのが、彼女にとっては「絵」、アートだったのだ。

あおいは、すでに五年前に統一教会二世として、トークも行っている。宗教二世同士の交流は、おもにSNSを通じて知り合い、宗教二世などが集まるバーなどで会ったりした。今回、安倍晋三暗殺によって、統一教会問題がクローズアップされるなかで、宗教二世として、再び注目が集まり、新聞にも取り上げられた。

★「抽象」F10、キャンバスにアクリル・インク、2018

ADHDの診断

あおいうには、小・中学生のころからリストカットなどをしていて、「自分はちょっと変なのではないか」と思っていたが、高校のころから、薄々「何か障害や病気なのでは」と思うようになった。テレビでも「うつ病」「統合失調症」「躁うつ病」などの番組を見たが、自分はそれとは違っていてわからず、もやもやしていた。そして、Wikipediaで「ミュンヒハウゼン症候群」のページを見て自分に近いと思い、関連項目の「境界性パーソナリティ障害」には、まさに自分のことが書いてあって、驚いた。だが、親にはいえなかったので、上京して一人でメンタルクリニックに行き、精密検査をして、ADHD（発達障害）の二次障害で情緒不安定性パーソナリティ障害の診断を受けた。

そのおもな症状は、注意欠陥とうつ状態と躁状態。バイトなどでも、指示された簡単なことが、そのとおりできないことがある。そして、うつの治療薬を飲んだことで、躁の症状が出るようになった。

むかしむかし
山には
おそろしい鬼が
すんでいました
村にはしきたりがあり
月にいちど鬼へ乙女を
ささげなくては
なりませんでした
しかし
その日 選ばれた少女は
たいそう
うつくしく
村の男たちが
さきに食べてしまったのです

★「鬼の初恋（1頁）」A4、画用紙にアクリル・水彩、2017

小学校からのリストカットには驚いたが、刃物ではなく鉛筆などでだった。だが中学生のときには、仲のいい友だちが刃物でリストカットしていたので、その影響で自分もするようになったそうだ。その後、入退院を繰り返した時期もあるが、現在は落ち着いている。それは、最近、シェアハウスに暮らしだしたことも大きい。人と交流することで、うつ症状が出ない。ただいまといえる相手がいる。家族を取り戻したい気持ちもあるという。

メンヘラ展の立ち上げ

東京藝大時代、彼女は学内展示に飽き飽きしていたので、学校の外の人たちと展示がしたいと思った。また、ムラ社会化している美術界に、新しい風を入れたかったので、SNSで「展示をしませんか」と募集をかけたが、

★「色面と女」F15 、キャンバスにアクリル、2021

★「寝そべる人」F100、キャンバスにアクリル・インク、2017

★「ルミという、」F30、キャンバスにアクリル・アルキド、2013

★「石ヶ森の肖像」F100、キャンバスにアクリル、2016

自分の「メンヘラ」を抑える手段は、やはり「アート」しかない。

★「深緑のストローク」F3、キャンバスにアクリル、2020

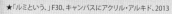

人が集まらなかった。そこで、「メンヘラ展をしませんか」というインパクトある言葉に置き換えた。作家集めと話題性、集客が見込めると思ったからだ。そうしたら、ふだんギャラリーに行かない「メンヘラ」と呼ばれる人たちをギャラリーに動員するとともに、「メンヘラ」の人たちがプロのアーティストを目指せるようにすることに成功した。二〇一四年の二回の展示では、合わせて一五〇〇人を動員したというから驚きである。

よく誤解されるが、あおいは、メンヘラを治すことや、承認欲求を満たすことなどには関心がなく、美術史にその名を刻むこと、後世まで語り継がれる存在になることに興味がある。それがメンヘラ展の掲げる目標、「社会と健全につながる」ことだからだ。そして彼女は、自分の「メンヘラ」を抑える手段は、やはり「アート」しかないと思っている。アートがあるから、生きていける。アートはつらさを忘れさせてくれるという。

★「ライブペインティング」F10、画用紙にアクリルガッシュ、2021

あおいうには、精神的につらいとき、うつ状態ではいい絵が描けないので、調子がいいときに大量につくっている。絵画は理性的に描くものだと思っていて、感情が昂っているとか、激しく動揺しているとき、下がっているときはアウトプットがうまくいかない。落ち着いているときは、感性もコントロールできる。躁状態とうつ状態の間のときに、描けるのだ。

ドールや美少女ゲーム

あおいうには、小さいころから、リカちゃんなどの人形遊びが好きで、いまも、スーパードルフィーなどのドール一〇人ほどと暮らしている。彼女はシスジェンダー（性同一）で恋愛対象は男性だが、二次元キャラクターやドールは美少女が好きだ。それはおそらく、自分に重ねて感情移入できるからだ。それまで統一教会に人形のように操られて、空虚に育った心が、空っぽなドールたちを見ることで安心するという。そして人形は、こうやって見えない傷を可視化させるから、癒されるのではないかと、彼女は考える。

また、髪の色は水色が一番好きで、SNSの自分のアイコンのイメージキャラクターも、好きなキャラクター、ドールも水色髪が多い。そのきっかけは、美少女ゲーム『今宵も召しませアリスティル』のイラストを見て、可愛いと思ったからだ。初めて買った同人ゲーム『天使の巣箱』の真珠ちゃんという「男の娘」も水色髪だった。あおいうにの名前の由来も、美少女ゲーム『ゴア・スクリーミング・ショウ』の双木葵という青髪ヒロインにある。

あおいの作品は、最初は写実絵画で、リアリズムだけがアカデミズムですべてだと思っていた。それがシュルレアリスムな時期を経て、次第にモノクロぐちゃぐちゃで、盛った絵になったり、表現主義的になったりした。さらにインスタレーションや立体、ミニマリズム、インターネットアートに傾倒したりしたが、最終的には、また抽象に戻って、絵画に回帰した。現在は、アート活動とともに、漫画やキャラクターイラストも同時進行できたらと思っている。

子どものころの作品や素描などを見てもわかるように、確実なテクニックをあおいは持っている。だが一方で、アニメ、美少女ゲームなどの二次元キャラクターやドールにハマっている。それは一種のフェティシズムでもあり、同時に、彼女自ら分析するように、癒しにもなっている。それが彼女の作品に、自由と個性を与えている。

★あおいうにが小学生のときの木版画

性を描くこと、性で描くこと

統一教会では性を表現することはタブーで、性は地獄に落ちるといわれる。だからあおいは、性を描いても地獄に落ちることはないという確認行為として、性をモチーフにし続けている。ただ、教会を離れて十年以上たつので、現在、その強迫観念はほとんどないそうだ。

あおいは爆乳が好きだ。親近感が沸くからだという。だが、大きな胸や肉づきのいい体がコンプレックスだった。逆にそれを生かしたアートが「おっぱいペインティング」シリーズだ。女性が自分の身体をつかって描くことは、ホモソーシャル（女性や同性愛の排除）への反発という意味合いも込めている。アカデミックにずっとやってきたあおいが、わざわざ人前で体を露出して絵を描くこと。それを見た男性が性的に興奮すること。そこまでがセットで、美術業界の男女問題に対するアイロニカルな問いかけをしているという。

メンヘラ展にしても、おっぱいペインティングにしても、いずれも批判を受ける可能性がある活動だ。だが、それらを敢えて行うことで、社会にインパクトを与えつつ、自らつくりだした「あおいうに」というアーティストの存在を、確実なものとして、強めていこうとしているように見える。それは、彼女には、精神的な不安定さを抱えているゆえに、「アートしかない」という、ギリギリのところで立っているからだろう。彼女のアートは、そんな切実な叫びでもあるのだ。

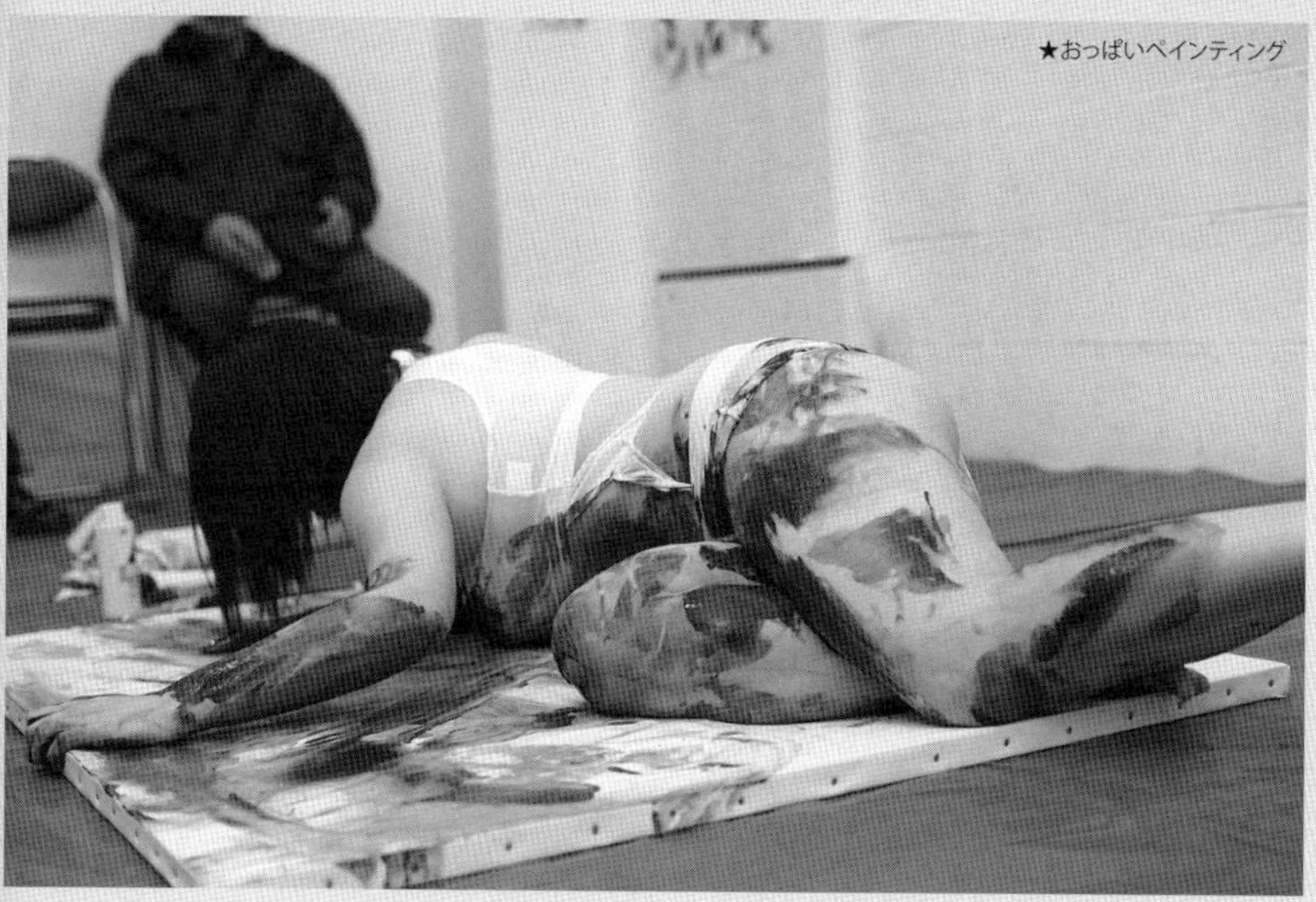

★おっぱいペインティング

影響を受けたものとこれから

あおいうにが影響を受けた美術家は、ウィレム・デ・クーニング、サイ・トゥオンブリー、エリザベス・ペイトン、リュック・タイマンス、デビッド・ホックニー、テリー・ウィンタース、ローラ・オーウェンス、アルベルト・オーレン、野見山暁治、辰野登恵子、O JUN。

そして、美術家以外では、イラストレーターの上田メタヲ、椎咲雛姫、樋上いたる、漫画の清水玲子と篠原千絵、ラノベの伊藤ヒロ、メタルバンドの妖精帝國、エンペラー、ディム・ボルギル、クレイドル・オブ・フィルス、アノレクシア・ネルヴォサ、電気式華憐音楽集団、大槻ケンヂなどをあげた。

アーティストやそれ以外も多様である。ただ、いずれも何らかの形で、尖った存在ということができるだろう。漫画やメタルバンドなどは、知らないものも多いが、そこには次のようなあおいの憧れと願望、そして展望が見えてくる。

あおいうには、今後も、絵はいつもどおりバリバリ描いていくが、現代アート寄りのこと、例えばパフォーマンスやインスタレーションもやっていきたいと思っている。そして、アートコレクティブ「取り乱す係」の活動にもっと力を入れたい。また、ボイストレーニングに通って音痴矯正をしているので、ボーカルで「妖精帝國」みたいなかっこいい萌えメタルバンドがやりたい。架空の美少女ゲームのカセットテープを出したい。ドールをアートと絡められていないので、ドールの尊厳を守る形で現代アートに利用できたらいい。いつかオルタナティブスペースを運営したい。公募向けの大きな絵も制作したい。

このように、あおいうには、やりたいことが目白押し。最近、シェアハウスに移って、生活が楽しく安定しているそうだ。今後の多様な活動に注目したい。

★あおいうに×長谷川維雄 二人展
「転生したらカルト2世だった件
真(まこと)のお父様のことなんかぜんぜん好きじゃないんだからねっ」
2023年3月4日(土)～12日(日) 月曜休
12:00～19:00(最終日～17:00) 入場無料
場所／東京・銀座 美術紫水GALLERY
https://shisui-tea.jp/

★あおいうに×色本藍 二人展
「理性のけだもの」
2023年5月26日(金)～31日(水) 木曜休
12:00～20:00(最終日～17:00) 入場無料
場所／東京・新宿 新宿眼科画廊
Tel.03-5285-8822 https://www.gankagarou.com/

私のお継母さま

こやまけんいち絵本館 no. 50

この世界で一番美しいのは、
もちろん私のお継母さま。
とっても綺麗に着飾って、
いつも、私のことをじっと見てる。
目が合うたびに
胸がドキドキ早鐘を打つ。

お部屋をこっそり覗いたら、
魔法の鏡に私を写して
やっぱり私をじっと見てる。

私のことが、大好きらしいお継母さま。
視線を感じる度に、私はぎゅっと苦しくなっちゃう。

★《月に誘われる少女》2022年、約62cm

仄暗い世界を夢見る
メランコリックな人形たち

右頁に掲載した個展のメインヴィジュアル。その人形《月に誘われる少女》の顔には、痣がある。片方の頬から反対側の頬に向けて、月の満ち欠けが表現された痣だ。Twitterの書き込みによると、「最後に月が欠けて新月になると、少女は月へと連れていかれてしまう」のだという。なんともメランコリックな想像力。

夏目羽七海は、独学で人形やぬいぐるみなどを制作している。退廃感漂うアンニュイな雰囲気が特徴的で、どこか異世界を夢見ているかのような仄暗さがある。田中流球体関節人形写真集「Dolls 2〜瞳に映る永遠の記憶」には、瞳をリボンで縫い合わせた人形などが掲載された。それら人形たちが夢見る異世界は、生と死の境界線にあるものだろう。薄明の中に浮かぶその世界を、人形を通して垣間見よう。(沙)

★夏目羽七海 個展「薄明のCampanella(カンパネラ)」

2023年2月16日(木)〜20日(月) 会期中無休
13:00〜18:30(最終日は〜17:00) 入場無料
音楽：Teruyuki Kurihara
場所／東京・曳舟 gallery hydrangea
Tel.03-3611-0336
https://gallery-hydrangea.shopinfo.jp/

★(左上)《三日月》2022年、約52cm
(右側上から)
《蝶の羽音で目覚める午后》
2020年、約62cm
《跳べないウサギ》2022年、約62cm
《春の庭のアリス》2021年、約62cm

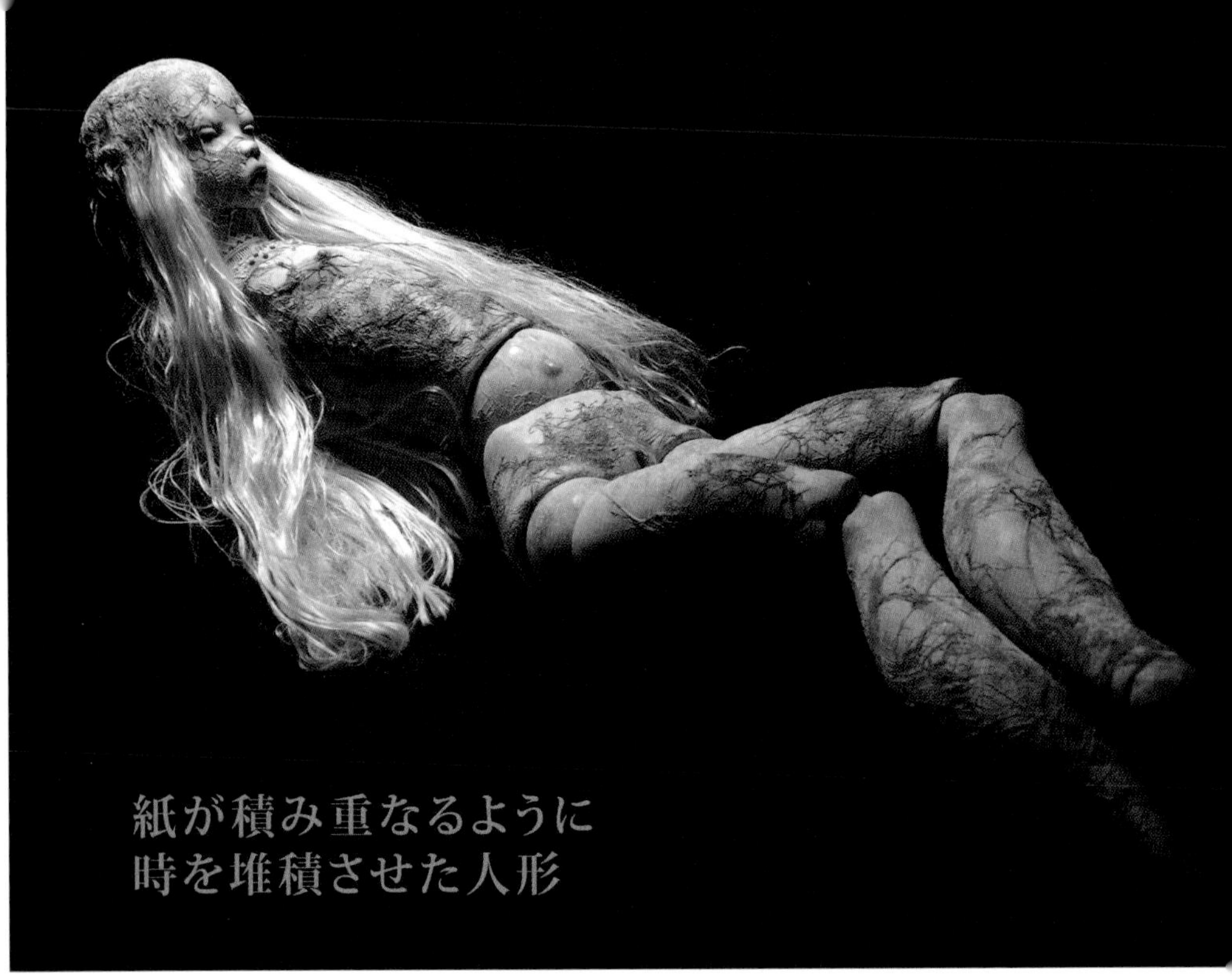

紙が積み重なるように
時を堆積させた人形

日々の時間の流れが、紙が雑多に積み重なっていくように感じる時があると土谷寛枇は言う。今回の個展では、その感覚を、「scena muta」シリーズと、天文現象のタイトルを持った人形と空間で表現したいとする。「scena muta」シリーズ（写真上）は、昨年の個展でも印象的だった作品。静かに堆積していく時間が、さらにどのように表現され展開していくのか、楽しみにしたい。（沙）

★土谷寛枇《つちやかんび》 個展「堆積する日々」

2023年4月30日（日）～5月6日（土） 会期中無休
11：00～19：00（最終日～16：00） 入場無料
主催／平安工房
場所／東京・代官山 ギャラリー懐美館（なつみかん）
Tel.050-7107-3718 http://natsumikan.noor.jp/

※ExtrART file.33に、土谷寛枇の2022年の個展の様子を掲載

立体画家 はが いちよう の世界《第39回》

文明の砦

去年、拙展の折に「むかしお預かりした写真をお返しに参りました」とおっしゃる女性から、封筒に入った一冊のフォトブックを手渡された。開けて見ると、むかしつくったある作品が多角度的に捉えられた十数枚の写真が収まっていた。ひさしぶりに見る自分の作品である。

それをつくった当時、まだ銀塩カメラの時代で、わたしはカメラを持っていなかったハズ。一体誰が撮った写真なのか。そしてなぜ彼女がそれを預かり、大切に保管していたのか、等々、そのへんのことを尋ねようと顔を上げると、もう彼女の姿はなかった。

受け取った封筒には、わたし宛の短いメッセージとコンビニの商品券が同封されていたが、「オムラ」というその方の苗字以外の情報はなにも記されていなかった。

二十六年ぶりに返却されたそれらの写真には、辺境の地における公共施設をイメージして制作した、最初期のわたしの作品がハッキリと映っていた。「文明の砦」という題名をつけて、一九九六年に開催した新宿伊勢丹での作品展に陳列し、その後どうなったのか、すっかり忘れていた作品である。縮尺八〇分の一。

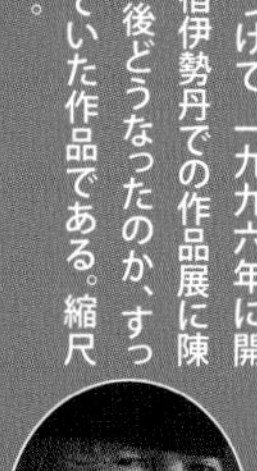

芳賀一洋（はが・いちよう） https://ichiyoh-haga.com/
1948年、東京に生まれる。1996年より作家活動を開始し、以後渋谷パルコ、新宿伊勢丹、銀座伊東屋などでの作品展開催や、各種イベントに参加するなど展示活動多数。著作に写真集「ICHIYOH」（ラトルズ刊）などがある。

場所との小さなお別れのために

主に珠かな子のモデルを務めるほか、友人のヌードやポートレートを撮影していた二羽ももが、セルフヌードの写真展をArtbar星男で開催する。「なくなってしまうこの場所でまるでわたしがこの場所で過ごしたように、お家との小さなお別れのためのセルフポートレートを残した」。日常を覗き見るかのような、自然な息遣いの感じられる写真だ。（沙）

★二羽ももセルフポートレート展
「あの子のお布団」
2023年2月17日（金）〜3月1日（水）
会期中無休
20:00〜2:00（金土は〜5:00）
※火〜土はランチあり11:00〜14:30
要オーダー
場所／東京・新宿 Artbar星男
Tel.03-5379-6066
https://barhoshio.shopinfo.jp/

写真の中での自己表現

村田兼一などのモデルとしても活躍している悠歌が、セルフポートレート作品を制作。それを展示する初個展を神保町画廊で開く。貪欲に自己表現を模索する悠歌。その熱情や鬱屈した思いが写真としてどのように表現されているか、目撃されたい。（沙）

★悠歌 初個展（仮）
2023年4月21日（金）〜30日（日）
会期中無休
13：00〜19：00 入場無料
場所／東京・神保町 神保町画廊
Tel.03-3295-1160
http://www.jinbochogarou.com/

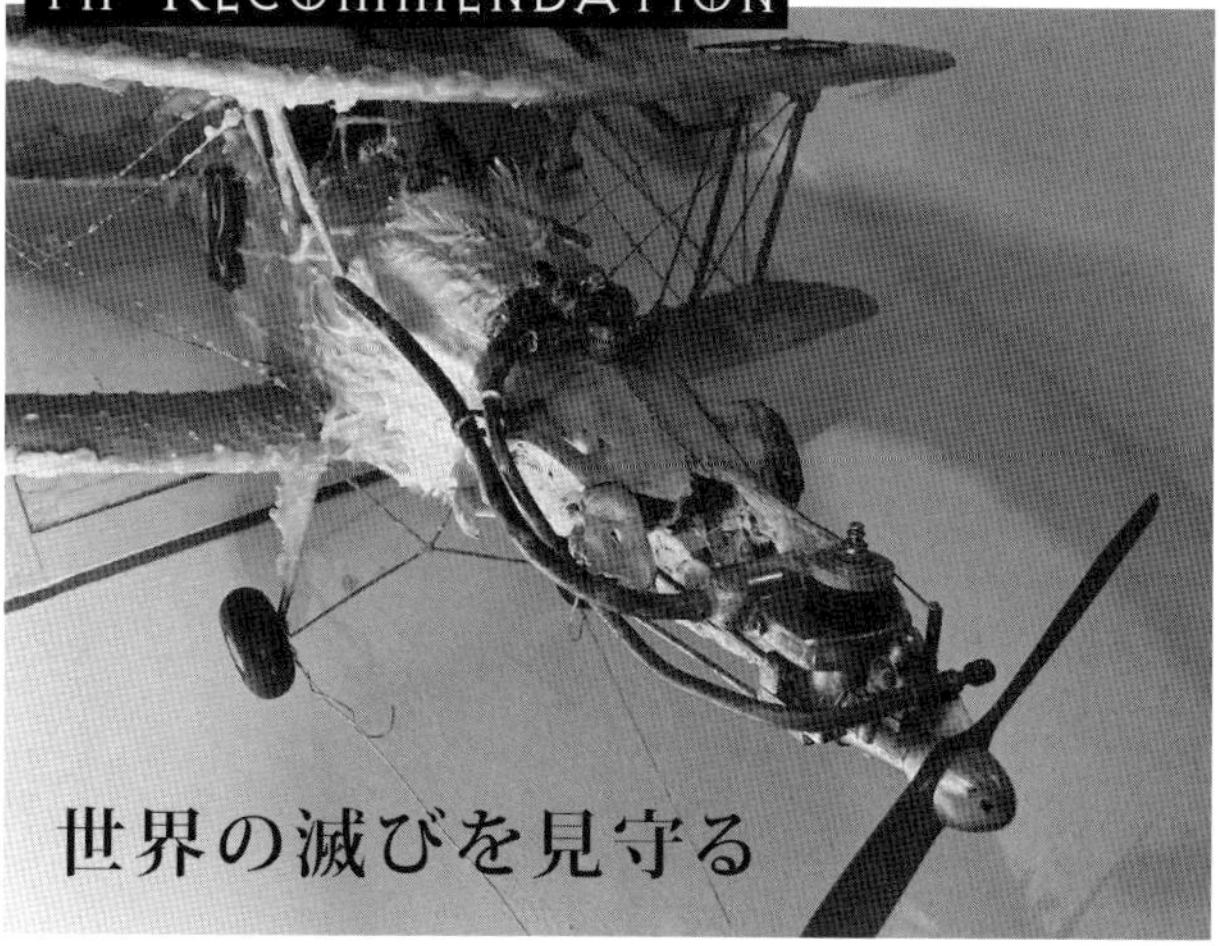

世界の滅びを見守る

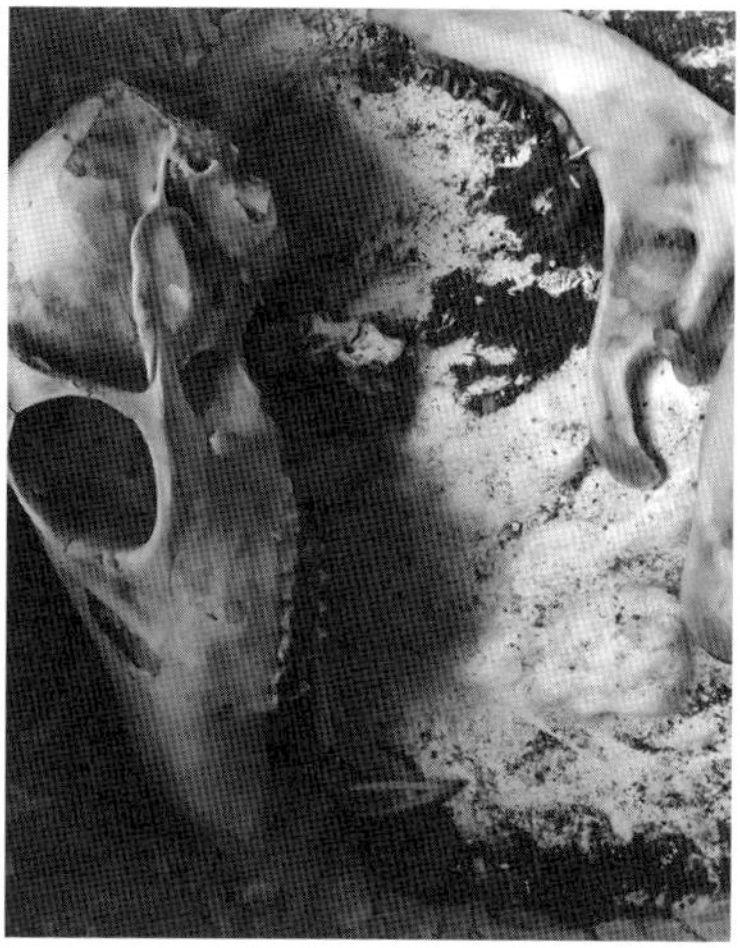

★マンタム個展「dekadence」
2023年1月29日（日）〜2月11日（土）会期中無休
13：00〜19：00（最終日〜17：00）
2階画廊は入場無料、喫茶は1階でご利用になれます
漫画：池袋万里、会場音源：田吹三千郎
場所／東京・初台 画廊・珈琲Zaroff
Tel.03-6322-9032
http://www.house-of-zaroff.com/
※同時開催「古道具屋アウトローブラザーズによる不可解な骨董市」

異形の美術作家、マンタムの個展がZaroffで開催される。マンタムは、パンデミックや戦争などを憂い、「私は終わりのはじまりに、世界の淵に立っている」「『dekadence』と称されるのは今をおいて他にはなく、世界の滅びを私は立ち尽くし見守っている」と嘆く。マンタムが生み出す異形の光景は、身に差し迫るものとして、観る者の心に突き刺さるだろう。マンタム・原作、池袋万里・漫画による本の展示販売もあり。（沙）

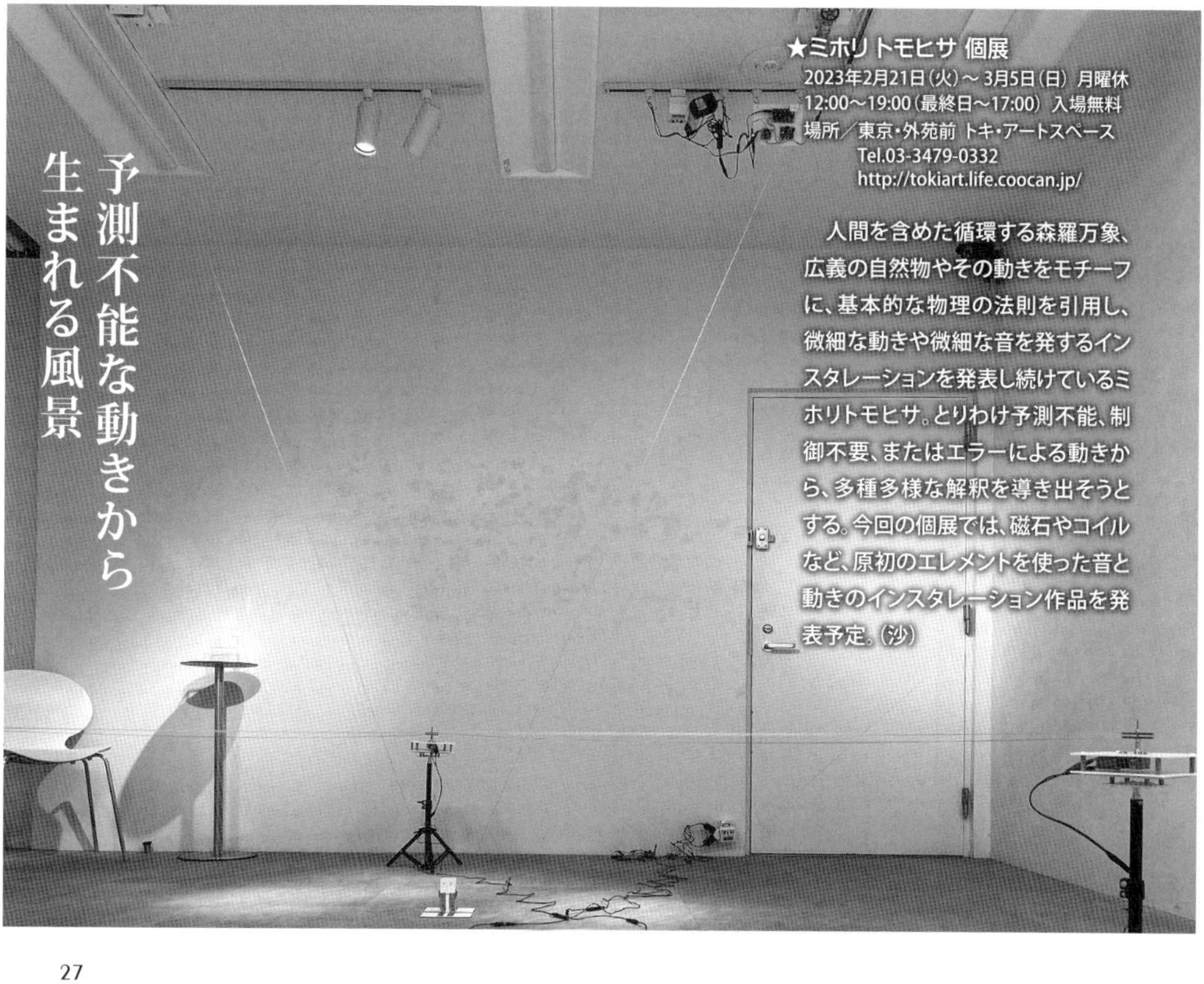

予測不能な動きから生まれる風景

★ミホリトモヒサ 個展
2023年2月21日（火）〜3月5日（日）月曜休
12:00〜19:00（最終日〜17:00）入場無料
場所／東京・外苑前 トキ・アートスペース
Tel.03-3479-0332
http://tokiart.life.coocan.jp/

人間を含めた循環する森羅万象、広義の自然物やその動きをモチーフに、基本的な物理の法則を引用し、微細な動きや微細な音を発するインスタレーションを発表し続けているミホリトモヒサ。とりわけ予測不能、制御不要、またはエラーによる動きから、多種多様な解釈を導き出そうとする。今回の個展では、磁石やコイルなど、原初のエレメントを使った音と動きのインスタレーション作品を発表予定。（沙）

辛しみと優しみ〈51〉

心の闇が深まれば深まるほど、
その深淵の中に普段では気づかなかった、
いつでもそばで燃えていた、
ずっと燃え続けていてくれた青白い炎が
鮮明に見えるようになる。

それはヒトガタをした心の灯。
いつでもあなたのそばにいてくれた。
……朽ちる事も、あなたを裏切ることもない、
確かなあなたの愛を静かに受け入れる孤高の存在。

人形・文＝与偶
doll & text by Yogu

両手でその淡い炎の光を磁針として包み込み、
あなた自身も燃えながら、ヒトガタとあなたがひとつになり、
闇の外へと、大きな光の中へと、最後まで走り続けて。

撮影◎サト・ノリユキ / SATOFOTO

京都から生まれた新しいタトゥースタイル
寺社の伝統装飾を投射する「神社トライバル」
彫師・ごうち(Gotch)インタビュー

◉取材・文＝ケロッピー前田

90年代から関西のタトゥーカルチャーはとにかく自由だった。もちろん、東京を中心とする関東圏も個性と技術を併せ持つ凄腕たちが切磋琢磨を続けてきたが、京都・大阪を発信源としたタトゥームーブメントの勢いは、本場アメリカ西海岸とも比較されるほど、バリエーションが豊富でユーモアを兼ね備え、オリジナリティが爆発していた。

そんな関西タトゥーカルチャーの黎明期にメキメキと頭角を現し、その後海外修業を経て、現在は京都・中京区にて、スタジオ「針三昧《はりざんまい》」を営むのが、ごうち(Gotch)氏である。近年、彼は日本の伝統刺青を特徴づけてきた様式美から〝ちょっと違う〟感じの〝和彫り〟の創出を目指しているという。そこから生まれたのが「神社トライバル」である。京都から発信する新しいタトゥースタイルはどのように生まれ、どこへ向かっていこうというのか、ごうち氏に聞いた。

――近年取り組んでいる「神社トライバル」を始めたきっかけは何でしょうか?

◉いわゆる伝統刺青とは〝ちょっと違う〟感じの〝和彫り〟を作り出せないかとい

★「神社トライバル」ドローイング

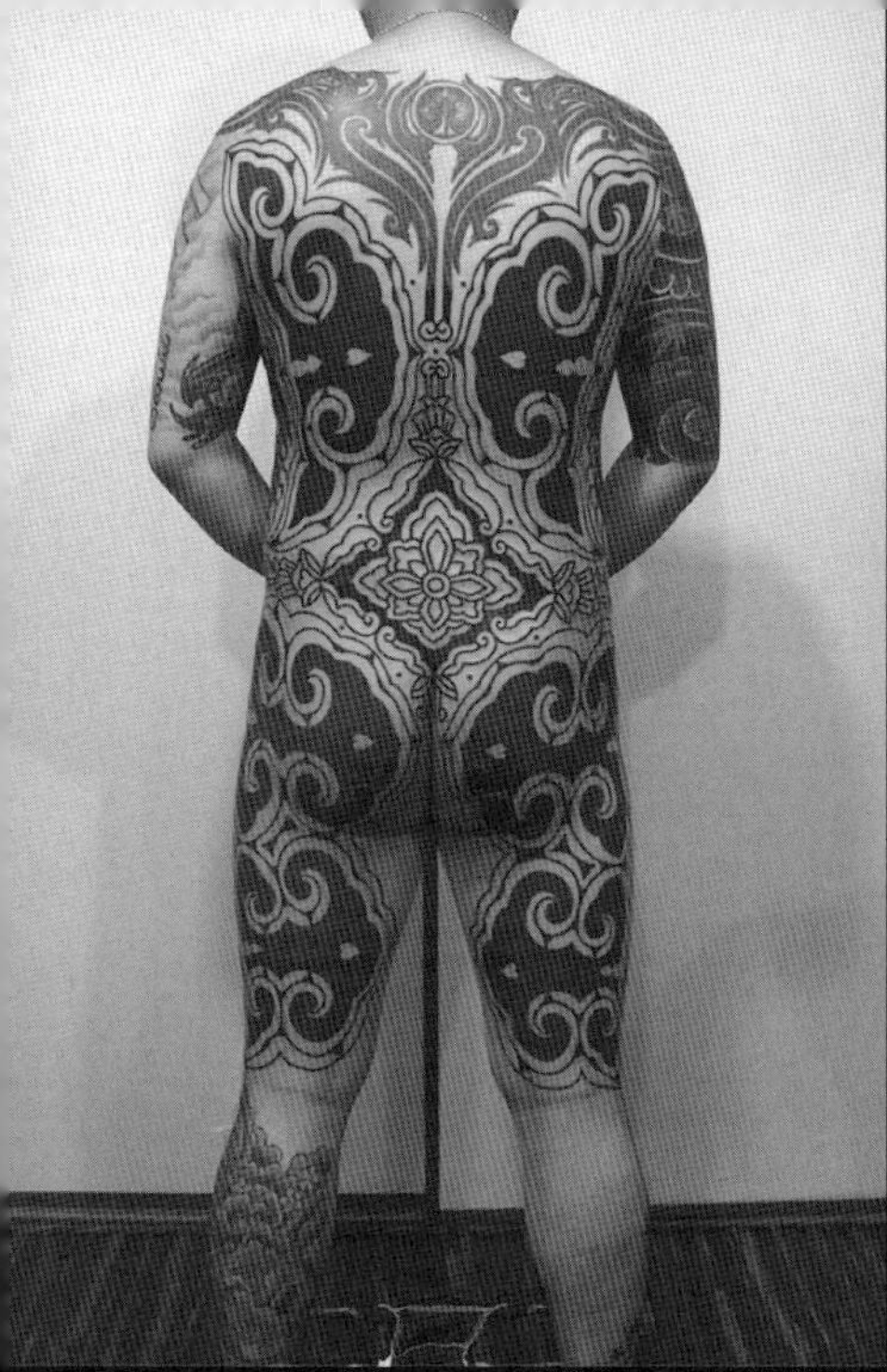

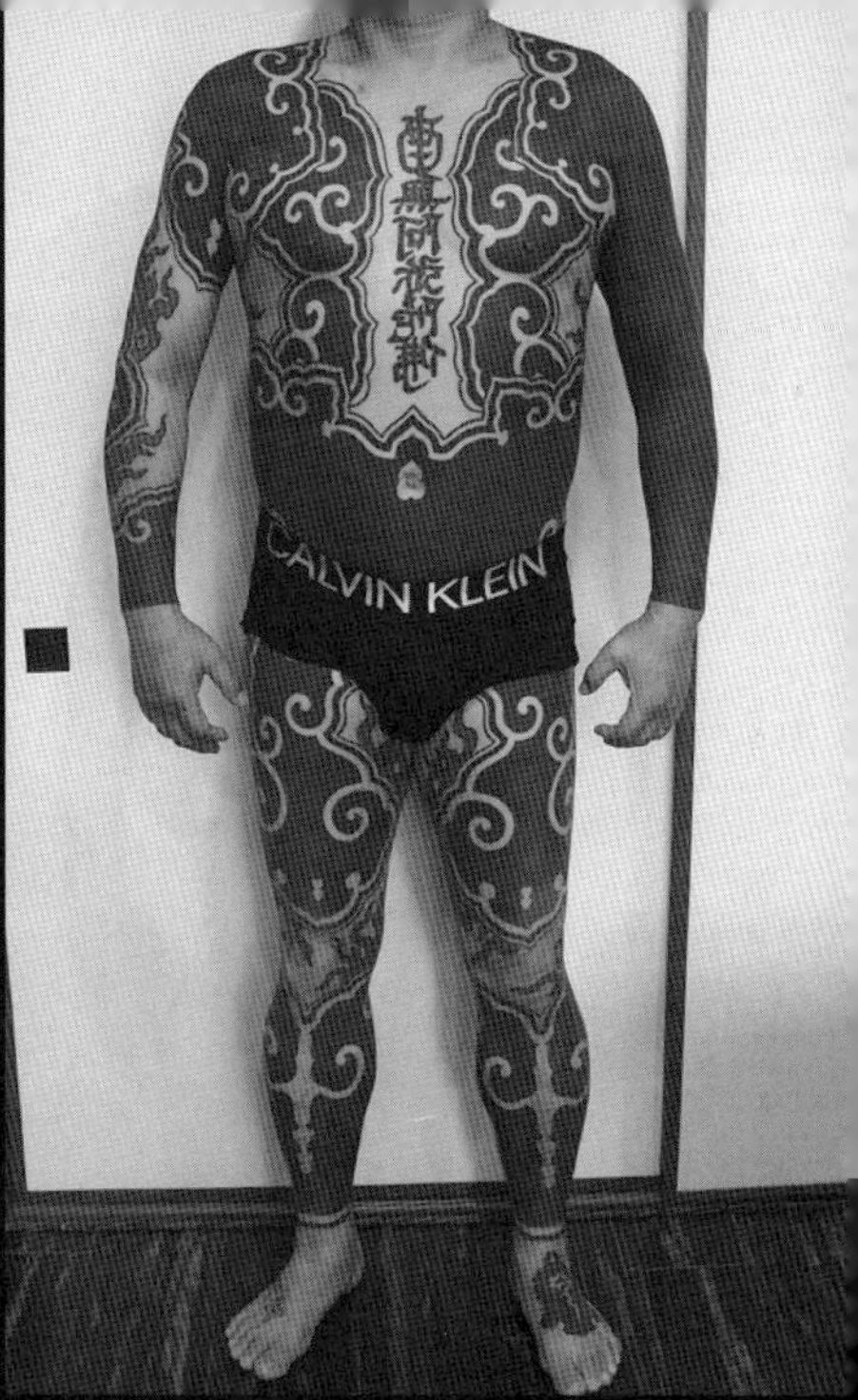

う問いがずっとありました。普通に和のモチーフであると、武者絵にしろ、物語絵にしろ、従来の形にならざる得ないところがあって、"ちょっと違う"ことがしたかったんです。

——具体的に「神社トライバル」を始めたのはいつ頃ですか?

◉6年前くらいですね。最初に絵として描いたものがあって、それを身体にはめていくうちに、これは面白いなと。京都は神社仏閣が多いから、たとえば、九条の東寺、本願寺、松尾大社、建仁寺など、年代や宗派には関係なく、寺社建築にみられる装飾を写真に撮って、身体にはめて、針と柱をつなぐ金具が人間の肩に合うとか、身体の形とリンクするところを見つけていきました。

——「神社トライバル」でトライバルという言葉を使っているのは黒の面積が広いからですか?

◉日本発祥を意識して、ジャパニーズの新しいトライバルという意味ですね。イマジネーションとして、日本にこんなトライバルがあったら面白いんじゃないかなと。

——世界的にも黒の面積が広いタトゥーが流行しています。世界のタトゥーシーンの動向を意識された部分もあるのでしょうか?

◉僕自身も両腕は黒く潰している面積が広いです。細かいタトゥーとは違う、遠目に見て格好よく見えるようなタトゥーを意識しているところはありますね。

——海外では、ロータリーマシーンが普及したことで黒一色で広い面積を均一に彫れるようになったと言われています。ごうちさんもロータリーマシーンをお使いですか?

◉ライン(筋彫り)はコイルですが、シェーディング(潰し)はロータリーですね。お客さんの痛さも軽減されるし、音が静かで彫る方も助かっています。マシーンも軽いですしね。

——作品創作のインスピレーションはどこから得ていますか?

◉京都という土地柄でいうと、着物の文様からはかなり影響を受けていますね。染め物屋さんが参考にしていた着物のパターン集が、京都だと古本屋で簡単に入手出来ますから。

——弟子のRyujiさんに彫られた大作について、解説していただけますか?

◉神社トライバルのシリーズではありませんが、赤と黒のコントラストで全身を使って大きな作品に仕上げています。メインのキャラクターは背中の巨大な化け海老で、その触覚が腕まで伸びています。正面にまわって、胸の赤いラインはもともと入っていたものを残し、両腕の赤は炎をイメージしています。また、腹部

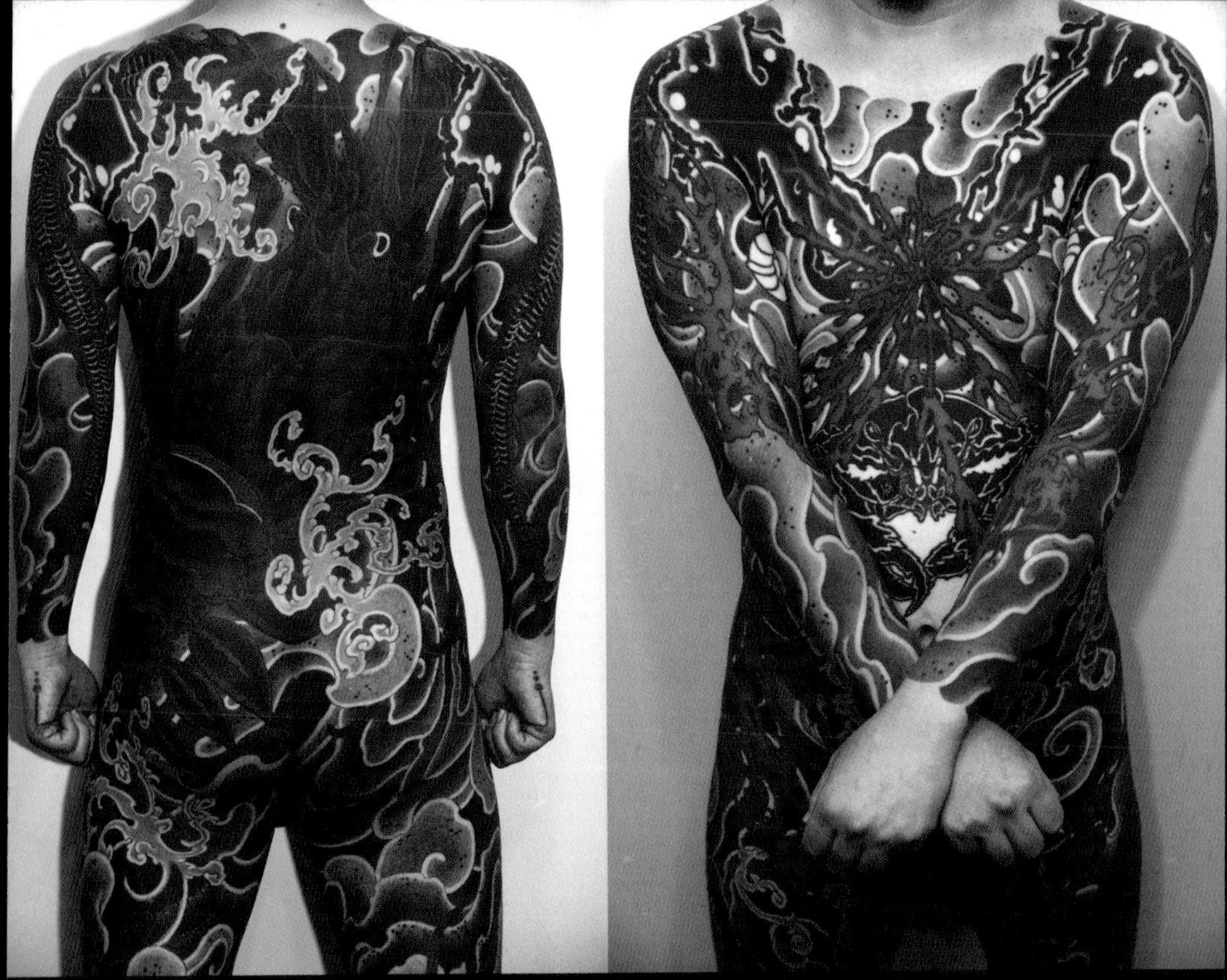

★背中の巨大な海老をメインに赤と黒のコントラストで仕上げられた大作（撮影：ケロッピー前田）

★「神社トライバル」を生んだ最初の絵画作品

★絵画作品

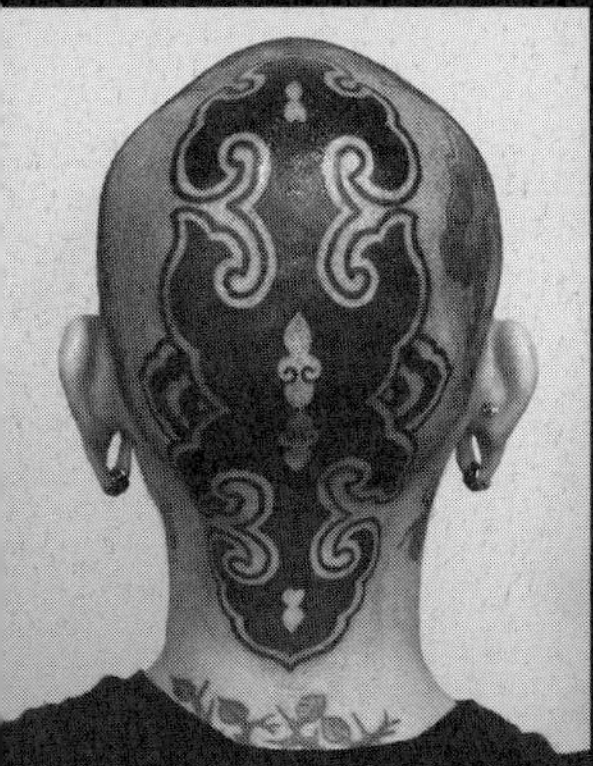

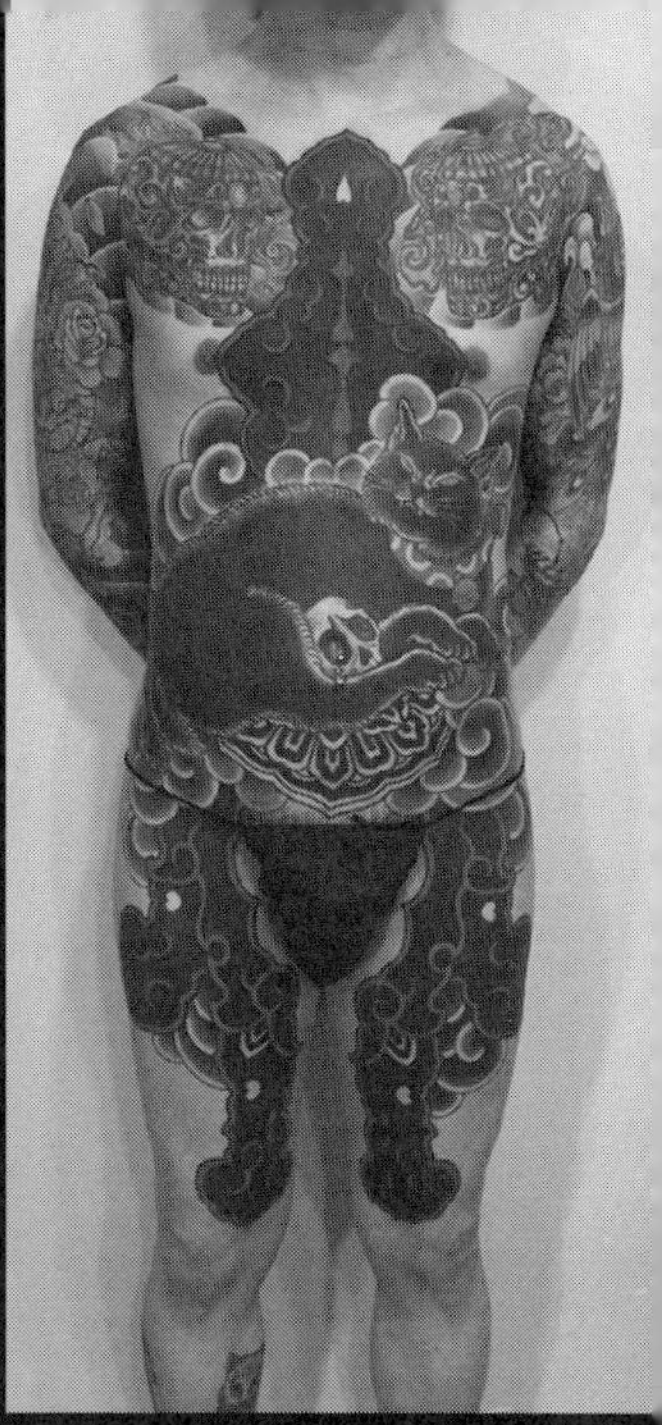

にサブキャラとしてカニを配置しています。

――パンデミックを経て、ごうちさん自身、彫師としての心境に変化はありましたか?

◉特に心境の変化はないですね。年齢的にもっと腰を据えて創作に打ち込んでいきたいなという気持ちが強いです。常に新しいものを作っていきたいですけど、これまでいろいろインプットしてきたものを熟成させて出していく感じでやっています。目新しいものに飛びつくんじゃなくて、これまで積み上げてきたものが自分のなかでも整理されてきました。だから、神社に行ったかなというところがありますね。

――海外のタトゥーコンベンションに参加するとか、これからの予定や目標があれば、教えてください。

◉具体的にどこかのタトゥーコンベンションに行きたいとか、そういう計画はありませんが、全身を覆うボディスーツの作品を多く手掛けているので、まずは大作を完成させたいですね。いまは新規のお客さんは断って、継続のお客さんを優先しています。もちろん、神社トライバルのボディスーツが仕上がれば、世界中の皆さんに見て欲しいですから、また海外に積極的に出ていくタイミングも来るでしょう。

――最後に読者に何かメッセージをお願いします

◉タトゥーを入れたいなら、いろんなジャンルやスタイルがあるのでまずは自分で調べて欲しい。昔はタトゥーについての情報が全然なかったけど、いまはネットでいろいろなタトゥーを見れますから、いい時代になりましたね。

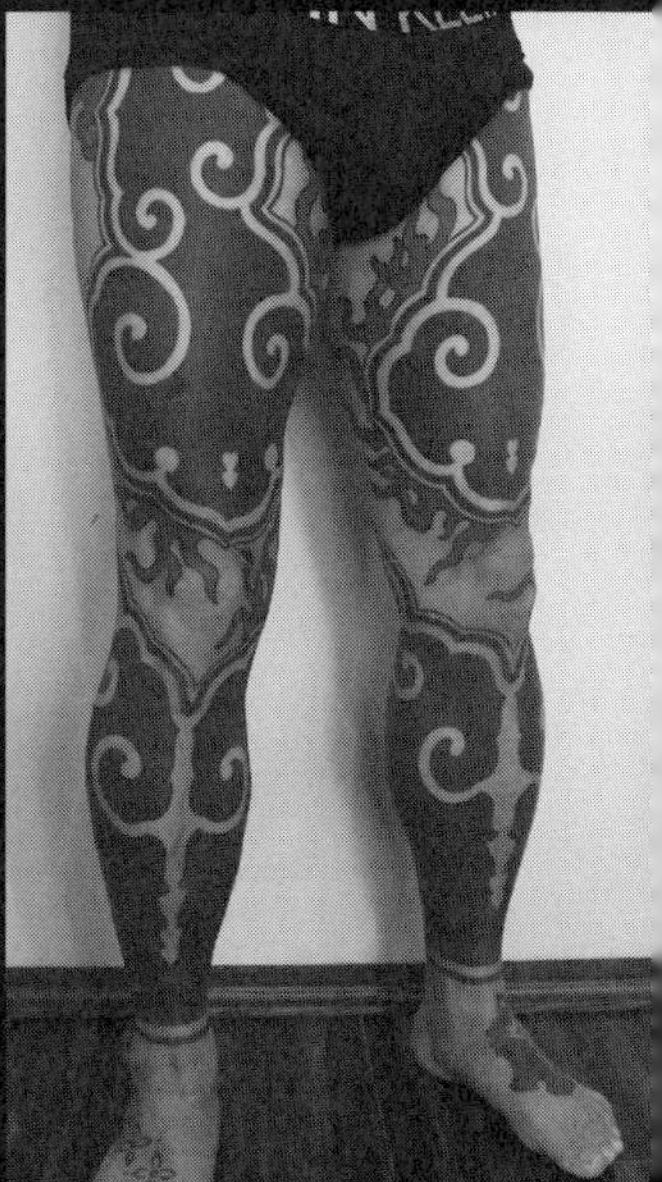

ごうち (Gotch)
京都生まれ。大阪で彫師としてのキャリアを始め、06年に独立。単身でフランスに渡り、帰国後、京都に「針三昧」をオープンした。抜群の画力と卓越したタトゥーテクニックには定評があり、ユーモアあふれる和風スタイルでタトゥー愛好家たちを魅了してきた。近年は、伝統寺社建築様式を身体に投射する新しいタトゥースタイル「神社トライバル」を生み出し、世界的にも大いに注目されている。
インスタグラム @gotch_tattoo

【スタジオインフォメーション】
針三昧 harizanmai.jp 京都府京都市中京区 ※Appointment only

李禹煥、饒舌な沈黙

「兵庫県立美術館開館20周年　李禹煥」展

●写真・文＝樋口ヒロユキ（SUNABAギャラリー）

★《関係項—無限の糸》（2022）作家蔵

一九七〇年代の日本の美術界を席巻した美術ムーブメント「もの派」。李禹煥は、その「もの派」をリードした美術作家で、以来現在に至るまで、世界的な活躍を続けているスーパースターだ。

日本、韓国、アメリカ、EU諸国などの著名美術館はもちろん、ヴェルサイユ宮殿などで個展を開催。香川県の直島や韓国の釜山、フランスのアルルと、世界に三つも個人美術館が開かれており、最近では坂本龍一の最新アルバム「12」（二〇二三）にもアートワークを提供している。名実ともにレジェンド級かつ最先端の作家である。

そんな多忙な作家だけに、二〇二二～三年に東京と神戸で開催された個展「李禹煥」は、国内での大規模個展としては、なんと十七年ぶり。横浜美術館での「李禹煥　余白の芸術展」（二〇〇五）以来となるものだ。

さてそんな李禹煥の作品は、無駄なものを一切削ぎ落とした、静謐かつシンプルな表現で知られる。たとえば石と鉄板やガラスなどを置いただけの彫刻作品「関係項」シリーズや、絵の具を少しずつ掠れさせて描かれる絵画作品「点より」「線より」のシリーズは、作家の作為を極限まで切り詰め、「もの自体」に語らしめる作品群だ。

李禹煥をはじめとする「もの派」の作家たちは、しばしばその作風から「禁欲的」だと言われる。実際、私も長らくそのように

★《関係項―棲処（B）》（2017/2022）作家蔵

★手前：《点より》（1973）いわき市立美術館
奥左：《点より》（1977）東京国立近代美術館
奥：《線より》（1977）東京国立近代美術館

感じてきたが、今回の個展を見たあと、私の感じ方は少し変わった。確かに彼の作品は、作家自身が自己を語らないことによって、素材そのものに語らせる。だが同時に彼の作品は、作家自身が声をひそめることで、作家の存在から自立し、作品が置かれた環境と対話を始める。結果、そこにはむしろ饒舌で豊かな空間が生まれるのである。

私がこの展示を見たのは、建築家の安藤忠雄の手になる兵庫県立美術館だったが、そこで展示された《関係項―無限の糸》（二〇二二）は、李の作品が安藤建築と呼応し、対話するかのようなものだった。

この作品は鏡面仕上げを施されたステンレスの円盤の上に、一本の糸を垂らしたもの。糸が鏡に映って無限に伸びるかのような光景を現出させる作品だ。今回、李はこの作品を、安藤が屋外空間に作った井戸のような螺旋階段の中にしつらえた。結果そこには、安藤の螺旋階段自体が無限に続くかのように作品が語りかけ、逆に一本の糸の中に螺旋状の運動があるかのように、安藤建築が語りかける光景が出現したのである。

もう一つ例を挙げれば、《関係項―棲処（B）》（二〇一七／二〇二二）もそうだろう。平たい石を床面に敷き詰め、積み上げたこの作品を、李は安藤が「光の庭」と名付けた吹き抜けの庭に設置した。先の《関係項―無限の糸》と同様、屋外に設置されたこの作品は、雨の日にはそのまま雨を浴び、雪が降れば白い雪をそのまま積もらせるだろう。密室になりがちな美術館に安藤が穿った空虚の庭。そ

※「兵庫県立美術館開館20周年 李禹煥」は、
神戸の兵庫県立美術館にて、
2022年12月13日（火）～2023年2月12日（日）まで開催中。

★《関係項─サイレンス》（1979/2005）
神奈川県立近代美術館（鎌倉）、作家とともに

★《現象と知覚B 改題 関係項》（1968/2022）
作家蔵

こに置かれた石の群れは、安藤建築とだけでなく、自然環境とも対話するのである。

素材と環境が相互に交わす、こうした静かで豊穣な対話を見た人は、そこに何を思うだろうか。万物に霊が宿り対話を交わす、アニミズム的な世界だろうか。あるいは世界から人が滅亡して消え失せたあとの、無限の静寂の世界だろうか。あるいはもっと個人的な、自分自身の中の記憶との対話を交わすことになるだろうか。素材と環境の静かな対話は、このように鑑賞者の中に、無数の豊かな言葉を育んでいくのである。

李の作品は作家の内面を（少なくとも声高には）語らない。いわば作品自体が「空」であることによって、もの自体の語り、ものと環境との対話、そして見る者の奥深くに眠っていた感情や論理、言葉を引き出し、招き入れてきた。事実、李の作品はこれまで実に様々な批評家によって論じられてきたし、李自身もまた批評家として、自作を縦横に語ってきた。結果として彼の作品の周囲には、膨大な言葉が集積されることになった。作品自体が寡黙である分だけ、こうした饒舌な言葉を招き寄せてきたのである。

さて、このように豊穣な言葉を召喚して一大ムーブメントを巻き起こしたばかりか、激烈な論争さえ巻き起こしてきたこともある李禹煥の作品だが、同時にこの作家は自作について「言葉では語れない」と発言することもある。実際、この展覧会の初日の内覧会においてもまた、彼はとある作品を指しながら「この作品は言葉では語ることができない」との説明を加えていた。

だが李は自身も批評家であり、自作や現代美術について、数多くの著作を発表し、折に触れ美術界への発言も積極的に行ってきた作家である。一体彼の作品は、いや、そもそも美術作品は、言葉で語れるのだろうか、語れないのだろうか。長く李禹煥の作品を見ながらずっと気にかかっていたこの疑問を、いささか愚問ではないかと恐れながらだが、私は思いきって直接、作家に尋ねてみた。では、その答えはどんなものだったか。

「言えば言うほど遠ざかることもあるわけです。うまくいったかどうか、それはわかりません」

右がこの巨匠の言葉である。私たちはこの謎めいた言葉の意味を、どう解すればいいだろう。本来ならこの言葉をパラフレーズし、解釈していくのが書き手の仕事かもしれないが、ここでは李の作品に倣って、この断片的な言葉を、単に書き留めておくにとどめたいと私は思う。寡黙さは時として、多弁より饒舌に何かを語る。李禹煥とその作品は、そうした饒舌な沈黙を私たちに教えている。

★集治千晶「Iconic Doll -Heartbeat-」

★集治千晶「Peace Fairies !」

人形の秘める力とは

KUNST ARZTではアーティストがキュレーションをおこなう展覧会VvKを年数回開催している。その34回目が集治千晶のキュレーションによって開催される。テーマは「アニミズムの小箱」。約15年ほど前に、とある人形作品に出会い、心を強く揺さぶられた集治は、以来、人形とアートについて考察を重ねているという。今回は、その両者の繋がり、または両者を繋げることを展示という形で提示する試みだ。

展示は、集治の作品のほか、集治の人形コレクション、集治と人形作家とのコラボ作品などで構成。人形／ヒトガタが秘めるアニミズム的な力をそこから感じ取ってみたい。(沙)

★「アニミズムの小箱」展
2023年3月17日(金)〜26日(日) 月曜休
12:00〜18:00 入場無料
参加作家：青の羊、影山多栄子、集治千晶、山吉由利子
場所／京都・東山 KUNST ARZT
Tel.090-9697-3786 http://kunstarzt.com/

★山吉由利子「市松さん」

★影山多栄子＋集治千晶
「ambivalent flower/night cruising」

★青の羊「ジェスタードール」

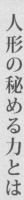

★タリン・パディの大規模展示、ハレンバート・オスト会場にて

◉文・写真＝ケロッピー前田

アジア初芸術監督ルアンルパの挑戦 反ユダヤ問題に揺れたタリン・パディ

国際芸術祭「ドクメンタ15」レポート

★インドネシアのアートコレクティブ「タリン・パディ」は、スハルト独裁政権を体験した若者たちによって、1998年に結成された。表現や集会の自由が制限されたなか、農村で共同生活して巨大な垂れ幕や版画の作品を制作してきた。特に1965年に起こったスハルト政権樹立につながる軍事クーデターは、数十万人の犠牲者を出す大虐殺に発展し、タリン・パディの作品群のメインテーマとなってきた。

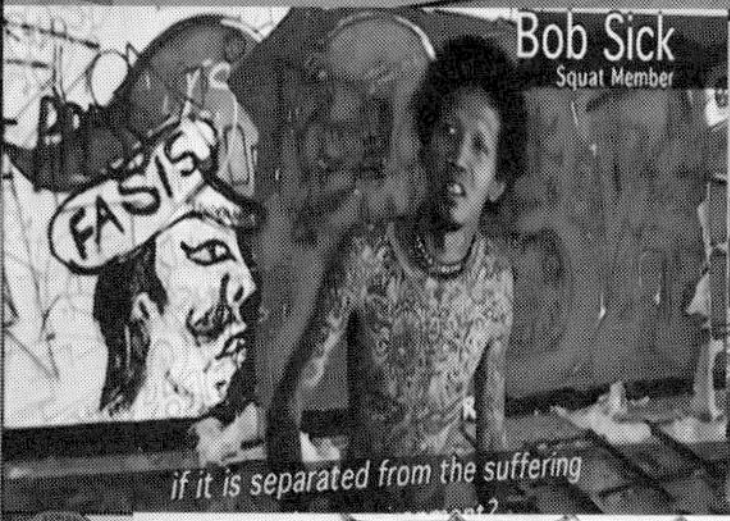

2022年、世界最大級の二つの国際芸術祭、イタリアのヴェネチア・ビエンナーレとドイツのドクメンタが開催された。ヴェネチアがパンデミックの影響で1年延期されたことで、本来なら10年に一度しか重ならない二大芸術祭が5年ぶりに同時に戻ってきた。前号のヴェネチア・ビエンナーレに続き、今回はドクメンタのレポートをお送りする。

国際芸術祭ドクメンタは5年に一度行われるもので、2022年は6月18日から9月25日までの100日間にわたり、ドイツ・カッセルにて開催された。今回はアジア初の芸術監督としてインドネシアのアートコレクティブ「ルアンルパ」が任命され、大いに注目された。ドクメンタはこれまでもアーティストの国籍や出身に拘ることなく国際性を重視してきたが、今回はさらにアートに国境はないと強調するため、アーティストの国名の表記はなく、グリニッジ標準時との時差（タイムゾーン）だけが示された。

ルアンルパは2000年、スハルト大統領の独裁政権を体験した美術学校の学生たちによって結成された。今回のドクメンタでは「Make friends, not art（アートではなく友だちをつくろう）」をモットーに、主にグローバルサウス（アフリカ、アジア、南米など、資本主義によって負の影響を受ける地域）の53のアートコレクティブにオファーし、それぞれに作家や作品のセレクトを任せることで運営側も把握できないほど作り手の数は膨れ上がり、その総数は公式参加のアーティストを含め、1500人を超えたという。

また、ルアンルパは「ルンブン（米倉の意）」というコンセプトを掲げ、具体的には予算や人材、知識、技術などを皆で共有して芸術祭を作り上げていこうとした。それは非欧米圏のアーティストたちの視点を通して、新たな世界の捉え方を提示しようというルアンルパの挑戦だった。だからこそ、整然と作品を展示するだけではなく、世界各地のアートコレクティブの活動そのものを見せ、作家や鑑賞者が互いに交流し合うような場を作ろうとした。

そんな野心的な試み芸術祭において、ルアンルパがその主役的なポジションを与えたのが、同じインドネシア出身のアートコレクティブ「タリン・パディ」であった。1998年結成の彼らもまたスハルト独裁の体験から生まれたアーティスト集団であった。タリン・パディの農村での共同生活をベースとした創作活動は、表現や集会の自由が制限されていた状況を打破する芸術的なアクションだった。パワーがみなぎる彼らの垂れ幕や版画などの巨大作品はどれも複数のメンバーによる共同制作で、批判すべき実在の政治家を登場させ、民衆の怒りの表情まできっちりと描き込む作風で圧倒してくる素晴らしいものだった。

★ハレンバート・オスト会場

★タリン・パディ

しかし、ドクメンタのメイン会場フリデリチアヌムの広場に設置されたタリン・パディの代表作《People's Justice（人民の正義）》(2002)は「反ユダヤ主義（アンチセミティズム）」であると批判され、オープン3日後に布で覆われ、その後に撤去された。さらに筆者が現場を訪れた7月上旬には、ドクメンタの総監督ザビーネ・ショルマンがその責任をとって辞任に追い込まれた。詳しくは後述するが、今回のドクメンタにおける反ユダヤ

★リチャード・ベルの絵画作品（左右ともに）

★アボリジニ大使館 byリチャード・ベル

★フレデリチアヌム、柱の装飾はダン・パージョフスキー

主義は、ドイツの一般メディアが連日報道するほどの深刻な問題となり、撤去された作品については、タリン・パディが描いた鉤鼻の男性がユダヤ人を連想させるばかりか、その男性がSS（ナチス親衛隊）の帽子を被っていたことが決定打となった。筆者は作品が撤去された後の広場をポカンと眺めるばかりだった。それでもタリン・パディの膨大な作品群は、別会場ハレンバート・オストでゆっくりと堪能することができた。とはいえ、西欧中心主義に抗う目論見が最も目立った作品でタブーを冒してしまったことは皮肉としかいいようがない。

　さっそくメイン会場のフリデリチアヌムから見ていきたい。今回、フリデリチアヌムの入口のフロアは「Gudskul（学びの場）」とされ、具体的には展示空間にイスやテーブルが置かれ、鑑賞者はコレクティブのメンバーのレクチャーを受けたり、対話することができた。上の階では「ブラック・アーカイブズ」や「アジアアートアーカイブ」などのコレクティブによるさまざまな地域の芸術的政治的活動の記録アーカイブも観ることができた。またアボリジニの権利のために闘う人々を鮮やかな色彩で描き出したリチャード・ベルの絵画作品が目を惹いた。彼のプロジェクトは屋外に設置された《Tent Embassy》（アボリジニ大使館）と連動し、先住民が自分たちの土地の権利を主張する活動がアートと強く結びついていることがよくわかる。

　広場を挟んで向かいにあるドクメンタハレは、ナイロビの「ワジャクーアート

★吹き抜けの垂れ幕は*foundationClass* collective

★INSTAR

★バーン・ヌールグ

★ブリトーアーツトラスト

プロジェクト」が彼らの活動拠点であるスラム「ルンガルンガ」をトタン屋根で再現したインスタレーションを抜けて入ると、広いホールにはバングラディシュの「ブリトーアーツトラスト」による巨大壁画、タイの「バーン・ヌールグ」によるスケートボード場が設置されるなど圧巻の大型作品が迫ってきた。その奥にはキューバ出身のタニア・ブルゲラを中心とする「INSTAR」が自国政府からの検閲を受けたアーティストたちの顔写真のマスクを陳列した。キューバ革命により1959年にカストロ政権が誕生し、それ以降現在至るまで表現の検閲が続いていることをアピールしていた。

聖クニグンディス教会では、ハイチのアート集団「アティス・レジスタンズ」がブードゥー教をテーマに、本物の人間の頭蓋骨を用いたオブジェやサウンド作品を展示した。またインドネシアのアグス・ヌル・アマルは、自作の段ボール製テレビから子供たちに語りかけ、日用品や廃材から作ったオブジェで人々を楽しい気持ちにさせた。今回のドクメンタ15に日本から唯一参加している「シネマ・キャラバン&栗林隆」は、原発事故を起こした福島第一原発を模した形のサウナ「元気炉」や映画上映会などを不定期で披露していた。ベルリンのニノ・ブリングによるドローイング作品は、シルクにシンプルな線でクイアたちの愛の物語を描き出していた。

パレスチナの「クエスチョン・オブ・ファンディング」は、ガザ地区のアーティスト集団「エルティカ」と共同で展覧会を企画し、開催前には反ユダヤ主義の疑惑をかけられて、今回の騒動の発端となった。作品そのものには何も問題がないかもしれないが、パレスチナのコレクティブのメンバーが反イスラエルを掲げるBDS運動を支持していたり、今回のドクメンタ15にイスラエルのアーティストがひとりも招聘されてないことによるアンバランスが批判の対象となった。

★アグス・ヌル・アマル

★アティス・レジスタンズ

★シネマ・キャラバン＆栗林隆

★ニノ・ブリング

★クエスチョン・オブ・ファンディング

今回、ドイツ人の友人と展示をまわったこともあり、ドイツ国内で大きな問題となった反ユダヤ主義について話し合うチャンスがあった。もともとドクメンタは、戦後ドイツにおいて、ナチス政権によって退廃芸術として排斥されてきた現代芸術を広く紹介するために始まったものであった。それゆえに、芸術の社会におけるあり方や国際協調について真摯に向き合う社会派国際芸術祭として、ドイツが国をあげて育ててあげてきたものだった。カッセルから戻る電車でもドクメンタについて議論する乗客たちが多くいた。ドイツ人は真にアートが好きだからこそ、今回の問題に大きく傷つけられたことだろう。カウンターカルチャーの立場から現代美術の取材を続ける筆者にとっても思うところが多い旅となった。ありがとう、ドクメンタ!

★ドイツ在住の友人ベネットと筆者

〈Asian Film Joint 2022〉レポート
失われた世界と、今、生きているこの〝場〟を照射する

◉文＝友成純一

去年の十月二十一日から二十九日まで、〈Asian Film Joint 2022〉が実施された。開催場所は百道浜にある福岡市総合図書館で、ここには世界有数のアジア映画のアーカイブがあり、毎月特集を組んでアジア映画や日本映画が上映されている。図書館には本を借りに行くのが普通なのだろうが、私の場合はこの上映が目的で、毎月通い詰めている。

この映画イベントが始まったのは一昨年で、三十年続いた〈アジアフォーカス福岡国際映画祭〉が二〇年に終了したのをきっかけに、翌二一年に始まった。アジアフォーカスの産んだ福岡とアジア諸国の文化的な繋がりを受け継ぎ、未来に繋げて行こうというのが、Asain Film Joint の趣旨である。

第二回目の去年は規模が一回り大きくなって上映作品のヴァリエーションが増え、しかも上映会場がいつも通っている百道浜の図書館だ。自然にイベントの詳細を知ることとなり、なかなか見る機会のない映画が上映されることもあって、参加させてもらった。

今年のテーマは、〈場に宿るもの〉——こういう小難しい言い回し、私には良く判らないのだが、そんな事は気にしないでとにかく映画を見せてもらおう。映画を見せてもらって自分の切り口が見付かれば、それで良し——そして見付かった切り口が、確かに〈場に宿るもの〉だった。

シンガポールとバンコク、東南アジア屈指の経済と文化の中心地

最初に見たのが、シンガポールを素材としたプログラム〈都市開発と映画—シンガポール〉だった。

シンガポールには今から三十年以上も前、九〇年代に頻繁に訪れたものだった。福岡に住むようになって間もない時期で、福岡を拠点にヨーロッパ（映画祭目的）と東南アジア（ダイビング目的）に頻繁に出掛けたものだったが、その際にはシンガポール航空が一番便利だったし、プロモーションもあって安上がりだった。また、インドネシアの僻地にダイビング絡みで頻繁に長期滞在したのだが、その際の滞在ビザの手続きにはシンガポールが最も便利で早かった。

たびたび訪れるうちにシンガポールを居心地良く感ずるようになり、ヨーロッパやアジア諸国の映画祭に頻繁に参加していた延長で、〈シンガポール国際映画祭〉にも参加した。

シンガポールの街は資本主義の極北と言っても良いと思うが、タバコの吸い殻一つ落ちていない清潔さ（中心部で歩きながら吸うと罰金）、整然と秩序立った街並みの人工的な美しさに驚いた。シンガポールは何事にも〝世界一〟と〝世界最初〟が大好きな国で、動物園を夜に訪れる〈ナイト・サファリ〉を世界最初に実施していた。そんなこんなで、観光客として訪れるには絶好の場所だった。

しかし、いざ住むと、全く違う顔が見えて来るとも聞いていた。税金が高いし、ガソリンと車に対する規制も厳しい。歩きタバコの規制やゴミのポイ捨て禁止に始まり、様々な罰則があって、住人には特に厳しいそうだ。

「セントーサ、地球最後の日」（21）は、シンガポール屈指の観光地セントーサ島を舞台にした、二十三分の破滅がテーマの短編だった。

一九九八年のアジア金融危機の只中に、男とその家族は〝最後の日〟を過ごすためにセントーサ島を訪れる。島には樹木の生茂る昔のままの一角があれば、開発され整備された区域もある……豪華な設備を誇る高級リゾートがあり、かつての軍事施設は今や重要な観光資源だ。映画は島に滞在する家族と共に、そんな風景を捉えて行く。

私が訪れた三十年前には、整備された

★（上）「セントーサ、地球最後の日」
（下）「〈鳥のうた〉緑のかげ」©Kee Ya Ting

公園があってかつての軍事施設を見学は出来たが、市民の憩いの場でこそあれ、観光地という感じではなかった記憶がある。近年の開発で、土地の記憶が急速に忘れられ失われて行く。

英国による植民地時代にはセントーサ島に軍事基地が置かれ、日本軍占領下ではそこが捕虜収容所として利用された。〈死の潜む島 Blakang Mati〉と呼ばれたと言う。九〇年代以降の急速な再開発によって今では密集した小さなレジャー地域となり、過去は忘れられつつある。そんな島に監督マーク・チュアとラム・リーシュエンの二人組は、シンガポールそのものを重ねた。

〝アジア金融危機〟は、一九九七年のアジア各国の通貨下落をきっかけにアジア圏全体に広がったが、経済の街シンガポールにとってはまさに世界の破滅にも似た出来事だった。本作に登場する家族たちには、当時の動転していた監督たちの両親の世代の記憶が投影されているのだろう。

かつてシンガポールを頻繁に訪れていたせいで、映画に映し出されるセントーサ島の風景を懐かしく見ないわけにいかなかった。しかし余所者の観光客として訪れた私には、アジア金融危機は他人事でしかなかった。

インドネシア映画に絡めて本誌にもしばしば書いているが、一九九八年の暴動によるスハルト政権の崩壊とインドネシアの民主化のきっかけも、この金融危機であっただろう。確かに当時、インドネシア通貨が急落して銀行が次々に倒産、統廃合されたのを話には聞いている。そう、話には——私自身はインドネシア東部のど田舎とか離島にいて、そこには電気どころか水にも不自由し、銀行など遥か彼方の別世界の存在で、お金に無縁な物々交換に近い暮らしをしていた。〝経済〟には全く無縁な僻地の一角に居たので、金融危機など知ったこっちゃなかったのだ。

早朝の日が昇る前に起きて活動を開始し、暗くなったら寝る。潮の満ち引きと月の満ち欠けが生活のリズムを形作る、原始的な日々だった。これこそが自然と共に生きる生き物としての人間の、本当の暮らしだと思った。天国の日々だった。

かつて僻地の漁村だった頃のシンガポール、大昔の東南アジアの諸地域は、こんな風だったに違いない。近代経済の流入、資本主義化が、世界を急速に変えてしまったのである。世間ではこれを、近代化とか開発とか発展と言うが……

「〈鳥のうた〉緑のかげ」（21）は、近〝未来〟都市とも呼びうるシンガポールの中で、開発されずに取り残された一角を舞台にした二十八分の短編だった。

六〇年代に旧マレー鉄道の国有地に建てられた公営住宅〈タングリン・ホルト〉。線路沿いの幅十メートルの細長い地域なのだが、二〇一一年までマレーシアの国有地だったため、五十年もの間シンガポールの中心部を走る〝開発未定地帯〟とされ、おかげで人間以外の生き物たちには恵まれた活動の場となっていた。鳥類学者によると、この一帯だけで百五種もの鳥が観察されたという。

現在、線路沿いのエリアは緑の遊歩道として再開発されつつあって、かつて名を馳せた住宅建築は取り壊され、住み着いていた低所得者たちも立ち退かされた。地区に息づいていた名もなき社《やしろ》や共同農園、集会所も撤去。監督ルーシー・デイヴィスはこの地区に繰り返し足を運び、廃墟に残された記憶の断片や響きを、失われつつある自然の木漏れ陽〝葉から漏れる影〟を辿って行く。

先程、インドネシア東部のど田舎や離島での物々交換の暮らしを、天国だと言った。私が最も頻繁に滞在したのはスラウェシ島東南部のトゥカンブシ列島という島々で、そこの生き物たちと人々の暮らしを、地元政府と共に国立公園を設立して〝保護〟するためだった。スハルト政権下で活動が始まり、政権倒壊で活動のやり方が大きく変わったりしながら、国立公園として着々と整備されて行った

★「スカラ座」©Diversion, Bandai Dam Studio, Mobile Lab

のだが――

〈ワカトビ国立公園〉として確立された今、この地域はインドネシアでも有数の国際観光地となり、かつてはバリ島のデンパサールから片道一週間は掛かっていたのが、今や飛行機の直行便で二時間。外国人観光客が溢れ、英語も通ずる文明の最先端の地となっている。かつての暮らしは、もうないだろう。

私を含む開発に携わった人間は、この地がこんな風に〝発展〟することに、大きく貢献してしまった。私のような余所者が訪れ始めたこと自体が、この地の堕落の始まりだったのだ。

〈都市開発と映画―タイ〉に話を移そう。

タイにはやはり二十年ばかり昔、今世紀初頭の数年間、〈バンコク国際映画祭〉で訪れている。バンコクの中心部サイアム・スクエアに固まっている幾つかの映画館がメインの上映会場で、そのひとつがスカラだった。今回見た六十五分のドキュメンタリー「スカラ座」(22)は、バンコクで最も伝統があり愛されたその映画館が解体される様子を克明に追いつつ、バンコクの〝今〟を語っていた。

六〇年代後半、開発が始まったばかりのこのサイアム・スクエアに建てられた〈リド〉〈サイアム〉〈スカラ〉の三つの映画館はこの地区を代表する名所となり、繁華街の核を担った。しかし、リドは九三年の火事をきっかけにシネコンに改築された後、二〇一八年に閉館。サイアムは、軍事政権のクーデターをきっかけに起きた政治暴動の最中に焼失。そして本作の舞台となる五十年以上の歴史を誇った最老舗スカラは、二〇年に解体された。この間、各地の映画館がシネコンに統合され、ビデオやネット配信が普及する中で、タイ全土にあった七百以上の単館系映画館が姿を消したという。

お父さんがこの映画館で映写係を務めていた関係で、監督アナンタ・ティタナットにとってスカラは幼かった頃の遊び場であり、その後もずっと出入りを続けていた。その思い出を語りつつ、軍事クーデターを始めとするタイとバンコクの政治変動の歴史が綴られて行く。

私が映画祭でここを訪れた今世紀初頭には、これらの老舗映画館は健在で、何処が何処だったか今では忘れているが、三つとも訪れているはずである。当時のことを懐かしく思い出すと同時に、バンコク国際映画祭そのものもタイの政治に大きく影響されていたことを、改めて実感しないわけに行かない。

元々は反政府系のメディアだったネーション・マルチメディア・グループが〈バンコク映画祭〉を組織していたが、タイ国政府観光庁がこれに協力。二〇〇三年には規模のはるかに大きな〈バンコク国際映画祭〉となった。が、映画祭の運営を巡ってグループと政府観光庁が直ちに分裂。グループはその年の十月に〈バンコク世界映画祭〉を立ち上げている。

バンコク国際映画祭は〇三年から〇六年まで政府観光庁の主催で開催され、アクション・スターのスティーヴン・セガールやジャン=クロード・ヴァン・ダム〈ムエタイの国タイでは二人とも大変な人気で毎年の来場〉、カトリーヌ・ドヌーヴ、クリストファー・リー、バイ・リン、テリー・ギリアム、オリバー・ストーンなどの錚々たる面々がゲストとして呼ばれ、たかがプレスの私もご招待、タキシードを着て王女様を囲むディナー・パーティーにお呼ばれしたりした。

二〇〇六年に軍事クーデター。軍政権が映画祭の予算を三分の一に削減。翌年には政府観光庁の収賄疑惑が発覚して映画祭そのものの存続が危ぶまれ、私などさっぱり招待されなくなったわけである。かつて反政府メディアだった元々の主催グループも、今は政府系に変質させられている。ゼロ年代、タイとバンコクの映画を巡る事情は、一気に大きく変わっていたのだと、改めて気付かされた。

プレイベントで見た プノンペンと北京の街並み

イベントの直前に図書館では、〈アジア・シネマ・アンソロジー〉というアジア映画の特集を組んでいたのだが、これがAsian Film Joint のプレイベント的な特集となっていた。上映作品七本中の三本が、Asian Film Joint の一環として選ばれている。

Asian Film Jointディレクターの三好剛平が選んだカンボジア・フランス合作

★(上)「昨夜、あなたが微笑んでいた」(下)「スケッチ・オブ・Peking」

「昨夜、あなたが微笑んでいた」(19)は、建築的にも歴史的にも象徴的な意味を持っていた建物〈ホワイト・ビルディング〉が解体される様子を、そこの住人たちが退去する姿に焦点を当てて描いている。

カンボジアの独立から十年が経った一九六三年、新クメール建築と呼ばれる近代建築運動の中、プノンペンに公営住宅であるホワイト・ビルディングが建設された。一九七九年のクメール・ルージュ体制崩壊後には、ここにたくさんの芸術家や音楽家が移り住んだという。

監督ニアン・カヴィッチは、アートが身近に感じられ、活気に満ちたこのコミュニティで生まれ育った。しかし老朽化が進み、日本企業による買収が決まった。半世紀に渡る歴史があって独自の存在感を保ち、四百九十三世帯が暮らしているにも拘らず、政府は唐突に二〇一七年の取り壊しを決定。跡地利用として、高級コンドミニアムの開発計画が発表された。

監督は当初、慣れ親しんだホワイト・ビルディングを題材にした劇映画を企画していた。しかし解体計画が発表されたため、退去せざるを得ない長年の住人たちが荷造りをする様子や、建物の取り壊される過程など、すべての瞬間を記録することとなった。カメラは彫刻家だった監督の父、母、そして隣人たちの姿を追う。運び出される家財や絵、写真、書物、絵に込もった思い、ここを立ち退く苦悩、何ものにも替え難い記憶が映し出される。発展しつつあるカンボジアの現在の姿も、浮かび上がって来る。

監督は二一年に劇映画「ホワイト・ビルディング」も発表している。

撮影監督でイベントに作品を提供している飯岡幸子が、プレイベントの一本「スケッチ・オブ・Peking」(95)を選んでいる。

北京の裏町を巡回する警察官たちの物語である。当時まさに大改造が進んでいた北京の市井の暮らしを、ドキュメンタリー映画のように丁寧に描いている。

北京の徳勝門分署に、新人警官のリエンが配属されてくる。ベテラン警官のクオがリエンの指導にあたり、管轄内を案内しながら仕事を教えていく。徳勝門は故宮の裏手で、胡堂《フートン》と呼ばれる昔ながらの庶民の長屋がびっしり立ち並ぶ一角である。二人が自転車を漕ぎながら、ブチブチとしょうもない会話を交わし、昔から営々と続いて来た古くて狭くて小汚い胡堂街を通り抜けて行く。冒頭のこのシーンが素晴らしい。そこに住んで路上で商売を営む人々の暮らしが、そのまま描かれて行く。

ある晩、野良犬に噛まれた酔っ払いが署に運び込まれてくる。犬に噛まれる事件は三件目で、狂犬病の恐れがあった。署員全員で野良犬退治を、並行して飼い犬の規制も行うこととなる。署員全員が有り合わせの棒切れで武装し、自転車に乗ってワイワイガヤガヤ、裏町を群れなして徘徊する様子が楽しい。野良犬を捕らえた徳勝門分署は、狂犬病を未然に防いだとして公安局から表彰される。

中国映画を代表する女性監督ニン・インの三作目である。下町の分署の警官たちの仕事ぶりや人間関係、家庭の様子、日々の暮らしが丁寧に描かれて行く。ドキュメンタリーのようだが、本作は劇映画。しかし登場する警官は全て、本物の現職警官。警察モノだが犯罪モノではなく、大きな事件などなくて、警察官たちは路上賭博の取り締まり、痴漢騒ぎ、猥褻物販売の取締りに忙殺される。「警察は、食事と排泄以外の全てを処理しなければならない」とクオは冒頭でリエンに教えるが、まさにその通りの出来事の連続なのである。

この映画が公開されたのは九十五年だが、私が頻繁に北京を一人で訪れたのがまさにこの時期だった。私の知っている

★（上）「憧れ」©Y.JIMBO2017
（下）「チョンバル・ソシアル・クラブ」©Tiger Tiger Pictures, Bert Pictures, 13 Little Pictures

北京が、この映画には溢れている。胡堂の近くに滞在していたので、映画に描かれたような裏町を毎日のように通っていたし、知り合った学校の先生に招かれ、胡堂にあったご自宅にも訪れた。胡堂街は九〇年代後半の再開発で取り壊され、今の北京はまるで様変わりしている。

当時しか知らない私には、今の中国映画に登場する北京は、全く未知の未来都市である。街角で娘たちが頬っぺたを真っ赤にして売っていた手作りの肉饅、焼き芋――あの美味しかったこと、忘れられない。

“場”を生きる

誰にも生まれ育った場所があり、環境がある。否も応もない、好きだろうが嫌いだろうが、自分の場がある。たいていの人はその場に飽き足りず、もっと広くて高い、理想を追い求める。今生きているこの場所は、今のこの自分は成長過程の不完全な自分なので、もっと素晴らしい場所があり、より成長した自分がいるのだと――しかし、自分が生まれ育った場所を無視したり、全く違う場所に逃げてしまうと、その人は自分自身を見失うことになる。たまたまそこに生まれ育ったに過ぎなかったにしても、そこにこそ自分の原点があるので、その場を生かせない人は、虚しい生き方を選ぶことになる。

これは個人個人の上に言えるし、同時に街にも町に田舎にも、社会全体にも言える。

“経済を回す＝お金儲け”のために観光開発、日々の生活基盤を壊してしまって、その土地は生きて行けるのだろうか。インフラを整備し、最先端の技術を駆使して美的にも機能的にも素晴らしい街並みを築き上げられたとして、そこに人間の日々の生活の喜び、人と人の繋がりはあるんだろうか――今、紹介した長短編の作品群は、これを問い掛けている。

〈ポスト・アジアフォーカス2022―神保慶政〉で上映された、神保監督が韓国で撮った十九分の短編「憧れ」が、まさに自分の生まれた“場”を探る作品だった。妊娠七ヶ月のミナは、釜山でライターとして活動しているのだが、住人たちの“最初の記憶”をテーマに、記事を書こうとしている。老若男女の様々な人たちが、最初のものと思われる記憶の断片を語る。ミナ自身は、母の胎内にいた時の微かな記憶らしきものに思いを馳せる。このテーマを追うことにしたのは、彼女のお腹の中にいる子供を思ってのことだろう。

この映画を見たすぐ後にたまたま、テレビで「なぜヒトは電車に乗ると居眠りしてしまうのか」をテーマにした番組を見た。結論は、電車が線路を走るあのゴトンゴトンというリズムが、胎内で感ずる母親の心臓の鼓動にそっくりで、潜在意識下に眠る胎内の記憶を呼び覚ますからだという――この短編を、思い出さないでいられなかった。

ファンタ系の劇映画も紹介しておこう。タン・ビーティアム監督のシンガポール映画「チョンバル・ソシアル・クラブ」（20）である。

チョンバル・ソシアル・クラブは、人間の幸福の度合いを数値化しつつ、世界で最も幸せなコミュニティーを目指している。主人公のアビーはそこの職員となって、コミュニティーの住人に奉仕することとなる。職員たちがどれほど住人の幸福度に貢献したか、そして彼ら自身が如何に幸福かも、常にパーセンテージで評価され、成績が良ければ表彰されて皆に讃えられ、悪ければ皆に温かく見守られながらもコミュニティーから追放される。

コミュニティーは、まさにシンガポール的に美しく大きな建造物、人工的な区画

★（上）「空山霊雨 デジタル修復版」©1979 Lo & Hu Co-Production Ltd.
©2018 Taiwan Film Institute. All rights reserved.
（下）「アーカイブ・タイム」©Taiwan Film and Audiovisual Institute

にあり、人々はそこで共同生活をする。ダンス教室がありプールがありアスレチック・ジムがあり……なんでも揃っている。室内装飾や家具やベッドはどれもキッチュというか、現実離れした独特なセンスに溢れ、色彩も鮮やか。職員や住人の衣装とか、室内の装飾や野外の風景とか、実に〝作り物〟で美しい――

　ここは世界で最も幸福なユートピアなのだが、同時に人間的なアナログの要素が全く排除されたディストピアでもある。人間臭さが、下劣さが、卑猥さが、泥臭さが全くない。

　最初は幸福度最低だった主人公が、このコミュニティに適応して行くにつれて幸福度が上昇。ついには恋人もでき、恋人とのセックスも幸福度で測られつつ結婚、母もコミュニティーに迎え入れ、遂に最も優秀な〝幸福人〟となる。そしてここを卒業し、新しい幸福コミュニティーを組織する。

　舞台となったのはチョンバル（ティオンバル Tiong Bahru）地区とバーバンク・アパートメント。チョンバル地区は一九三〇年代に開発されたシンガポール最古の公共住宅で、現在も保護区域とされ、お洒落なカフェやブティックの建ち並ぶ観光客にも人気のスポット。対するバーバンク・アパートメントは一九七六年に建設された〝理想の〟高層集合住宅だったが、二〇二〇年に惜しまれながら取り壊されている。いずれの空間にも、当時のシンガポールが夢見た共同生活のヴィジョンが反映されている。

　幸福が几帳面に数値化された夢の共同生活――映画はこれを肯定もしなければ否定もしない。こういうものとして、あるがままに描いている。まさにシンガポールという特異な〝場〟を描いた作品だった。

　Asian Film Joint 最後の上映は、キン・フーの代表作「空山霊雨」（79）デジタル修復版と、その修復作業に当たった台湾のフィルム・アーカイブの活動を追った六十三分のドキュメンタリー「アーカイブ・タイム」（19）だった。「空山霊雨」は香港映画として製作公開されたが、キン・フー自身は台湾の人で、フィルムの修復も台湾で行われた。

　映画祭の開催された福岡市総合図書館も、まさにアジア映画のアーカイブである。

　図書館と言えば昔は本を貸してくれるところというイメージだったが、今ではビデオやデジタル資料も充実しており、映画も上映される。映像資料の収集と保存は、今や世界的に、公共図書館の重要な役割となっている。ドキュメントされた台湾の〈国家電影中心〉のアーカイブ活動は、そのまま福岡市のこの図書館の役割も想起させてくれる。

　ちなみにこの二本の上映の前には、三十名限定で図書館のアーカイブを見学するツアーが実施され、一日を通じてフィルム・アーカイブの役割を体験するプログラムになっていた。

　イベントの開催された去年十月の福岡市図書館の特集上映は、最初の一週間が〈本と図書館の映画〉で、フレデリック・ワイズマン監督の三時間半のドキュメンタリー「ニューヨーク公共図書館」など、書物にまつわる三本が上映された。続けて中旬に、先に紹介した「昨夜、あなたが微笑んでいた」や「スケッチ・オブ・Peking」を含むアジア映画の特集上映があり、下旬にこの Asian Film Joint。その最終日に上手い具合に、図書館ネタに戻って締め括り――いつもとは異なる、まさに複合イベントな一ヶ月だった。

　ドキュメンタリー「ニューヨーク公共図書館」では、図書館がトーク・イベントや討論会など、様々なイベントの開催場所であり、本ばかりでなく音楽や映像などのデジタル資料も収集し保管し、貸し出していると紹介されている。コミュニティーの核であり、地域の文化的な中心なのだと。今回の Asian Film Joint は、ここ百道浜の福岡市総合図書館もまたそういう場所なのだと、身を以て証明したわけである。

※Asian Film Joint 2022は2022年10月21日～29日に、アジア・シネマ・アンソロジーは2022年10月15日～20日に、いずれも福岡市総合図書館 映像ホール・シネラにて開催された。https://asianfilmjoint.com/

頭に穴を開けると意識が覚醒するというのは本当か？

貴重資料集『トレパネーション・ソースブック』緊急発売！

◎文＝ケロッピー前田

昨年6月、長く品切れになっていたシャノン・ララットの名著『モドゥコン・ブック（身体改造世界大会報告）』（ケロッピー前田訳）が増補完全版として復活。その件は、本誌No.91ですでに報告した。それに続き、11月、頭蓋骨穴開け手術の貴重な資料集『トレパネーション・ソースブック』を出版することができた。

この本は、漫画家・山本英夫の大ヒット作『ホムンクルス』①のために、ケロッピー前田が調査＆収集した頭蓋骨穴開け手術の貴重資料を自費出版で限定販売したものである。

ちなみに、トレパネーションとは脳を覆う硬膜には傷をつけることなく、頭蓋骨にだけ穴を開ける手術で、現代医学では脳腫瘍や硬膜外血腫、頭蓋骨折など、脳内の血の巡りが悪くなる病気の応急処置や治療として広く行われている。

人類学では「頭蓋穿孔《とうがいせんこう》」と呼ばれ、人類最古の外科手術として、約8千年前の新石器時代から行われており、世界各地で穴の開いた頭蓋骨が発見されている。たとえば、日本では縄文時代の有珠モシリ遺跡（北海道伊達市）から出土した女性人骨の頭部に人為的に施された穴が見つかっており、紀元前4世紀、ギリシアのヒポクラテスの著作にも記述が残されているほか、南米ペルーでは多くの穿孔頭蓋骨が発見され、ケニアのキシイ族は原始的な穿頭術を最近まで実際に行っていた記録がある。また、中世ヨーロッパでは頭痛や精神病治療のため、「頭の中の悪魔」を追い出す行為として、トレパネーションが行われていた。

なぜ、先史時代からこれほど広範な地域でトレパネーションが実践されてきたのか、その理由はいまだに謎のままである。

とはいえ、ここで取り上げようというしているのは、病気の治療のためではなく、意識の覚醒のためにトレパネーションを実践しようという人たちについてである。

現代のトレパネーション・ムーブメントは、1960年代のオランダ・アムステルダムから始まった。それでも「意識の覚醒のために電動ドリルで自分の頭に穴を開けた人がいる」という話は、インターネット登場までは欧米圏でもひとつの都市伝説であった。なぜなら、そんなことを実際にやる人がいるなんて、誰も信じられなかったからだ。少なからずいくつかの媒体がその存在を伝えていたが、『Amok Journal』（1995年、邦訳『デス・パフォーマンス』2000年）や『KOOKS』（1994年）といったアンダーグラウン

①

山本英夫『ホムンクルス』（小学館）より©HIDEO YAMAMOTO

ドな出版物だった。

90年代後半、インターネットの登場とともに過激な身体改造の実践者たちを発掘して紹介したのが『モドゥコン・ブック』の著者シャノン・ララットであるなら、トレパネーションの真の実践者たちを見つけ出し、再びメディアに担ぎ出したのは映像作家ケヴィン・ソリングであった。彼のドキュメンタリー映画『ア・ホール・イン・ザ・ヘッド』（1998年製作、日本版アップリンク2011年）は、過去の実践者たちをネット上のカリスマに押し上げ、ゼロ年代以降のトレパネーション復活のきっかけとなった。

身体改造とのかかわりでいえば、2001年正月、21世紀の初日にBMEが配信したのがDIYで自分の頭に穴を開けた記事（『モドゥコン・ブック 増補完全版』掲載）②だった。その記事はのちに山本英夫『ホムンクルス』の冒頭で頭蓋骨に穴を開ける場面の資料となった。山本さんとの付き合いは大ヒット作『殺し屋1』からで、その連載の途中から情報提供者としてかかわり、次作のテーマとしてリサーチを依頼されたのがトレパネーションだった。それがのちの『ホムンクルス』であり、大ヒット作として2011年に完結したばかりでなく、2021年には映画化されて再び注目された。

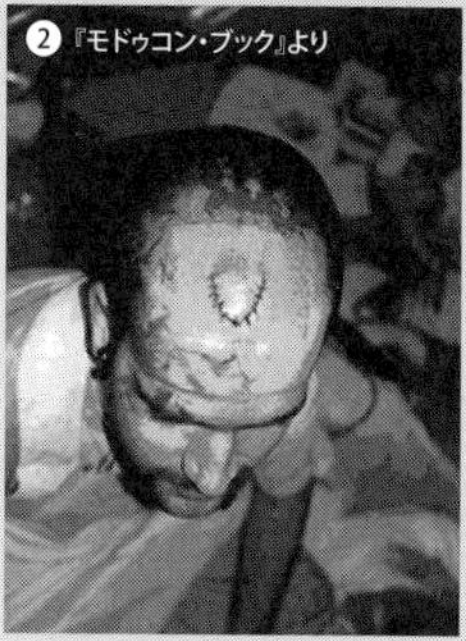
②『モドゥコン・ブック』より

まず、現代のトレパネーションにおける最重要人物バート・フーゲス③を紹介したい。

1960年代当時、彼はオランダ・アムステルダムで医学を学ぶ学生で、意識の覚醒のため、ヨガや呼吸法などを実践的に研究するうちに「ブレイン・ブラッド・ボリューム仮説」にたどり着く。直訳すれば「脳内血流量増大説」、頭蓋骨に穴を開ければ、脳内圧が下がって血流量が増大し、脳が活性化するというのだ。65年、バートは自分の仮説を立証するため、自らトレパネーションの実践者となった。彼はそのことで意識の覚醒を体験したと主張したが、のちに医師免許の取得を拒否され、その仮説は医学界から葬られてしまう。それでもブレイン・ブラッド・ボリューム仮説はミステリアスな魅力を放ち、カウンター・カルチャーの時代にトレパネーションはドラッグ体験に似た意識の覚醒を引き起こすものと理解され、多くの人を魅了した。

『トレパネーション・ソースブック』では、バート・フーゲスのセルフ・トレパネーションの現場に立ち合い、その一部始終を撮影した写真家コリ・ヤニ氏のインタビューを全文公開している。また、欧米でトレパネーションへの認知が広がったのは、ジョン・レノンがバート・フーゲスの信奉者だったからだが、1969年、ジョンがオノ・ヨーコとともにハネムーンでアムステルダムを訪れ、《ベッド・イン》という反戦パフォーマンスを行った際、その決定的な瞬間を撮影して世界に報じたのは、まさにコリ・ヤニ氏その人であった。コリ氏は、そのときにジョンがバートに会って、トレパネーションを懇願したことなどについても証言してくれている。

70年、バートに感化されたアマンダ・フィールディング④というイギリス人女性がトレパネーションの実践者となって、当時としても大きな話題となった。彼女は美術家で、セルフ・トレパネーションの様子を自らドキュメンタリー映像「脳の鼓動」（『ア・ホール・イン・ザ・ヘッド』に部分収録）に残している。アマンダを始めとする初期のトレパネーション実践者たちについては、ケヴィン・ソリング監督のインタビューに詳しい。こちらも全文初公開となっている。

インターネット登場以降、意識の覚醒のためのトレパネーションを復活したの

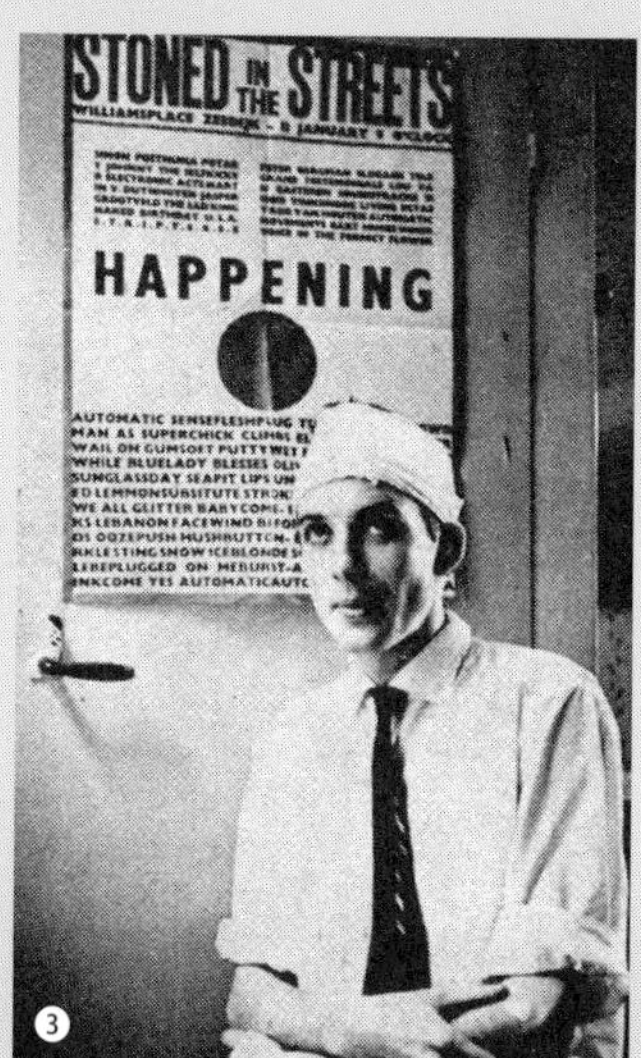

③
バート・フーゲス（1965年）

④
アマンダ・フィールディング（1970年）

は、ピーター・ハルヴォーソン⑤だった。

2008年、山本さんから「実際に頭に穴を開けている人に会いたい」という話があり、ケヴィン監督の紹介で、トレパネーションの実践者で、ITAGを主宰するピーター・ハルヴォーソンを訪ねた。ITAGとは、意識の覚醒のためにトレパネーションを希望する者にそれをやってくれる病院を紹介する団体で、2004年までに15人がメキシコの病院で頭蓋骨に穴を開けていた。そのうち、3人の実践者に直接会って話を聞いた。

『トレパネーション・ソースブック』では、ピーター・ハルヴォーソンのインタビューを全文公開するとともに、当時、トレパネーション希望者に配布していたITAGのパンフレット（全文公開、抄訳付き）や今では閉鎖されてしまったITAGホームページの情報も掲載している。病気や障害、怪我などの理由で頭に穴を開けたところ、意識が覚醒してしまったと報告している人たちについても日本語化している。2009年には額に直径3センチの穴を持つロバート・ランド⑥に会い、2010年にはロシア・サンクトペテルブルクのトレパネーション研究所を訪ね、ユーリ・モスカレンコ博士との会見も果たしている。ロバート・ランドが有名な女優で脚本家のゾーイ・タマリスの夫であった事実、またユーリ博士のトレパネーション論文の解説なども初公開となる。

このように『ホムンクルス』のために膨大な資料を収集したが、作品に反映されたものもあれば、まったく利用されなかったものもあった。長く未整理であったそれらの資料をまとめたのが本書である。このタイミングで公開する理由は、トレパネーションは、体内に電子機器を埋め込むボディハッキングや未来のテクノロジーとも結びつき、電気自動車テスラや民間ロケットのスペースXで知られるイーロン・マスク氏が推進する脳とコンピュータを接続する「ニューラリンク」にもつながっているからである。

さらに付け加えるなら、今回、トレパネーションのご意見番としてサポートいただいた脳神経外科医・河本圭司先生⑦の2回に渡るインタビュー全文と彼の私設博物館「シャレコーベ・ミュージアム」のレポートも収録した。本書を2019年に逝去された河本先生に捧げたい。

この貴重な資料が次なる世代の大きな飛躍に役立つことを願ってやまない。

5 ピーターも額に穴がある

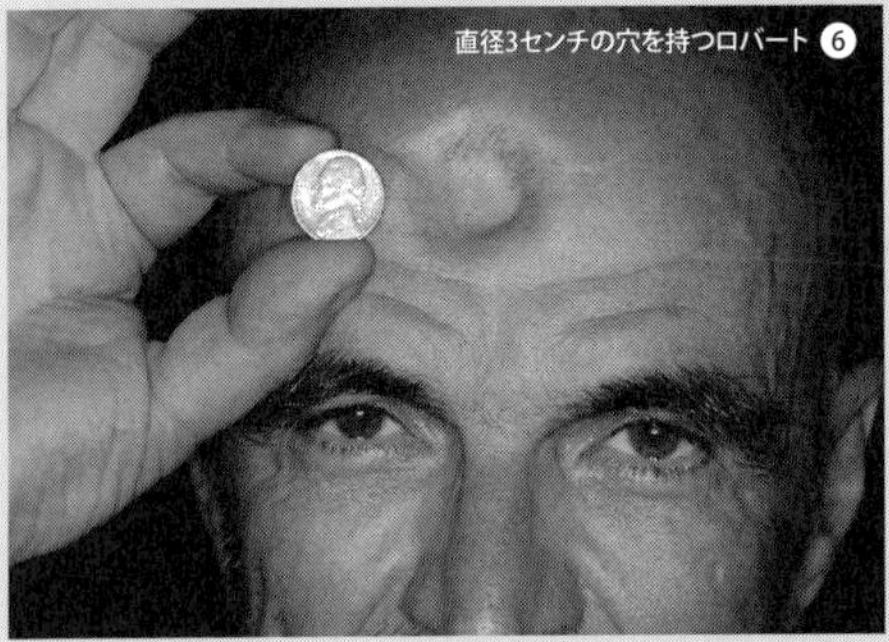
直径3センチの穴を持つロバート 6

7 故河本圭司先生、シャレコーベ・ミュージアムにて

※『トレパネーション・ソースブック』および『モドゥコン・ブック』は、下記のセレクトショップ（通販対応）、またはケロッピー前田出演または出店のイベントにて購入可能（一般書店やアマゾンでの販売はありません）。
◉セレクトショップ：中野タコシェ、銀座ヴァニラ画廊、名古屋ビブリオマニア

陰翳逍遥《第49回》

志賀信夫

伝説のアーティスト、ガリバー

▽シュウゾウ・アヅチ・ガリバー「消息の将来」展／BankART KAIKO, BankART Station、22年10月7日～11月27日

シュウゾウ・アヅチ・ガリバーといっても、初めて聞いた人が多いかもしれない。その名前を知るのは、団塊の世代以上か、日本の前衛美術にかなり詳しい人だろう。というのは、ガリバーは近年、海外での活動のほうが多いからだ。だが、六〇年代の前衛シーンで大活躍し、七〇年代、八〇年代にも、広く知られていた。

一九四七年、滋賀県大津市生まれの安土修三は早熟で、一九六四年、高校在学中の学園祭で、マルセル・デュシャンへのオマージュ《食べられる絵画》を出して舞台でパフォーマンス、翌一九六五年には数名でハプニング《空地》を行っている。やがて立命館大学哲学科に入学し、長髪の姿からガリバーと呼ばれるようになり、東京に出て、当時のアングラシーンで、三大フーテンの一人として知られる。

三大フーテンとは、シーザー、ガリバー、キリストで、シーザーはその後、天井桟敷に入って、劇団付の音楽家J・A・シーザーとして活躍。寺山修司没後は、劇団万有引力を結成し、現在も活動中だ。キリストは、飛行機事故で亡くなったという説もあったが、現在、東京・日の出町にアトリエを持つ「組み木絵」の作家、中村道雄のことだ。一九四七年生まれのガリバーに対して、シーザーとキリストは一九四八年生まれなので、三人ともほぼ同世代だ。彼らにバーバラを加えて、四大フーテンともいう。バーバラは手塚治虫の『ばるぼら』（一九七三～七四年）のモデルと考えられる。

ガリバーは大学在学中から京都を中心にハプニングや演劇、詩集刊行などさまざまな活動を行い、フランス語のデュシャンの伝記に影響を受ける。後にグループ「ザ・プレイ」を結成する水上旬、池永慶一らとともに行動し、水上らと「れまんだらん」としても活動し、さらに加藤好弘らのゼロ次元の活動にも参加する。その後、東京に出て大学を中退、フーテンとして有名になり、テレビにも出演、東京や各地で多くのパフォーマンス活動を行い、実験映像作品、アート作品を制作し、池田一（正一）の円劇場にも参加する。そのため、多くのアングラ、前衛シーンにいるアーティストたちと交流している。特に、二〇歳から二一歳、一九六七年から六八年には非常に多くの活動を行う。

七〇年代には写真を撮り始めて、雑誌『プレイボーイ』などに掲載され、前半は月刊写真集を刊行する。そして七七年から七八年には、《代々木オープンスタジオ》を毎月一八回にわたって開催。八〇年代には、さらに活発に活動して、八四年には、及川廣信、星野共らによる檜枝岐《ひのえまた》パフォーマンスフェスティバルに参加、八七年まで毎年パフォーマンスを行い、シンポジウムのパネラーともなった。八四年の檜枝岐でのパフォーマンス《埋められた現出》は、スコップで穴を掘り「現出」というシワのある紙の作品を埋めるもの。同じ年には、前年開かれた佐賀町エキジビット・スペースの個展で《肉体契約》を初めて展示し、さらにその期間中に、同じ江東区の区民施設で、パフォーマンス《肉体契約：肉体のウラトリヒキによる失敗》を行っている。

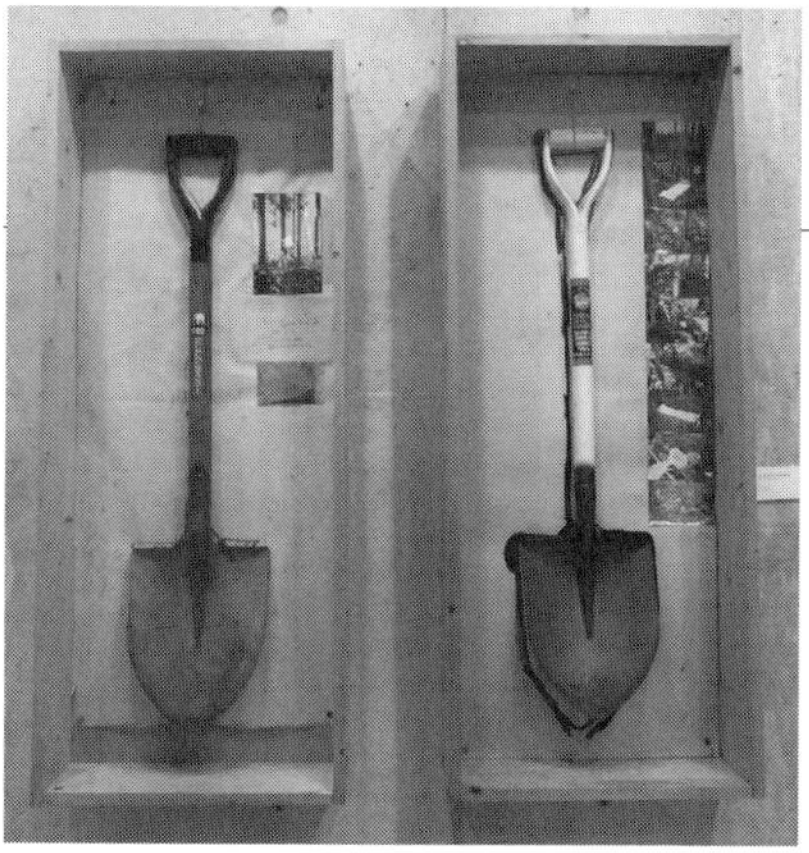

★《埋められた現出》1984年、檜枝岐でのパフォーマンスで使われたスコップ

檜枝岐パフォーマンスフェスティバルに、ガリバーは四年間出演し、《印地／トランス・フィールド》（一九八五）、駒ケ岳に登る《Body Climbing》、《Water-drawing》、《Message from toilet》（八六）、ビデオ作品《Two hands and two feet》（八七）を発表している。このフェスティバルは、その後、星野共が中心になり、会津アートカレッジや、ＭＭＡＣ（Mixed Media Art Communications）というフェスになって、ガリバーも九八年に会津アートカレッジに参加、海外からも多くの出演者があり二〇〇〇年代まで続き、筆者も二回参加した。及川廣信は二〇一九年に逝去したが、その活動の記録と継承のために、現在、及川の赤羽・アルトー館で、アルトー館カンファレンスというイベントが毎月一回開催されて

いる
ガリバーは、九〇年代からは欧州での活動が中心になる。国内ではミヅマアートギャラリーで数回個展を開催。この頃から各地の大学などで講義、トークに呼ばれる。二〇一〇年には初めて公共美術館、滋賀県立美術館で大規模な個展「シュウゾウ・アヅチ・ガリバー EX-SIGN」が開催される。それから一二年。海外では特に映像が高く評価され、映像展も行われているが、日本では伝説的なアーティストの一人といえる存在だった。

バンカートとガリバー

二〇二二年一〇～一一月、横浜のバンカート（BankART1929）のステーション（Station）とカイコ（Kaiko）の二カ所で、大規模なガリバーの回顧展「消失の将来」が行われ、一躍、注目が集まった。これは、その三月に逝去したバンカート代表の池田修が企画を温めていた最後の企画展である。

池田修は「Bゼミ」を卒業後、川俣正のアシスタントを中心に、美術と建築を横断するチーム、PHスタジオを発足、さらに北川フラムのヒルサイドギャラリーのディレクターを務めた。そして、二〇〇四年に、コンペによって溝端俊夫、岡崎松恵とともに三者共同で受託して、バンカート（BankART1929）が生まれた。バンカートは、設立時、ともに一九二九年竣工の旧第一銀行（BankART1929 Yokohama）と旧富士銀行（BankART 1929 馬車道）のビルで始まったため、「BankART1929」という名がつけられた。溝端は大野一雄舞踏研究所のプロデューサーで、大野一雄フェスティバルを中心に、舞踏と国際的な舞台制作、岡崎は横浜の小劇場STスポット館長の経験を活かし、おもにコンテンポラリーダンスの企画をこのバンカートで手がけた。その後、岡崎松恵、溝端俊夫は離れたが、池田が中心になってバンカートを維持してきた。

バンカートは当初二年の契約がしばらく延長されたが、行政の都合からか、一方はすぐ東京藝大の施設になり、中心となった旧第一銀行ビルも他の組織が入って、運河沿いの旧日本郵船倉庫の「BankART Studio NYK」に移転した。ここで長く活動したが、二〇一八年には新高島駅の地下施設の「BankART Station」、さらに馬車道駅そばの一九二六年竣工の旧帝蚕倉庫の一部を復元した「BankART KAIKO」の二カ所へ拠点を移し、現在も活動を続けている。「KAIKO」は養蚕にちなむ。だが、その間も、一時的な仮住まい何カ所かで活動してきた。

バンカート設立当初から舞台や展覧会を見てきた筆者には、行政の都合でアートが翻弄されるように見えていた。池田は建築が専門で、施設ができるたびに若手建築家たちを登用して、家具や調度、舞台など斬新なものをつくってきたが、新しい施設に移ることで、その多くは残っていない。池田修逝去後、副代表である細淵太麻紀と川俣正らブレーンによって、バンカートは運営が続けられている。

肉体契約とウラトリヒキ

ガリバーの作品で一番有名なのは、《肉体契約（Body）》だろう。一九七三年に構想して、七四年に活動を始め、八四年に展覧会が行われ、現在も続いている。これは、ガリバー自身の身体を八〇の部分に分けて、死後、それぞれが管理するという契約を行うものだ。寺山修司「食道」、麿赤兒「皮膚」、芥正彦「睾丸、副睾丸、精嚢、前立腺、精線」、萩原朔美「鼻毛、鼻腔及び副鼻腔の粘膜」、風倉匠「尿管、膀胱、尿道」、浅葉克己「脳脊髄液」、森山大道「その他」などの契約を行い、二〇二二年には、かつて佐賀町エキジビット・スペースを主宰した小池一子が「右手の薬指」を契約した。池田一（正一）の契約書には「Ba」とあるので、契約の執行グループの一人ということだろう。ちなみに小池は澁澤龍彦の前夫人、ドイツ文学者・矢川澄子の妹だ。契約者には寺山など故人もいるが、亡くなるとその部位の権利はガリバーに戻される。

これと関連するパフォーマンスが、檜枝岐パフォーマンスフェスティバルなどを主催した舞踊家、及川廣信の企画「ジャム・パフォーマンス#5」《肉体契約：肉体のウラトリヒキによる失敗》（一九八四）で、今回の展覧会でその二〇二二年ヴァージョンともいうべきパフォーマンスが、行われた。

一九八四年一一月九日のパフォーマンスは、東京江東区文化センターの視聴覚室が会場だったが、ガリバー自身は会場に現れず、奈良の橿原神宮駅そばの路上で一時間横たわるパフォーマンスを行い、会場には電報を送るというものだった。ところが、その電報も、実際は予定の七時を一時間遅れて届くこととなり、集まった観客には披露されず、二重の意味で「肉体のウラトリヒキの失敗」だった。そのため、会場では及川が踊ったという。今回の展覧会で、終了後、及川にあてた電報が展示されていたが、「シタイノ・シャシンハ・デキルダケ・ミセナイデ・クダサイ」と書かれている。

今回のガリバー展の展示は、二カ所で行われ、総面積ではかなりの規模で、二〇〇点以上という充実したものだっ

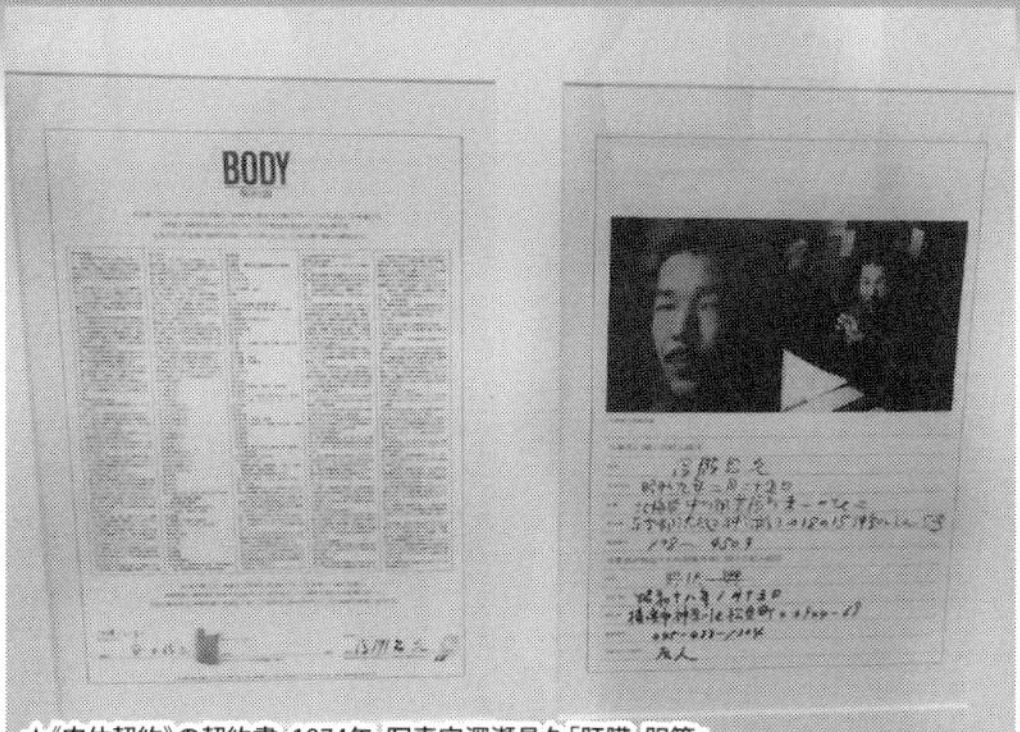

★《肉体契約》の契約書、1974年、写真家深瀬昌久「肝臓、胆管」

★《肉体契約》を含めた「Bodyプロジェクト」に関する展示

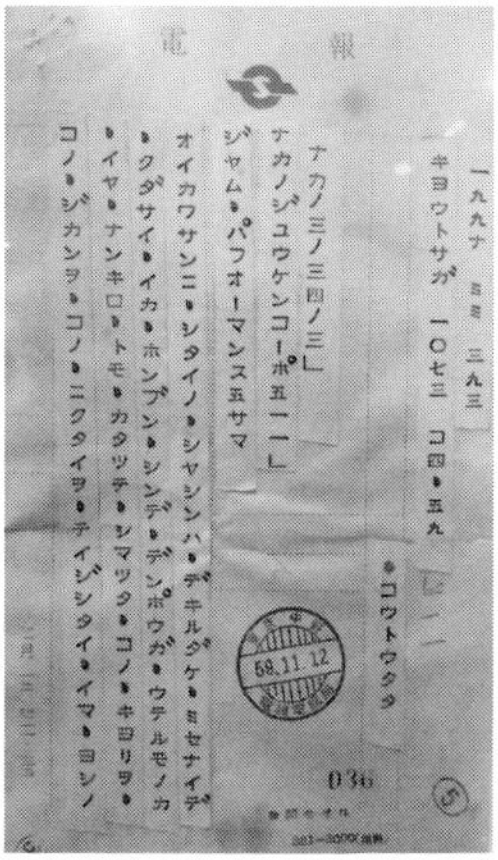

★《肉体契約:肉体のウラトリヒキによる失敗》1984年、ペーパーピースB、パフォーマンスの際の電報

★《肉体契約:肉体のウラトリヒキによる失敗》2022年、パフォーマンスで頭の上にあった面

★《肉体契約:肉体のウラトリヒキによる失敗》2022年、パフォーマンス

た。まず初期、京都時代のパフォーマンスの写真が目にとまった。大学や路上でさまざまなパフォーマンスを行っている。また、展覧会以外に、今回、異なるオリジナルのポスター《横浜ポスター》（二〇二二）三〇枚がつくられ、二つの会場以外にも横浜市内一八箇所に展示されている。それにはデジタルで時間が表示されており、あたかも横浜市内にガリバーが偏在するかのようだ。

　今回、二〇二二年のパフォーマンスは、一一月一三日、会場は旧第一銀行ビル、つまりバンカート発足時の「BankArt 1929 Yokohama」で、その一階。ここはその後、数多くの映画やドラマの撮影場所にもなっている。白い堂々たる洋風建築で、銀行ロビーの面影を残す壮麗な照明に円柱がいくつもそびえる。その床に横たわる一人の男。頭の上には海外の面、手元には携帯、足下には脱いだ二足の靴と靴下、足の先には顔写真コピーが貼られれたものと二本の棒とチョーク数本。

　今回もガリバーは登場しないのか、それとも倒れている男は本人だろうか、などと疑問を抱きながら、立ち会った観客は五〇人。予め、前回のパフォーマンスについての記事コピーと、タイプ印刷のガリバーの名刺がそれぞれに手渡される。アルファベットで住所、メールアドレス、携帯番号があり、携帯番号にチェックが入っている。これも本物だろうか。

　バンカートのこの建物は吹き抜け階段にガラスがはまっている。そこ、つまり上部から最初は見下ろしていたのだが、手元に置かれた携帯が気になっていた。前回のパフォーマンスが電報だったので、もしやと思い、名刺を取り出して、携帯番号にかけてみる。すると、男の手のそばの携帯が鳴り出した。まさに予想通り。横たわった男自身は何もしないが、観客などが電話することで、パフォーマンスが成立する。その電話に出るという選択肢もあるが、今回は出ないため、一方的に観客がパフォーマンスをすることになる。そして前回は電信だが、今回は電話なのだ。

　このパフォーマンスは、「肉体のウラトリヒキによる失敗」と名付けられていることから、《肉体契約》の「裏取引」であると推定される。実際に、展示されていた一九八四年のパフォーマンスの電報には、「コノ・デンポウガ・トトクデ・アロウ・ヨル・セジ・ナマミノ・ワタシハ・ソノトキ・ワタシガ・イル・ハニ・オイテ・八ジ・マデノ・一ジカン・（シンダ・マネ）ヲ・シテイマス・ネテ・イルノデモ・ヨコタワッテ・イルノデモ・ナク・（シンダ・マネ）ヲ」とある。つまり、当時、ガリバーは死体を演じた。そして、それに基づいて「契約」をしようとしたが、「イッポウ・コノ・キヨリハ・イヤ・ジカント・クウカンハ・アナタト・ワタシノ・ニクタイヲ・マネ・スルダロウ・マネハ・シツパイヲ・ゼンテイト・シテイル・ワタシハ・コノ・デンポウヲ・モッテ・ソノ・シツパイニ・ケイヤク・スル」、つまり会えないので失敗するというもので、まさに《肉体契約》の「裏取引」なのだ。

　さらに、実際は電報が届かない。ゆえに、二重の意味で失敗した。するとやはり、今回も倒れているのは死体の「マネ」ということだ。そして、すでになされている「肉体契約」で分割する前の死体を「裏取引」する、というミステリー的ともいえるパフォーマンスなのだ。頭の上の目と鼻だけの仮面、足の先に置かれた死人の顔のようなコピーは、顔に一杯何かをまぶした写真。また二足の靴は、一九九九年に神戸の夢創館や滋賀県で行われた《左右の靴を同時にはく》に基づくものということだ。

ガリバーの身体感覚

　ガリバーの作品は、オブジェ、ペインティング、写真など多様だが、パフォーマンス、ハプニングから始まったことのみならず、身体性が強調されたものが多い。

　ガリバー自身の血と毛髪と便でそれぞれ鉛筆をつくって描く《三色鉛筆》（一九七五〜七五）。自身の体のさまざまな部分を計測し、金属の棒をつくって展示する《長さを持つ金属》（一九七六〜九二）、自分の体重と同じ重さのステンレス球《重量（人間ボール）》（一九七八〜九〇）をつくり、椅子に置いたインスタレーションもある。自分の体に描く《一二の問いと一二の答え》（一九八三〜八八）。

　さらに、幅九〇センチ、高さが六〇センチ、一三〇センチ、一八五センチという木製の箱を組み合わせた中に、ガリバー自身が二四〇時間、つまり一〇日間入るパフォーマンス《De-story》（一九八四）。その中では寝る、座る、立つというポーズしかとれず、上のスピーカーから彼の動く音が聞こえる。

　《甘い生活（Dolce Vita）一九九五／A・T・C・G／情事（東京バージョン）マルセル・デュシャン（一八八七〜一九六八）とエルヴィン・シュレーディンガー（一八八七〜一九六一）に捧げる》（一九九三〜九五）は、多数のATCG文字の入った巨大なハンコが二つと、乱れたダブルベッド、デュシャンが女装した「ローズ・セラヴィ」の写真と、物理学者シュレーディンガーの写真などが壁に飾られたもの。さらに、《甘い生活（Dolce Vita）／乙女座》（二〇〇五）は二つのベッドがV字型に交叉したもの。《男と女（一つになることができる）#1》（二〇〇五）は、木製の箱が組み合わさったような構造だが、その形は男女が性交している姿をイメージさせ、いずれもセックスが暗示されている。

　《S・A・G銀行券／一目》（一九九七）は、ガリバー自身の眼を中心に置いた紙幣を拡大したものだ。S・A・Gはガリバーの名前のイニシャル、ナンバーのKA190397YOは、一九九七年三月一九日に妻の安土京子（KA）と離婚し岡本佳子（YO）と同棲を始めた日付ということだ。この銀行券シリーズは五〇の眼や心臓、脳などさまざまなものが描かれた作品がある。

　《私は今後発音するすべての〝は〟の音をあなたに贈与します》（二〇一五）も、発話という点で身体的だ。さまざまな五十音のバリエーションがあり、これは「消息」の「息」とも深くかかわっている。ガリバーは言葉や文字にも関心が高く、さらに《Switch》、《Film》（一九六七）など映像作品もある。だがそれらにも、根底には、常に「身体」があるように思えるのだ。

分割、測定と契約

　高校時代からの《Dinner》、《Zon》（一九六八）など、初期のパフォーマン

★《長さを持つ金属》のためのプレワークの再現、1976〜91/2022年（壁の作品）

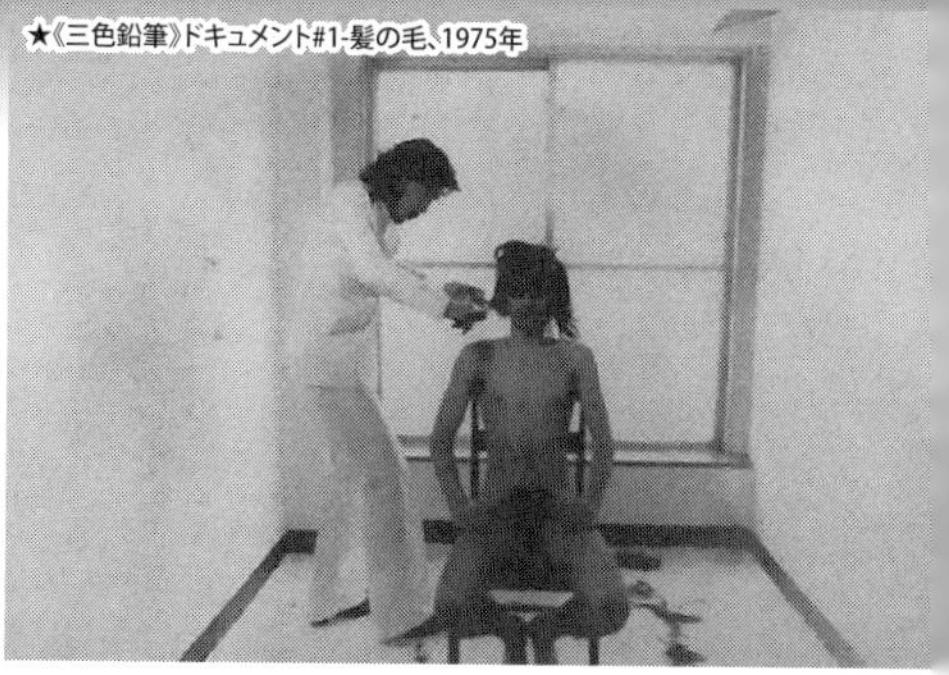

★《三色鉛筆》ドキュメント#1-髪の毛、1975年

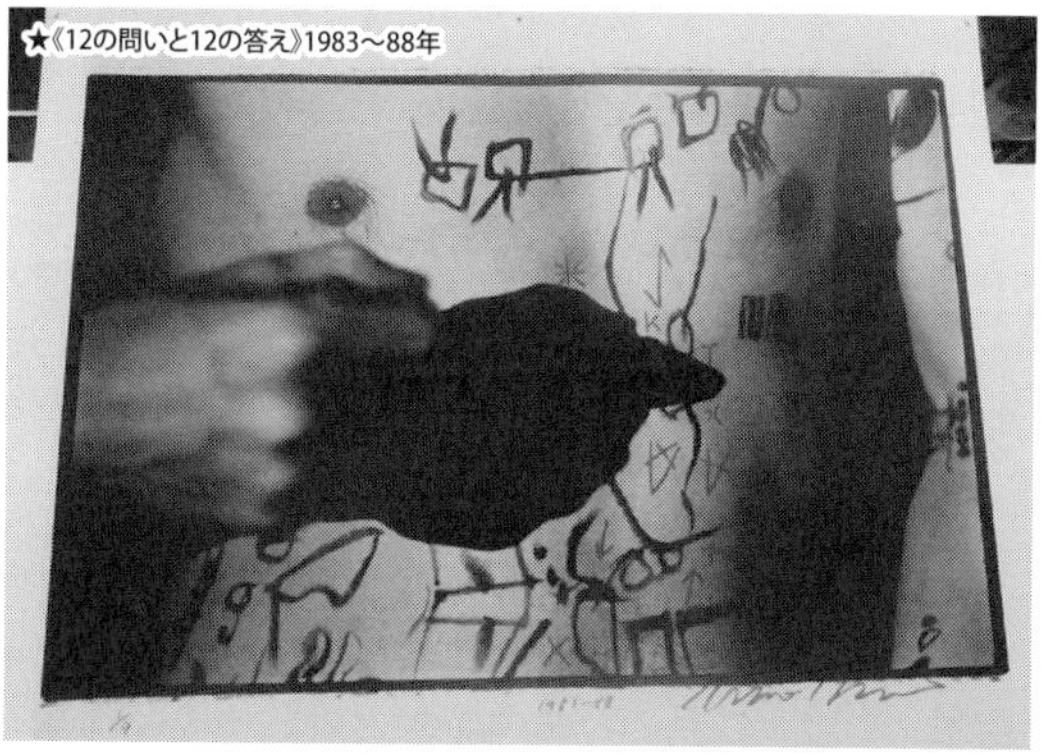

★《12の問いと12の答え》1983〜88年

★《重量（人間ボール）》1978〜90年

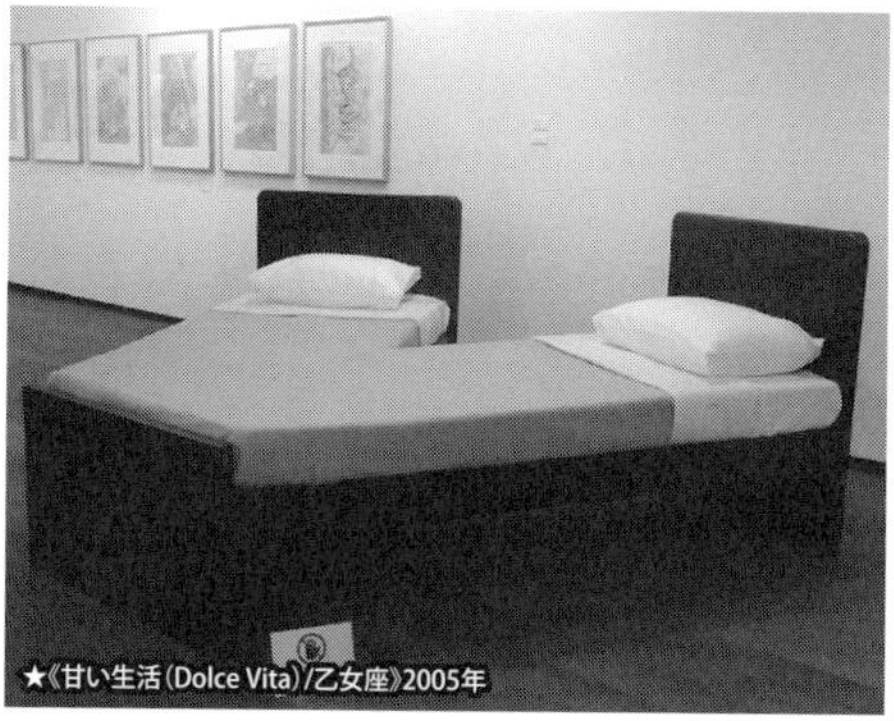

★《甘い生活（Dolce Vita）/乙女座》2005年

★《甘い生活（Dolce Vita）1995/A・T・C・G/情事（東京バージョン）》1993〜95年

★《S・A・G銀行券/一目》《S・A・G銀行券/五〇目》1997年

★《男と女（1つになることができる）＃1》2005年

ス、アクションも自らの身体で行うものだが、二六歳のときに生まれた《肉体契約》は、自らの身体を死後、分割することを考えるという特異なものだった。それは、自分の身体を解体し、パーツでとらえる思考でもあり、目や脳、心臓などは他の作品にも登場する。髪の毛、血、便という分泌物を含めたもので絵の具をつくる《三色鉛筆》もその流れだ。

また、身体を計ることが、身体のさまざまな部位の計測、体重と同じステンレスボールなどになる。そこにはさらに身体の契約と交換という概念がある。ＡＴＣＧという遺伝子を示した紙幣、銀行券はその現れだ。目や身体の一部が描かれた紙幣は交換対象だろう。つまり、分割し、計測し、交換するという扱いを自らの身体に対して行うことなのだ。

測ることは、幅九〇センチで寝る高さ、座る高さ、立つ高さの三つの形の箱の中に自分を閉じこめる《De-story》に至る。箱の内部に自分を置くことは、二つの箱が重なって男女の性交を示す作品になる。そして、その性交の場としてのベッドは、二つの身体が重なる形に変形する。

身体の解体と死

このベッドを含めた作品のタイトル「甘い生活」は、一九六〇年のフェリーニの映画からきているのだろう。そしてここで示されたＡＴＣＧは、遺伝子のＤＮＡを構成する四つの塩基（アデニン、チミン、シトシン、グアニン）を示すが、それは身体の究極の分割、解体でもあり、遺伝子が交わることは、性交を示す。ゆえに、性交（intercourse）という副題がついているが、翻訳では「情事」と、「甘い生活」にふさわしいものになっている。英語はまさに「性交」を示す生々しい言葉だ。

自分を分割、解体するというのは、死に向かうということだろうか。そうではない。ガリバーが求めるのは、死も含めて身体のさまざまなありようを分析して、身体と生と死を知るということではないか。ただ、死と向き合う姿勢は、一九八〇年の文章で、「私にできるたったひとつのことは死ぬことだ。……」といった男」という一文にもあらわれている。

この展覧会カタログにも驚いた。Ａ４の二倍であるＡ３判と大きく、一冊の書物のように帯がかけられているが、実は一四冊で構成されている。「BODY」「DE-TIME」など一冊ずつ主題が分けられ、ガリバーの文章と、福住廉、山本淳夫、ウィリアム・マロッティ、長谷川新、宇佐見康二、山本浩貴、エリック・シェーネンベルク、ブランデン・Ｗ・ジョセフ、ソフィー・カヴラコス、エマニュエル・ランビオンらが論考を寄せている。このカタログの形式も、自らを一四分割、バラバラにしていると考えることができる。

展覧会のタイトルである「消息の将来」の「消息」は、実は普通の意味ではない。英語が「Breath-Amorphous」であり、ガリバーによる造語だ。「Amorphous」は「morph」（形）のないという意味なので、「形のない息」となる。息、呼気はもちろん形がなくて当然だが、人間の身体が発するものだ。つまり、人間が生み出す表現、さらに人間という存在自体を象徴するものだろう。すなわち、翻訳すれば、「人間の身体の発する形なき表現には、将来があるのか」、それは「息のように形もなく消えていくのではないか」という問いなのではないだろうか。同時に、「消息」の元来の意味、すなわちガリバーの消息も重ねられており、「ガリバーの消息と将来」という「回顧展」を象徴するものでもあるのだろう。

重森三玲と永遠のモダン

第三回京都国際舞踏祭が、京都・東福寺近くの劇場スペース・エルファンで、二〇二二年一二月一四日から一八日まで五日間開催された。筆者は、そのアフタートークをつとめるために、京都に行き、毎晩舞台に通った。二〇年、二一年はコロナで海外から舞踏家が来日できず中止になったため、その間は、国内舞踏家を中心に、京都ダンシング・ブレイドとして行われ、今回ようやく三回目が開催されたのだ。ドイツ、フィンランド、フランス、イタリア、英国、米国、中国、さらにウクライナからも参加があり、毎日五、六組、トータルで三〇近い舞台を見た。これについては、別に批評を書く予定にしている。

昨年、そのダンシング・ブレイドに呼ばれたときは、毎日、京都の洋風建築、歴史的建造物を訪ねて書いたが、今回は特に目的がなかった。そこで会場近くの東福寺に行ってみた。というのは、そこに重森三玲の著名な庭園があるからだ。

昭和の個性的な庭園作家として、重森の名前はたびたび目にしており、テレビ番組でも見た記憶があった。そこで気軽な気持ちで訪ねたのだが、これがすごかった。方丈と呼ばれる建物の東西南北に庭があり、それがいずれも初めて見る美しさだったからだ。そこで、即座に調べると、京都には、重森三玲庭園美術館があることがわかった。検索すると、一〇数人予約で毎日満席だった。あきらめかけたが、もしやと電話して「キャンセルありませんか」と尋ねたら、翌日一人なら大丈夫と。そこを訪れ今回は、毎日少しずつ三玲の庭を訪ねようと思ったのだ。

筆者は父方の祖母が寺の家系で、著名な僧もおり、父親は大学時代に親類の寺に下宿していた。そのため小さいころは、日曜日に阿弥陀経を唱えさせられた。そんなふうに寺に親しんでいたために、これまで観光で寺を訪れる気持ちはなかった。特に京都の観光地化された寺には感心がなく、高校時代の京都・奈良の修学旅行では、寺巡りの計画を隠れ蓑に、ジャズ喫茶をいくつも巡ったほどだ。

京都七条の下、京都駅南東にある東福寺は紅葉の名所でもあり、最盛期は途中の橋はラッシュ状態になるともいう。だが、今回は一二月半ばで紅い葉はごくわずか、急な寒さで観光客も、どこも数組と少なかった。そのため、庭を独り占めするかのように、ゆっくり座って楽しむことができた。そして、感嘆したのだった。京都の寺院の庭園といえば、竜安寺の石庭が有名で、一九七二年、ジャズピアニストのマル・ウォルドロンがテーマに曲をつくっているほど。確か、高校時代、そこだけは見た気がするのだが、写真などで見過ぎていて、さほど感銘はなかった。だが、重森三玲はひと味もふた味も違った。

重森三玲とは

重森は一八八六（明治一九）年岡山県生まれ。日本画を志し日本美術学校（東京藝大）に入るが、挫折して東洋大学文学部に学び、関東大震災を契機に岡山に戻る。生け花と茶道に関心を持ち、そこから日本庭園にも惹かれ、一九一五年、一九歳のときには、現在も残る茶室「天籟庵」を設計している。二九年、京都に出て活動し、勅使河原蒼風らと「新興いけばな宣言」などの生け花革新運動に関わる。その後、四九年には前衛いけばなの「白東社」を主宰し、そこには写真家、土門拳や中川幸夫も参加した。重森の本名は計夫《かずお》で、三玲《みれい》は、ジャン・フランソワ・ミレイにちなむ。また、美術家イサム・ノグチとは交流が深く、彼の作品のため二人で石を探す旅をしている。

一方、一九三四年の室戸台風で、関西や中部の多くの庭園が崩壊し危機を迎えたことを知り、一九三六年から日本庭園の調査に乗り出す。それは日本全国に及び、一九三九年に『日本庭園史図鑑』二六巻を刊行。さらにその後、一九七六年には息子の完途《かんと》とともに『日本庭園史大系』全三三巻・別巻三巻を著す。

そのなかで、東福寺から庭園の再建を依頼される。そうして手がけたのが、一九三九年、最初の作品である東福寺の本坊庭園なのだ。

★東福寺本坊庭園北庭の市松模様

東福寺と市松模様

鎌倉時代、一二三六年に創建された東福寺は京都五山の四番目。ちなみに京都五山は、南禅寺：別格、天龍寺：一位、相国寺：二位、建仁寺：三位、そして万寿寺：五位と続く。東福寺から重森が作庭を依頼され本坊（方丈）庭園をつくったのは、一九三九年。方丈とは、元々、一〇尺である一丈四方を指し、およそ三メートル四方。その後、建物の本堂的な役割の正方形の場所を示すようになる。

東福寺にはその方丈を取り巻くように、東西南北に庭がつくられ、これが実にすばらしい。全体で本坊庭園、別名八相の庭といわれる。

まず何よりも目を驚かせるのが、市松模様の北庭だ。白い敷石と緑の杉苔の正方形が交互に市松模様を成している。多くは自然を模したとされる庭園に、幾何学模様を入れたことで、近代的、西洋的モダニズムを感じさせる。だが、市松模様は、古来着物などの織物ではよく使われており、伝統的デザインでもある。実は以前から東福寺では庭に市松模様があったのだが、その模様が着物にあると伝統的に見え、地面や床だと西洋的に見えるというのは、どうしてだろう。特に床の市松模様は、斜めに配置されるとヨーロッパ的に思える。それは、フェルメールの作品や、映画などでよく目にしているためかもしれない。

ちなみにこの敷石は東福寺の廃物利用だ。というのは、重森が依頼されたときの条件が、あるものをすべて活用せよということだった。さらに永代供養ということで作庭したので、無償、ボランティアの仕事だった。もう一つ、西庭は、五月の生け垣で市松模様がつくられており、これも大胆かつダイナミックだ。中国の「井

★東福寺本坊庭園南庭の枯山水

★東福寺本坊庭園南庭の枯山水の苔山「五山」

★東福寺本坊庭園東庭の「北斗七星」

★東福寺本坊庭園西庭の「井田市松」

田」にちなんで「井田市松」と呼ぶ。

そしてもちろん南庭の枯山水も目を引く。波を示す白砂に円形の砂紋が重なり、巨石が配置され、一方には苔で茶色い大地がある。ここには神仙思想がある。蓬莱を中心に、左に瀛洲《えいしゅう》、右に壺《こ》梁《りょう》の三神仙島、さらにその右に方丈が配置され、右奥の苔山、大地は京都五山を示すという。白砂は「八海」だ。

さらに東庭では、白砂に穴の開いた円柱が七つ配置され、「北斗七星」を表している。この円柱も廃物利用、それも日本最古の厠、便所である東福寺の東司《とうす》の柱だというから驚く。そこは多数の穴が残された巨大な便所だった。そして、建物としての方丈を囲む四方の庭の蓬莱、瀛洲、壺梁、方丈、八海、五山、井田市松、北斗七星の八つを「八相成道」にちなんで、「八相の庭」と呼ぶ。

枯山水という抽象

こういった水のない庭を枯山水という。自然を模して川、瀧などをつくる池泉庭園に対して、水を使わない。水を使う池や川というのは、実は大変である。現在のように水道が発展していない場所では、水をその都度汲んでくることになる。京都はその点では、平安時代から湧き水が豊かだった。さらに、明治時代に琵琶湖疏水が蹴上インクラインから南禅寺を経由して、市内に流れ込み、大きな屋敷ではそれを邸内に引き込んで、庭に川をつくったところもある。庭園はそうやって自然を模すのだが、巨石や草木の入手も含めて、非常にお金がかかる。枯山水はそれに対して砂利などで池や川がつくれるのだ。

日本の庭園づくりの歴史は、平安時代に遡る。当時は貴族たちが自ら庭園をつくっていた。その一人、橘（藤原）俊綱（一〇二八〜九四）は、『作庭記』を表して、「自然を見習う」「中国風水を取り入れる」と述べている。俊綱の「乞はんに従う」は、自然に従う精神で、重森三玲は、それをふまえて「石に乞う」といっている。最初の石を置けば、次の石はそれが教えてくれるという。

さらに禅宗とともに、夢想疎石（国師。一二七五〜一三五一）により枯山水の庭が普及した。枯山水の庭はこのように、砂利と岩が中心であり、それらが蓬莱を中心にして神仙思想を表しているが、さらに三尊岩も配されている。それは、阿弥陀、釈迦、薬師の三尊であり、仏教思想だ。いずれも中国から日本に入ってきた思想だが、それが枯山水になることで、抽象化されている。つまり、岩と砂で山水を象徴することで抽象的な庭園となったのだ。竜安寺の石庭はまさにその象徴的存在だろう。また、アラベスクが草木を抽象化した模様であるように、市松模様などの模様は抽象化の産物である。自然そのものではなく、それを抽象化したことで、モダニズムを感じさせるともいえそうだ。

枯山水は「侘び、寂び」の日本文化、伝統文化と思われがちだが、抽象化によってモダニズム、西洋文化との親和性が高いともいえるのだ。外国人が伝統文化と思って竜安寺の石庭に惹かれるのも、実はその抽象性ではないだろうか。印象派に日本人が惹かれるのは、実は浮世絵の影響があるなど、エスニック、エキゾチズムなどを感じて惹かれるものには、実はお互いに共通するものが背景にあるのではないか。

東福寺の塔頭寺院

東福寺の西側には小川が流れ、ちょっとした谷を形成している。そのため何本か木製の橋が架かっており、有名な通天橋など橋自体もとても美しいが、紅葉時にはまさに絶景となる。その橋を超えて上ったところにある普門院の庭も重森三玲によるものだ。向かって右側は池泉庭園に巨石だが、左側は白砂に文様だけの枯山水で、立体性は乏しいが静謐で美しい。実はここには、三玲が手がけるまえから、砂による市松模様が描かれていたという。現在の模様は市松と見えるが二種類ではなく、三種類、縦と横の筋と筋のないものだ

そして東福寺の塔頭《たっちゅう》にはいくつも重森の手がけた庭園がある。塔頭とは大きい寺院周辺にある関連した小さい寺だ。特に美しいのは光明院の「波心庭」である。一三九一年、室町時代に建立された寺だが、一つの大きな庭を入口側、本堂、そして重森が一九六二～三年ころに手がけた小高い茶室「蘿月庵《らげつあん》」からと、三方から立体的に見ることができる。波心庭には、北・南・東に三尊石が組まれ、庭全体としても三尊石を構成する。それらを建物中の座敷「観庭楼」から額縁絵画のように見るのも美しい。背景のサツキは雲に見立てられている。玄関前には雲嶺庭があり、丸窓から眺められる。紅葉の時期には白砂と苔山で、「虹の苔寺」と呼ばれるが、比較的観光客が少ないので穴場といえる。

同じく塔頭、芬陀院《ふんだいん》の「図南亭」の丸窓からも重森の作庭を楽しめる。ここは別名・雪舟寺と呼ばれ、雪舟（一四二〇～一五〇六）が一四六八年に作庭した庭園を、一九三九年に重森が復元したものだ。南庭は左が鶴島、右が亀島で、「鶴亀の庭」という。丸窓から眺められる東庭は重森自身による鶴石組の庭。

★光明院「波心庭」

★東福寺普門院の枯山水

★光明院「蘿月庵」から見た波心庭

★芬陀院（雪舟寺）「鶴亀の庭」

★光明院「観庭楼」から見た波心庭の額縁庭園

★芬陀院（雪舟寺）「図南亭」の丸窓から見た東庭

東福寺の塔頭は他にもあるのだが、限定公開や非公開などの庭園も多い。重森の作品は、改庭を含めると、関西、岡山を中心に関東から九州まで全国に約二〇〇あるが、個人邸はもちろん寺社仏閣の庭園も、非公開のところも多い。

瑞峯院と善能寺

次に惹かれたのは、大徳寺塔頭の瑞峯院である。京都の平野部なので、山や坂の多い東福寺塔頭と異なり、一つの町内にいくつも塔頭があるという感じで、訪れやすい。キリシタン大名として有名

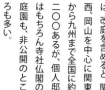

★瑞峯院「閑眠庭」の十字の石組

★瑞峯院「独座庭」

★善能寺の池泉系庭園

★善能寺「翔空殿」裏の池泉系庭園

な九州の大友宗麟（一五三〇〜八七）が、一五三五年、室町時代に開山した寺だ。一九六一年の重森の「独座庭」は石と岩を組み合わせてダイナミックで、築山の頂は三尊石で組まれた蓬莱山であり、見ごたえがある。そこから苔の間の飛石で茶室「餘慶庵」につながる。また、方丈の後庭「閑眠庭」も重森によるもので、よく見ると、石が十字架に配置されているのは、大友がキリシタン大名だったからだ。

作庭の歴史を見ると、前に述べたように藤原氏などの貴族、そして相阿弥（一四七二〜一五二五）、さらに夢想疎石など、専門家ではなく、アーティストや僧侶が行うことも多かった。作庭家として名前が挙がるのは、小川治兵衛（七代、一八六〇〜一九九三）からだろう。

さらに泉涌寺《せんにゆうじ》の塔頭の善能寺を訪れた。泉涌寺は天皇家の菩提寺「皇室香華院」のため「御寺」と呼ばれ、皇族がしばしば訪れ、重森の小さい「遊仙苑」もあるのだが、普段は公開されていない。そしてそのすぐ脇にある善能寺は、無住のため、荒れている。だが、八二三年、平安時代に空海（弘法大師）を開基として創建され、明治時代にここに移転された由緒ある寺だ。一九七一年の北海道での「ばんだい号」飛行機事故の鎮魂のために、大森健二（一九二三〜二〇〇〇）が設計した本堂「翔空殿」がある。大森健二は、平等院鳳凰堂の修理など数々の国宝・重要文化財建築の修理を担当し、平安神宮社殿、延暦寺東塔、湯島神社社殿などを設計している。

さらに日本最古といわれる稲荷もあるが、本堂前の飛行機を模したされる苔山は崩れかけ、裏手の池泉系庭園は、水が抜かれているため、残念な状態だ。それでも、本堂左手から裏に続いて池に至る舗石、そして石橋などに重森の個性を感じることができる。

重森三玲庭園美術館

そして、最初の東福寺の次に訪れたのが、前述のように、重森三玲庭園美術館である。京都大学東南の吉田神社の神官であった鈴鹿《すずかけ》氏の邸宅を一九四三年に重森が得て住居としていたもので、東福寺の庭園が初期の作品であるのに対して、晩年近い一九七〇年の作品である。ここは一日一〇数名の限定で公開しており、三玲の孫の重森三明氏が守り、公開時には解説をする。質問にも気軽に答えてくれて、今回見に行った寺院の情報もいただいた。

その「無字庵庭園」は、吉田神社のそばの住宅街の中にあるが、中身の詰まった枯山水の庭園である。以前からあった神官の礼拝のための平らな礼拝石の奥に、三尊石。阿波産青石（緑色片岩）による中央の蓬莱島を挟み、東西に方丈、壷梁、

★重森三玲庭園美術館「好刻庵」の襖と照明

★重森三玲庭園美術館「無字庵庭園」

★重森三玲庭園美術館の坪庭

瀛州がある。さらに白砂の上に「入り舟」と「戻り舟」の二つの石がある。そして特徴的なのは、白砂の海に対する海岸線の曲線だ。茶色の丹波鞍馬石でつくられ抽象性を増している。また、重森設計の茶室「好刻庵」には彼のデザインによる襖と照明があり、襖には市松模様と波がモダンに表現されている。さらに茶室横の坪庭も、白砂と岩だけによる小さな枯山水で魅力的だ。

京都には他にも重森三玲の集大成といわれる松尾神社を始め、多くの庭園があるが、今回は東福寺を中心にその一部を回っただけにとどまる。だが、静かな京都の冬の庭園で瞑想的な時間を過ごし、重森の作庭に思いを馳せたことは、有益だった。特に、日本の伝統文化といわれているもの、そして近代・現代文化、西洋文化との関わりについて、改めて考える契機となった。

自然と文化

寺社仏閣の魅力というのは、建築、仏像、庭などがあるが、そこに惹かれるのは、自然との関係ではないだろうか。西洋の教会は街中にあって、その中に入ると異空間が広がり、非日常の静謐な時間を過ごせる。もちろん日本の寺社の中もそういう要素があるのだが、周囲の自然との関わりが大きいように思う。寺や神社は、よほど大きいところ以外は、その中で長い時間を過ごすことは難しい。自然の中に境内があって、それを借景として庭があって、そこで過ごすことになる。つまり自然と親しむ場でもある。そこにその自然にはない川や池をつくり愛でる。

さらに、水が引けないから枯山水として、抽象化することになり、借景の自然との対照も生まれる。日本は木と紙の建築ゆえに、そこに使われる岩や石は、それで建築物をつくった西洋や中東とは別の認識になるだろう。パキスタンのペシャワールのホテルに泊まったとき、客室もすべて大理石などでできており、寒くて往生したが、そんな中に暮らすことと木と紙の中に暮らすことは、まったく異なるのだ。

ただ、東洋は自然と調和し、西洋は自然と闘ってきたといった紋切り型の論には組みしたくない。土を焼成した煉瓦、砂を主原料とするコンクリート、いずれも原料は自然物である。『砂は新たな金』という二〇二一年のＮＨＫドキュメンタリーでは、中国を中心にした世界の砂の争奪戦がレポートされ、メインのコンクリートからコンピュータ基盤まで、砂が果たす役割は大きいという。これまで貴重な資源とは思われていなかった砂が、天然資源として重要になる時代だ。

重森三玲や枯山水の作庭家が庭園をつくるときには、砂がそんな役割を果たすなど、思ってもみなかったろう。ただ、岩が生物の残骸や土、溶岩などさまざまなものが圧縮されてできたものだとすると、それが砕けてでき上った石、さらに細かくなった砂は、生物の究極の抽象物といえるかもしれない。枯山水が提示した自然と抽象の関係は、さまざまな事象を考えるのにも、有益ではないか。今回の重森三玲の旅から、そのように感じた。できれば機会を見つけて、重森の庭園をさらに探索してみたいと思う。

表紙＝ジャン＝レオン・ジェローム《ピグマリオンとガラテア》（1890）

All pages designed by ST

CONTENTS

特集

美と恋の位相

偏愛のカタチ

地獄の嵐の中にあっても
美しきあなたとは
決して離れない。

★アリ・シェフェール《ダンテとウェルギリウスの前に現れたフランチェスカ・ダ・リミニとパオロ・マラテスタの亡霊》1855年

◎文＝浦野玲子（ライター）

ベニスに死す、ブレードランナー、桜の森の満開の下
――美しさと哀しみに彩られた死に至る恋の物語

死の法悦へと誘う美少年

美と恋を描いた物語というと、まっさきにルキノ・ヴィスコンティ監督の映画『ベニスに死す』（トーマス・マン原作）が思い浮かぶ。

主人公の初老の作曲家は、グスタフ・マーラーがモデルとされる。原作では小説家となっているが、ヴィスコンティ版では高名な音楽家グスタフ・アッシェンバッハとして、マーラーに近い人物像に再設定されている。アッシェンバッハを演じるのは『地獄に堕ちた勇者ども』でもおなじみのダーク・ボガード。どことなくマーラーに似た風貌だ。

舞台は1911年のベニス。海辺のリゾートホテルに静養にきたアッシェンバッハは、上流階級のポーランド人一家の美少年タジオに出会い、一目で心を奪われる。

彼は少年の姿を求め、ストーカーのようにあとをつけ待ち伏せする。だが、時あたかもベニスにコレラが蔓延。タジオを恋い焦がれながら言葉一つかわさず、命を落とす。

タジオを演じるのは、本作の公開当時（1971年）、「世界一の美少年」と称されたビョルン・アンデレセン。金髪碧眼、端正な面立ちのスウェーデン人だ。わたしも映画を観るたび、この世ならぬ少年の美しさに悶絶する。

その面差しは、レオナルド・ダ・ヴィンチの『洗礼者ヨハネ』に似ているようにも思える。キリストに洗礼を施す高潔な存在でありながら、ダ・ヴィンチのヨハネは、男性とも女性ともつかず、妖艶で蠱惑的、悪魔的にさえ見える。見るものを堕落させるような謎の微笑を浮かべている。

ダ・ヴィンチは俗に同性愛者といわれている。マーラーやヴィスコンティもバイセクシュアルといわれる。だから、『洗礼者ヨハネ』像とビョルン・アンデレセンの性別を超えた美しさが似通って見えるのか。美への志向・嗜好が同じなのか。

ただ、ビョルン・アンデレセン自身の個人史は悲惨なものだったらしい。彼の半生を描いたド

★（上）映画『ベニスに死す』のタジオ
（下）レオナルド・ダ・ヴィンチ「洗礼者聖ヨハネ」（1513-16）

キュメント作品もあるが、役者として彼が出演した最近作は『ミッドサマー』(アリ・アスター監督)というカルト的作品。そこでの彼は、昔日の美少年の面影はいずこ。フィヨルドのように深く皺が刻み込まれた貧相な老人になっていた。しかも断崖から身を投げ、その顔面を岩石で粉砕されるという惨い役どころなのだ。

★レオナルド・ダ・ヴィンチ「白貂を抱く女」(1490頃)

★映画『ロミオとジュリエット』のオリビア・ハッセイ(右)

閑話休題。美の黄金比があるという。たとえば、ダ・ヴィンチの『モナ・リザ』やミロのヴィーナスは、人類が事物を最も美しいと感じる黄金比(1:1.618)にあてはまるという。だからこそ、だれもが美しいと感じるのだと。

だが、よく見ると、モナ・リザは女性か男性かわからない。その表情は能面のように角度や見る人の心理によって千変万化する。優雅に微笑んでいるかと思いきや、不気味な嘲笑のようにも思える。

『ベニスに死す』の数年前に公開された『ロミオとジュリエット』(フランコ・ゼフェレッリ監督)のジュリエット役、15歳のオリビア・ハッセイは輝くばかりに美しかった。彼女の顔は美の黄金比を体現しているのではないだろうか。卵型の顔に切れ長の大きな目は、ダ・ヴィンチの描く聖母像や『白貂を抱く女』、ボッティチェリの『ヴィーナスの誕生』などに描かれる美の女神そのもののようにピュアな美しさを湛えていた。

ネット上では、毎年、「世界で最も美しい顔100人」なるものが発表されている。彼らの顔も黄金比にあてはまるのだろうか?

いわゆる"平たい顔族"に属する日本人はどうか。黄金比ではなく白銀比が適用されるのか? 等々の疑問が湧いてくる。日本発祥のキティちゃんやアニメ顔は白銀比か? 以前、桐谷美玲というタレントがランクインしていたのを見かけたが、彼女はどちらだろう。

もっとも、このランキング自体、映画評論家を自称するアメリカ人が主観的にランキングしているだけで選考基準もいい加減らしい。

本題に戻ろう。ストーカーのようなアッシェンバッハの姿を知ってか知らずか、タジオも思わせぶりな視線を投げかけたりする。ときには、これ見よがしに同世代の少年と水着姿でじゃれあう。

その若々しく生の躍動感あふれる情景。稚気の残る少年の美しさ。その姿は老残の男にとって憧憬と羨望の的であり、より激しく恋慕の情をかきたてられるものなのだ。

そして、少年の美しさに追いすがるように髪を黒々と染め、おしろいを塗り、チークや紅をさし、爪の先までネイルで磨き上げ、不気味な若作りをして少年の行く先々に出没する。そのピエロのように滑稽な姿に自虐的快感さえ覚える。

ちなみに、20世紀初頭の欧米の社交界では、ジゴロといった男芸者、または伊達男といわれる男性の間では化粧がはやっていたのだろうか。ベニスの理髪店（美容サロン）は、昨今のメンズエステさながら、男性に化粧を施している。

だが、アッシェンバッハの努力もむなしく、髪染めもおしろいも汗で滲んでくる。その汗をハンカチで拭いつつ、暑気とコレラの瘴気が漂う町中をさまよい、タジオの姿を追い続けるアッシェンバッハ。その醜怪さ、いたましさ。

最後は、人影もまばらな浜辺にたどり着き、疲労困憊の身体をデッキチェアに預ける。その視線の先には、海にたたずむタジオの姿。水平線のかなたを指さすタジオは、ギリシア彫刻のようにまばゆく、崇高である。

その姿をみながら、アッシェンバッハは息絶えていく。その刹那の陶酔と苦痛、高まりゆく官能のうねりをマーラーの交響曲第5番中「アダージェット」の甘美で切ない旋律が増幅する。これぞエロスとタナトスの交わる瞬間、官能の極致だろう。

数多の美術作品や豪奢な調度品に囲まれて育ったイタリア貴族の末裔、ヴィスコンティにしか描けないであろう耽美的世界、爛熟と頽廃、崩壊の美学である。

レプリカントの恋

フィリップ・K・ディックの『アンドロイドは電気羊の夢を見るか?』が原作の映画、『ブレードランナー』。SF映画の金字塔のひとつと言われる。

リドリー・スコットが監督した本作は、SF映画のフィルム・ノワールを目指したといわれる。

なるほど、酸性雨がふりしきる暗鬱な超高層ビル群、「強力わかもと」や芸者の巨大なサイネージが宙に映る無国籍な近未来都市の風景もフィルム・ノワール感が漂う。

★映画『ブレードランナー』のレイチェル

そんな中で、唯一、華やかさを感じさせるのが、レイチェルという女性型レプリカント。陶器のようになめらかな肌、黒く長い睫毛、思わずくちづけしたくなるような艶やかでぷるんとした唇。彼女こそ黄金比に則って造形された理想の美女ではないだろうか。

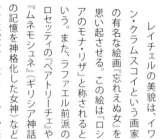

レプリカント処理人のデッカード（ハリソン・フォード）も、その完璧な美しさに心を奪われたのだろう。フィルム・ノワールにおけるファム・ファタルといっていい。彼女の存在によって、デッカードの運命が一変する。

レイチェルの美貌は、イワン・クラムスコイという画家の有名な絵画『忘れえぬ女』を思い起させる。この絵は「ロシアのモナ・リザ」と称されるという。また、ラファエル前派のロセッティの『ベアトリーチェ』や『ムネモシュネ』（ギリシア神話の記憶を神格化した女神）などの女性像（多くはウイリアム・モ

★（右）イワン・クラムスコイ「忘れえぬ女」（1883）
（左）ダンテ・ガブリエル・ロセッティ「ムネモシュネ」（1881）

リスの妻、ジェーン・モリスがモデル）や、ボッティチェリの女神や聖母像などが連想される。

映画の美女たちも思い浮かぶ。１９５０年代前後のアメリカ映画のフィルム・ノワール系作品に登場するファム・ファタルたちだ。

たとえば、『ギルダ』（チャールズ・ヴィダー監督）や『上海から来た女』（オーソン・ウェルズ監督）などで有名なリタ・ヘイワースを筆頭に、『深夜の告白』（ビリー・ワイルダー監督）のバーバラ・スタンウィック、ラナ・ターナー、ローレン・バコール、ジェーン・グリア等々。

ウエストを絞り、肩パッド入りのクラシカルなコスチューム、そして真紅の唇からフゥーと煙をくゆらす仕草もフィルム・ノワールのダーク・ヒロイン風だ。

余談だが、レイチェルを演じたのは、ショーン・ヤング。のちに元カレをつけまわすストーカー事件を起こし、お騒がせ女優といわれた。みもふたもない言い方だが、ただ綺麗なだけの彼女は〝人間味〟がない。それは、レプリカント美女にはうってつけのキャスティングだったのかもしれない。

そんなレイチェルも、自分がレプリカントであると知り、アイデンティティのゆらぎとでもいう感情（？）を抱きはじめる。美しい顔に焦燥や苦悩といった表情があらわれる。

やがて逃亡レプリカントとなり、デッカードの部屋に匿われることになったレイチェル。きっちりまとめていた髪を、はらりとほどく場面がある。

女が長い髪をほどいただけで、セクシーに見える瞬間がある。そのしぐさは、古今東西、男に媚びるとき、男を挑発するとき、そして「寝てもいいわよ」ということを暗示するボディランゲージとして認識されているのではないだろうか。

その姿に気づいたデッカードは、彼女の腕を乱暴につかみ、「キスしてと言え」とか「あなたが欲しいと言え」とか強要する。

これは、今見るとあからさまなセクハラであり、パワハラではないか。レプリカント相手なら、なにをやってもいいのか？

このシーンは、終始ムーディな音楽が流れ、通俗メロドラマのようだ。レイチェルはデッカードに体を許す(?)が、これは「ロボット3原則」に従ってインプットされたレプリカントの本能(機能)だろうか?

それとも、リドリー・スコットはあくまでフィルム・ノワールにこだわり、ハードボイルドで不器用な男の愛のカタチは、どうしても暴力的にならざるをえないということを強調したかったのだろうか?

宇宙空間で最後に生き残ったのは女性飛行士と猫だけという『エイリアン』。あるいは、ただ"男"であるというだけで威張り散らしているが、実は不甲斐ない男ども。それに嫌気がさした女ふたり。彼女たちの痛快かつ悲劇的な逃避行を描いた『テルマ&ルイーズ』。さらには海軍特殊部隊で屈強な男たちとともに過酷な訓練をうける女性兵士を描いた『GIジェーン』。これらの作品の監督でもあるリドリー・スコット。彼は、デッカードの行為を通して、時代錯誤な男性性、マッチョ馬鹿を揶揄したかったのだろうか?

さて、本作で一番好きなのは、反乱レプリカントのリーダー、ロイ・バッティ(ルトガー・ハウアー)の最期。宇宙の果ての苛烈な環境のなかで、ローマ帝国の奴隷のように過酷な労働に従事してきたという。ロイは男性型レプリカントのなかでもマッチョなイケメン。筋骨隆々たる造形は、さながらギリシア彫像のようだ。

★映画『スパルタカス』

彼はデッカードと死闘をくりひろげるが、ついに耐用年数が切れ力尽きる。そしてつぶやく。

"like tears in rain, time to die"。

「(わたしが見てきたすべてのことも)雨に流れる涙のように忘れ去られ、死ぬときが来た」というような意味だろうか。

なんと詩的な言葉だろう。そして、自分の死と引き換えのように、自由と平和の象徴である一羽の鳩を解き放つ。感動的なシーンである。

もっとも、この鳩も人工物かもしれない。バサバサと羽ばたくが、その動きはコマ撮り画像のようにぎこちない。

そして、あることに気づいた。ロイの姿は、スタンリー・キューブリック監督の『スパルタカス』の主人公を演じたカーク・ダグラスを彷彿とさせる。ローマ帝国の奴隷剣闘士であり、筋肉隆々のスパルタカス像ではないか。それかあらぬか、のちにリドリー・スコットはずばり『グラディエーター』(剣闘士)を撮っている。

ハリソン・フォードを食ってしまうほどの存在感を発揮したルトガー・ハウアー。彼は2019年に亡くなった。1982年に公開された『ブレードランナー』の舞台は2019年。ルトガー・ハウアーの"time to die"の年だったのか。

美と愛欲の罠

坂口安吾の短編小説に『桜の森の満開の下』がある。山賊と都の女との被虐・嗜虐的な愛と死の物語とでもいおうか。

平安時代の鈴鹿峠が主な舞台だが、山賊の名前も風体も、女がどんな容姿で、どんな装束を身につけているのか、具体的な描写はない。いわば「昔々あるところに……」のように抽象的ともいえる文章だ。にもかかわらず、桜の幻想的な美しさとともに、死の予感がしのびよってくる。

その理由のひとつは、日本人の心性として、桜と死が一体化していることにあるのではないだろうか。たとえば、梶井基次郎の「桜の樹の下には屍体が埋まっている」という有名な一節がある。桜の花があんなにも見事に咲くのは、その下に死体が埋まっていて、その養分を吸って、爛漫の花盛りを迎えるのだと。

西行法師の「願わくは 花の下にて春死なむ その如月の望月のころ」というのもある。古典文学で花といえば桜のこと。満月の下、桜の花の下でひっそりと息絶えたい…」というような意味だろう。

桜の花そのものに、春の訪れを告げる陽気さ、華やかさと裏腹に、はらはらと舞い散る様子に命のはかなさを感じるのだろうか。生きて帰らぬ特攻機（人間爆弾）に「桜花」と名付けたのも、それに搭乗する若者たちの儚い生と死を美化するためか。

『桜の森の満開の下』に戻ろう。山賊は女の美しさに魅了され、連れの男を殺してしまう。それまで山賊は、旅人の身ぐるみをはぎ、気に入った女は住処に連れ帰ることはあった。だが、連れの男の命まで奪うことはなかった。それが、今回ばかりは違った。

「山賊は始めは（原文ママ）男を殺す気はなかった。（略）女が美しすぎたので、ふと男を斬りすてていました……」

美しすぎる、という素っ気ない表現だけで、読者は想像をめぐらすしかない。上村松園や鏑木清方などが描く美女だろうか。

★京マチ子が演じた映画『羅生門』の武士の妻

わたしは、黒澤明の映画『羅生門』（原作は芥川龍之介の『藪の中』）をイメージする。ふと見かけたという武士の妻（京マチ子）の臈長《ろうた》けた美しさに魅かれ、多襄丸（三船敏郎）という盗賊が夫を斬り捨ててしまう。

さて、山賊には、すでに略奪した七人の女房がいた。このあたり、グリム童話の血なまぐさい「青ひげ」の物語を思わせる。山賊の七人の女房たちも、「今迄に見かけたこともない女の美しさに打たれ」、「目も魂も自然に女の美しさに吸い寄せられて動かなくなってしまいました」。

だが、女は美しさと反比例するかのように残虐で無慈悲。女房たちを次々と殺すよう山賊に命ずる。ただひとり、足の悪い女だけは下女として残される。

その後、山賊と女と下女は都へ行き、さんざんな悪事を繰り広げる。女は山賊に貴族たちの住まいを襲わせ、金品のみならず、お姫様や貴族や僧侶などの首をとってこいという。その生首を動かしては人形ごっこ（?）をする。しかも、女は生首がどろどろに崩れるまで弄ぶのだ。このグロテスクな首遊びのくだりは、谷崎潤一郎の猟奇的小説『武州公秘話』をヒントにしているのではなかろうか。

女の魔性の美しさに魅入られ、悪事を重ねてきた山賊。だが、あまりにも空虚な都での暮らしに倦み疲れ、山の古巣への帰還を決意する。嫌

美に恋するがゆえに死をも厭わない

★映画『桜の森の満開の下』

がる女を背負って古巣へ急ぐ途次、満開の桜の森の下に差し掛かると、そこは異界のよう。背負った女も鬼に変わって……。

本作は、1974年に篠田正浩監督によって映画化されている。その予告編の惹句は「バイオレンスとエロスの平安絵巻」云々。シンプルで抽象的な坂口安吾の原作を映像化するには、いろいろなギミックが必要だったのだろうが、個人的にはちょっと残念な仕上がりだ。

なにより、女優選びが大変だっただろう。篠田監督の妻である岩下志麻は、『心中天網島』や『卑弥呼』など実験的な作品でタッグを組んできたが、当時の岩下志麻は山賊を虜にするほどの妖艶さが欠けているように思う。

イメージとしてはやっぱり京マチ子だ。もっとも1970年代には京マチ子のような、いわく言い難い官能性や身体性を備えた女優はすでに絶滅危惧種だったのかもしれない。

そして、桜の森の幻想的な美しさを表現するには、溝口健二監督の『雨月物語』のように、カラーではなくモノクロのほうがよかったのではないか。

衣裳もそうだ。溝口作品のときは甲斐荘楠音という日本画家が時代風俗・衣裳考証を務めている。甲斐荘が描く魔性を秘めた美女の要素が、篠田の『桜の森の…』には欠けているような気がしてならない。

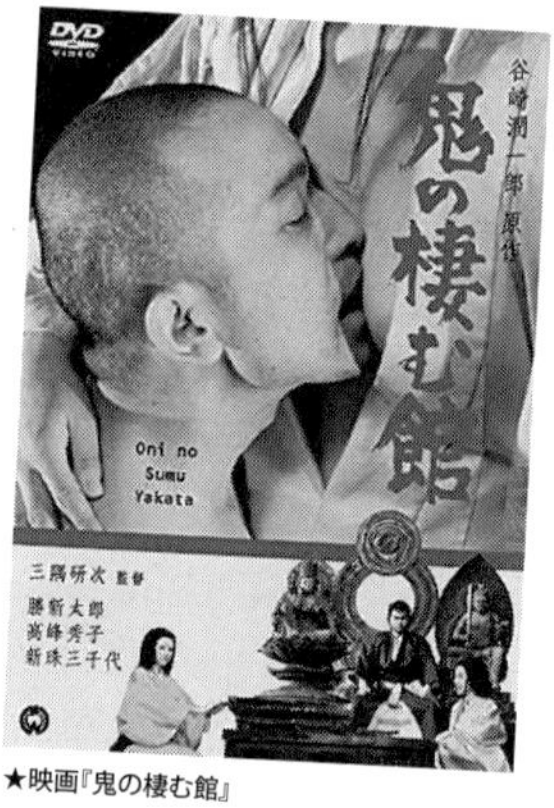

★映画『鬼の棲む館』

たとえば、撮影も『雨月物語』の宮川一夫が担当していれば、どんなに幻想的な仕上がりになっていたことか、と想像をめぐらす。

宮川一夫で思い出したのが、『鬼の棲む館』という三隅研次監督の1969年の映画。原作は、谷崎潤一郎の『無明と愛染』という戯曲。この内容が、『桜の森の満開の下』にちょっと似ている。

『鬼の棲む館』では、荒れ寺に住む無明という盗賊と美しい白拍子の愛染に、無明の貞淑な本妻と、愛染の色香に迷う旅の僧が絡み、愛欲と殺戮が繰り広げられる。

『鬼の棲む館』もカラー作品だが、宮川一夫ならではの陰影に富み、深みのある色調は、谷崎の嗜虐性、人間の業の深さを格調高く表現していると思う。

無明を演じるのは勝新太郎。篠田の『桜の森の…』の山賊は、若山富三郎。このふたりは実の兄弟だ（役者としては、勝新太郎のほうが圧倒的に迫力がある）。そのせいもあるが、どうしても『桜の森の…』は二番煎じ感が否めない。

話が脱線してしまったが、本稿のテーマは「美と恋」についてだった。

『ベニスに死す』のルキノ・ヴィスコンティ監督の言に「絶対的な美は存在する」、「美をみつめることは死を凝視することだ」云々というのがあった。

彼にとっての「絶対的な美」というのは、現世に存在する生身の人間だったのだろうか。それで、ルッキズムではないが、くだんのビョルン・アンデレセンをはじめ、アラン・ドロンやクラウディア・カルディナーレ、ヘルムート・バーガー、シルヴァーナ・マンガーノ、ロミー・シュナイダー……。

それこそため息が出るほど美しい男優・女優たちを集め、人形ごっこか、人間チェスよろしく映画を作っていたのではないか。『山猫』や『家族の肖像』『ルートヴィヒ　神々の黄昏』などを観ると、その華麗な美の世界に圧倒される。

だが、生身の人間の美は儚い。だからこそ絶対的な美に魅入られた人間は、『ベニスに死す』の主人公のように、永遠の一瞬のような少年の美しさを眼裏に焼き付けるために、死をも厭わない。

少女人形フランシーヌはどんな夢を見せたか

●文＝馬場紀衣（文筆家）

恋ってなあに。そんなふうに訊かれたら、わたしは迷わず狂気であると答えよう。美しい声と引きかえに人間の両脚を手に入れた人魚、ガラスの棺の死体に恋をする青年、王子のために足指をナイフで切り落す姉妹、茨でセーターを編んでいる娘の穴のあいた掌を想像しながら幼いわたしが学んだのは、恋をする者にとっては、痛みや死ですら問題にはならないということだった。

これぞ恋のロマンチシズム。夢と空想の童話世界に憧れる少年少女の甘い情緒と感傷といえなくもないが、もしかすると〝ふつう〟と呼ばれるような、凡庸な恋愛体験のなかにも、人を狂気へと駆りたててしまう魔性が、恋には潜んでいるのではないか——。そんなことを、たとえばピュグマリオンの伝説や哲学者ルネ・デカルトにまつわる奇妙なうわさなどから思い浮かべるのだ。

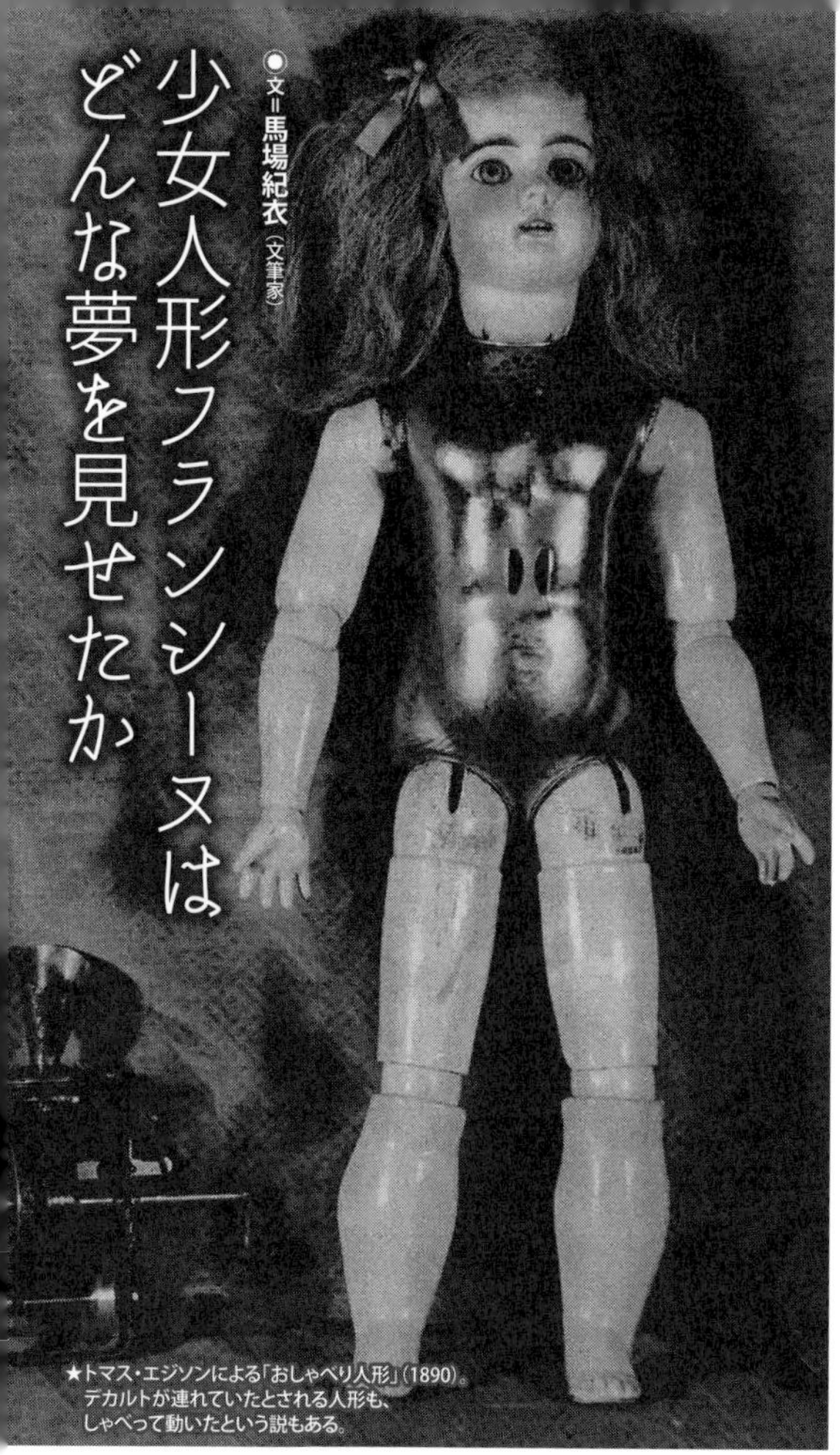

★トマス・エジソンによる「おしゃべり人形」(1890)。デカルトが連れていたとされる人形も、しゃべって動いたという説もある。

少女人形フランシーヌのこと

うわさ、というのはデカルトがトランクに入れて常々、肌身離さず持ち歩いた人形のことである。人形の名前はフランシーヌ。齢のくらいは5歳ほど。それにしてもこの世紀の哲学者の生涯には不明な点がおおい。往年の伝記作家を困らせているのは、弟を身ごもったまま早逝した母親の存在と、実娘フランシーヌについての言及の乏しさで、母親が亡くなったとき幼子デカルトはまだ1歳と伝え聞くから母親の記憶がないのは仕方ないにしても、実の娘について語ることがないというのはどういう訳だろう。

デカルトは実子認知していなかったようだが、フランシーヌは家の女中ヘレナ・ヤンスとのあいだに産まれた子だった。デカルトは、フランシーヌを溺愛していた。しかし、厳しい身分道徳の風潮から逃れるためにフランシーヌはデカルトの伯母の家へ預けられることになる。その直後、少女は死んだのだった。

愛娘を奪われたデカルトの喪失感が、奇妙なうわさを広めたのだろうか。あるいは、アル＝ジャザリの自動人形に心奪われたダ・ヴィンチのようにデカルトも人形に魅せられていたのか。『方法序説』の動物機械論の文脈でいえば、死んだ人間は蘇る（肉体的には）はずなのだけど、人間になるには「きわめて確かな方法」、すなわち〈言語〉と〈理性〉を満たす必要があるという。

とにかく、デカルトはどこへ行くにもこの人形をトランクに詰めて連れ歩いた。女王に招かれてスウェーデンへ渡るときも船室へ持ちこみ、生者を相手にするように話しかけ、身のまわりの世話を焼いて船長を慄《おのの》かせている。船が沈没しかけた折には、この天候は薄気味悪いあの人形の呪いにちがいないと、少女人形は海中へ投げ捨てられてしまう。デカルトの愛したガラス眼玉の少女が船長には悪魔の造った人形に見えたのかもしれない。

君にはオリンピアの声が聞こえるか

ピグマリオニズムの翻訳語としての「人形愛」という造語を生みだしたのは澁澤龍彦だが、わたしの考えでは、デカルトがフランシーヌのうちに見出した愛は、人形そのものに向けた執着とは異なるように思える。それでも、人間の愛の対象が人形へ向かうとき、それはいつも魔術的だ。

19世紀初頭の作家ホフマンの短編『砂男』では、勤勉な青年ナタナエルが魂のない自動人形オリンピアに恋をする。青年の友人はオリンピアの外見的美しさを讃えながらも「歩きぶりにしても奇妙にぎこちない」とか「ピアノを弾くにしても歌をうたうにしても、いやになるほどの正確一点ばり、機械的な一本調子」と酷評する。そんな友人たちをナタナエルは「彼女の愛の眼差しを受けとめて、胸の思いを察知できるのはぼくだけさ」と一蹴する。

オウィディウスの『変身物語』のピュグマリオンは自ら彫刻した象牙像の乙女に恋をし、あまつさえ人間の体にしてくれるよう祈る。当時のイギリス社会の階級差を前提にしたバーナード・ショーの戯曲『ピグマリオン』は、音声学の知識をもつヘンリー・ヒギンズが美人だが言葉の汚い花売り娘イライザを公爵夫人に仕立て上げるという筋書きで、周知のようにこの戯曲を原作にした映画『マイ・フェア・レディ』の主人公もまた、自らの手によって生み出された作品に恋をする。

人形に理想美を見出した者の末路とは

ピュグマリオンもヒギンズの場合も、理想的美を体現する女性と結ばれて幕を閉じるならハッピーエンドといえそうだけれど、これが人形相手だとそうはいかない。人形を偏愛する人間は、それにともなう呪いをも引き受けなくてはならないからだ。

理想の妻と夫の不信が招いた不幸

トンマーゾ・ランドルフィの短編『ゴーゴリの妻』には、人形を生きた妻のように愛する男がでてくる。かりそめの夫婦生活を送るふたりの愛の様子が友人の視点から語られるのだが、それによるとゴーゴリの妻は「冬でも素裸な厚ゴムの人形で、その色は肉の色、世間で言うところの肌色」をしており、性を変える以外はほとんど自由自在な女で、

★Hugo Steiner-Pragによる「砂男」の挿画

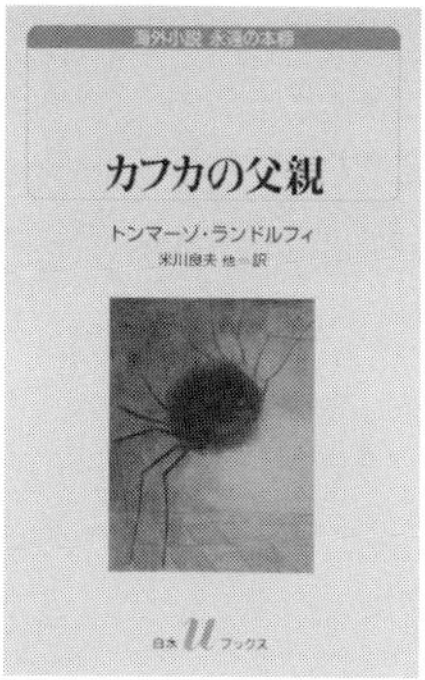

★トンマーゾ・ランドルフィ『カフカの父親』(白水社)／『ゴーゴリの妻』を収録

あるときは少年のようにほっそり引き締まった脇と平らな胸をもち、またある時はビヤ樽のような姿で、体に合わせて毛の色やほくろの位置や粘膜の感触すら変えることができる。ゴーゴリは言う。「彼女以上に物静かで従順な伴侶は存在しない」

　ゴーゴリはピュグマリオンと同じように愛する人の美を愛で、ナタナエルのごとく人形の魂、精神の幻を信じている。死んだように一点を凝視したまま動かずにいる人形の眼に光が射すのを見、心の叫びを歌として、詩として聞くことができる。ナタナエルが友人へ向けた「君のように普段はすこぶる美にさとい人間が、どうしてオリンピアのあの美しさがわからないのかね?」という言葉は示唆的だ。

　『ゴーゴリの妻』へ話をもどすと、人形への偏愛の果てにゴーゴリは自ら造りだした彫刻を破壊してしまう。カラカス(妻の名)が独立心を持ちはじめたというのがその理由だ。

　『自動人形』のなかでジャン・プラトーは「自動人形はおそらく、私たちの形而上学的不安から生まれた」と述べている。人間同士の恋愛がそうであるように、こうなってくると愛はもはや二人のユートピアにはならない。あれほど愛していた妻をゴーゴリは恐れるようになる。心の中では妻への恐れと愛着とが激しくぶつかりあい、その憔悴ぶりは麻薬中毒者のよう。彼はいったいなにに憑かれてしまったのだろう。読者は忌まわしい恐怖の正体を想像することしか許されていないが、わたしに言わせれば、これは恋する人間の性質であって、異常ではないのである。

空っぽだからこそ、人形に恋する

　リラダンの『未来のイヴ』において読者は、人造人間ハダリーを生身の女性のように愛せるかを問われる。アリシア・クラリーという肉体と霊魂の不釣り合いな女性とうり二つの人造人間ハダリーを造り、それに高貴な霊魂を吹きこむという物語だが、古の修道士オドン・ド・クリュニーがおもしろい言葉を残しているので紹介したい。「肉体の美はただ皮にのみ存している。なぜというに、皮の下にあるものを、みることができるならば、ひとは、女をみて、おぞけをふるうことになろうではないか。いったい、考えてみるがよい、鼻の孔にはなにがあるか、喉の奥にはなにが、腹のなかにはなにが隠されているか。みつかるのは、ただ汚物のみ」。

　『ゴーゴリの妻』でも最後は、肉の体を忌む気持ちが決定的になる。ゴーゴリは愛する妻の体が張り裂けるまで空気を送り続け、実際、妻の皮膚は木端微塵に吹き飛ぶ。ずたずたになった乳房があり、頬の切れ端がマントルピースの角にぶら下がっている。かつては滑らかだった皮膚は、あわれなぼろに成り果てる。

　もの食わず、排泄せず、悪態もつかず、聖書に手を乗せて生きる女のほうが、たとえ内側はがらんどうでも、むしろ、空っぽだからこそ純情で清潔であることはちがいない。とはいえ、少なくともゴーゴリの場合は妻を愛していたし、夫は妻の美しさを意のままにすることさえできた。二人の愛はなぜこじれてしまったのだろう。

　一方には魂があり、一方にはない。なんだか究極の選択のように思えるが、わたしがおもしろいと思うのは、いつだって空っぽの人形に魂を吹きこむのは人間だということ。

　木下純一の『人形』では、息子の結婚相手にと注文した等身大の女型人形の着物を広げながら母親がその姿を称賛する。「とても美しいわ。乳房も、軀も、わたしの若い頃より、ずっと、ずっと、綺麗だわ」。母親は人形を義娘のように扱い、形見の櫛を贈る。物語では若い男女(といっても片方は人形)のその後は描かれないが、空白のページには、きっと息子と人形の祝言があり、祝いの席に呼ばれた客がおり、夫婦生活があるはずだ。息子はこの「きれいな娘さん」を愛するだろう。

　男たちに一心に愛されながら、人形はいったいどんな夢を見るのだろう、なんてことに思いを馳せていると幕間からマクベスの声が聞こえてきそう。「お前の目は、いくら睨んだって視力がないじゃないか」。

コスプレで上流階級を魅了した美女エマ・ハミルトン

◎文＝相良つつじ（画家）

★エリザベート＝ルイーズ・ヴィジェ＝ルブラン「バッカスの巫女に扮したエマ・ハミルトン」（1791）

ナポレオンと戦いイギリスを守った英雄ネルソン提督を籠絡した魔性の女、エマ・ハミルトン。多くの画家のモデルとして今も名画の中で微笑み続ける。特にイギリスの巨匠ジョージ・ロムニーはとりわけエマに惚れ込み、彼女をミューズとして多くの名作を残した。また、映画『美女ありき』（1941）では、大女優ヴィヴィアン・リーがエマ・ハミルトンを演じたので知る人も多いだろう。

　彼女の生まれは華やかな社交界とは程遠い貧困家庭だった。1765年、イングランド北西部に生まれ、幼い頃から家政婦として働いたが、性に奔放であった為、どこの職場も長く続ける事ができなかった。

　やがてロンドンに移り住み、14〜16才で娼婦や踊り子、絵画モデルとして生計を立てていた。天性の蠱惑的な容姿と一流の歌唱力や演技力によって、17才になる頃には「ファム・ファクタール（運命の女）」として社交界での地位を上げていった。

　エマの個性は、自らが「アティテュード」と呼んだコスプレを多用したことである。ギリシャ神話の登場人物や古典演劇の役に扮し、ポージング、舞踏、演劇を混ぜたパフォーマンスで人気を博したのだ。何枚もショールを使い、ギリシャ神話の王女メディアやクレオパトラなど幅広い人物になり切り、沢山の貴族、芸術家、作家を魅了し、その中にはゲーテも含まれていた。

★映画「美女ありき」

　ほどなく、チャールズという貴族の恋人になり同棲生活を送る中で、エマはチャールズに礼儀作法や社交界で大切な教育を施され、教養をぐんぐん身につけ、淑女として洗練されていったのだが、チャールズは経済難を抱えていた為、他の貴族で富豪の令嬢と結婚。エマはナポリ大使の叔父ハミルトン卿に愛人として物のように売られてしまった。ハミルトン卿は美術品のコレクターだったので、エマを始めはコレクションの一部として愛でていたが、彼女自身の可憐な魅力に

★ジョージ・ロムニーの作品
（右から）
「マグダラのマリアに扮したエマ・ハミルトン」(1792)
「キルケに扮したエマ・ハミルトン」(1782)
「バッカスの巫女に扮したエマ・ハミルトン」(1785)

惹かれ、正式に結婚してしまう。この時、ハミルトン卿60才、エマ26才。こうして、エマは英国大使夫人に昇り詰めた。

一方、芸術面でエマに心を奪われ、肖像画家としての仕事が困難になるほど心酔した画家ジョージ・ロムニーは、エマの「アティテュード」にインスピレーションを得て多くの作品を描いた。モデルとしてのエマの強みは、上流階級でなかったことである。エマは、『バッカスの巫女』という、酒を飲み狂乱し平然と破廉恥な振舞いを行い、酩酊状態のままオルフェウスを虐殺した巫女や、ギリシャ神話の恐ろしい『魔女キルケ』、新約聖書の福音書の『マグダラのマリア』などの役にもなることができた。美しく、地位を持たないエマは、誰でもない事から娼婦や悪女や王女など自在に演じることが可能で、その匿名性が画家達にとって理想のモデルとなった。

名声は国外にも広まり、フランス革命によってイギリスに渡ったマリー・アントワネットの友人の女流画家ルイーズ・ヴィジェ＝ルブランも、エマの斬新な「アティテュード」に影響を受け、エマ以外のセレブの肖像画にもコスプレ要素を取り入れ、上流階級の女性を妖精やギリシャ神話の神に描くことで、面白く新しい肖像画家として人気を博した。

程なく、特使として来たネルソン提督に見初められ、夫公認の愛人関係を結び、その間に子供まで作った。しかし、その2年後、夫のハミルトン卿が死去。ネルソン提督も第2子妊娠中のエマを置いて戦死。生んだ赤ん坊も数週間で死んでしまう。ネルソン提督はエマと子供に、死後も彼女達が年金を受け取れるように命令していたが、遺言は無視された。

エマは孤独の中で酒に溺れ、ギャンブルや浪費に走った挙句、借金地獄に陥り、肝臓を壊して、50才でこの世を去った。

貧困層出身のエマは、どんな破廉恥な役も演じた

★エリザベート＝ルイーズ・ヴィジェ＝ルブラン
「アリアドネーに扮したエマ・ハミルトン」』(1790)

★ハインリヒ・ファウスト「クレオパトラ」(1876)

クレオパトラは、いかにして人を魅了したか

◉文＝浅尾典彦（作家・プロデューサー・夢人塔代表・治療家）

クレオパトラの鼻

「クレオパトラの鼻がもう少し低かったら、世界の歴史は変わっていただろう」。17世紀のフランスの思想家ブレーズ・パスカル『パンセ』の一節だ。世界の三大美女のうちの一人クレオパトラの生涯は、シェイクスピアの戯曲になり、ハリウッドを中心に何度も映画化されたことで有名になっていく。絶世の美女の代名詞として化粧品の商品名になったり、CMに起用されたり、マンガや音楽、アニメ、演劇やバレエ、果てはポルノ作品まで生まれている。

しかしクレオパトラには、未だに解明されない謎が多く存在している。というのも彼女の副葬品や遺品は極端に少なく、手掛かりとなる墓すらまだ見つかっていないのだ。それは、365年にアレクサンドリアを襲ったクレタ地震でほとんどの関係資料が失われた為で、コインや立像、幾つかの壁画などや口伝などの物語が伝わるのみである。近年の研究では「本当は、彼女は世界一の美女ではなかった」とも言われている。エジプト一番の美女は、第18王朝のファラオ、アクエンアテンの王妃ネフェルトイティというのが最近の考古学者の考察だ。

では、ローマの将軍を次々に堕としていったクレオパトラの魅力とは何なのか、ひも解いてみよう。

クレオパトラのイメージ

クレオパトラの評価はローマ側とエジプト側ではまるで違う。ローマ側にとっては歴史に残る「悪女」だ。遠征した将軍たちを次々と色仕掛けで骨抜きにし、時には重婚をしてまで取り込んでゆく。古代歴史家プルタルコスによれば、オクタウィアヌスのプロパガンダ戦略によって、「クレオパトラはローマの敵だ」というイメージが作り上げられていったという。

他方、エジプトでは、クレオパトラは市民に寄った政治を敢行したため人気があり、イシス神と同一視して描かれることもあるほど愛されていた。

同時に、クレオパトラは滅びゆくエジプト・プトレマイオス朝の象徴でもあった。その大胆な行動ゆえにさまざまな伝説や物語を生んだ。王族と

★ジャン=レオン・ジェローム「クレオパトラとカエサル」(1886)
／クレオパトラが絨毯の中から現れた場面

しての絶対的なパワー、たぐいまれな美貌・権力と愛、そしてその滅びへの美学、人としての哀れさなどなど。

ドラマとしての面白さのすべてが入っているような生涯なのだが、そこに着目したのがウィリアム・シェイクスピアだった。彼は戯曲『ジュリアス・シーザー』(1599)に次いで、『アントニーとクレオパトラ』を発表(1606-07)。アントニウスとクレオパトラの関係を主軸に、愛と死をドラマチックにロマンス悲劇として書いた物語だ。その後、同じテーマで絵画や映画、詩などさまざまなジャンルで取り上げられるようになり、世界的に知られる、美しく、愛の遍歴を繰り返した悲劇女王というクレオパトラ像が成長していったのである。

波乱の生涯

クレオパトラの正式名はクレオパトラ7世フィロパトル、紀元前69年〜紀元前30年8月12日に生きた、約三千年の歴史を持つエジプト王朝最後の女王。実はエジプト人ではなく、プトレマイオス朝はマケドニア王国にルーツを持つギリシャ人で、当時のエジプトの首都アレクサンドリアに、王家の子供一人として生まれる。父プトレマイオス12世アウレテスが逝去すると、父の遺言で18歳の時に弟のプトレマイオス13世と結婚し、ともに王位(ファラオ)に就いて二頭体制で国を治めた。当時は純潔を守るため同族結婚が普通だったのだ。しかし弟とは意見が対立し、21歳の時にクレオパトラはアレクサンドリアから追放される。

一方、ローマでは内戦が起こり、グナエウス・ポンペイウスを追撃するためアレクサンドリアを訪れていたガイウス・ユリウス・カエサル将軍(ジュリアス・シーザー)が、エジプトを手に入れるためクレオパトラを召喚。クレオパトラはシチリア人のアポロドロスに手伝わせ、自ら袋(絨毯という説もあり)の中に入って贈り物として贈った。カエサルはクレオパトラの魅力に惹かれ協力することを約束し、プトレマイオス13世を殺すとエジプトとローマの共同統治を始める。そしてクレオパトラを別の弟プトレマイオス14世と結婚させて、自らはク

★ローレンス・アルマ＝タデマ「アントニーとクレオパトラの出会い」（1885）

レオパトラと愛人関係となった。

　翌年、クレオパトラはカエサルとの間の子カエサリオンを産み落とす。統治に成功したカエサルは、クレオパトラを連れてローマに帰国し派手な凱旋パレードをおこなった。この成功で永久独裁官となったカエサルだったが、最後には多くの恨みを買い、もっとも信頼していたブルトゥス（ブルータス）にも剣を突き立てられ「ブルトゥス、お前もか？」と叫んで息絶えたとされる。失意のクレオパトラはエジプトに逃げ戻り、プトレマイオス14世が死去すると息子カエサリオン（プトレマイオス15世）と再びエジプトの共同王位となる。

　ほどなくして、フィリッピの戦いで勝利をおさめた三頭政治側の将軍マルクス・アントニウスがクレオパトラを呼びつけた。クレオパトラは豪華な船でアフロディーテに扮して面会する。アントニウスはたちまちその魅惑にイチコロとなり、2人目の妻に離婚状を一方的に突きつけ、28歳になったクレオパトラとトルコで結婚した。

　アレクサンドリアをベースにアントニウスは領土を拡大していくが、エジプトに加担しローマを見限ったとして対抗勢力のオクタヴィアヌスの怒りを買い、遂に対戦となる。しかしアントニウスとクレオパトラは敗北し、エジプトへと逃げ戻る。追いつめられたアントニウスは「クレオパトラが自殺した」との誤報を信じて、自らの身体に刀を突き立てる。アントニウスはクレオパトラの元に運ばれ、彼女の腕の中で息を引き取った。

　アントニウスの死から約10日後。クレオパトラも自らを毒蛇に噛ませて自殺してしまう。遺言によりクレオパトラはアントニウスと同じ墓に埋葬されたという。彼女の死後、エジプト国は衰退していった。

本当に美人だったのか？

　プルタルコスは、クレオパトラの容姿に関しては「みんなが言うほど」でもなかったという。その美貌を示す証拠は石像や絵画によるものだが、一番正確とされているのはアレクサンドリアの遺跡から出てきたコインであろう。当時は、主権を取った人物の顔をコインにする風習があった。カエサ

クレオパトラはその魅力でもって エジプトを守り抜こうとした。

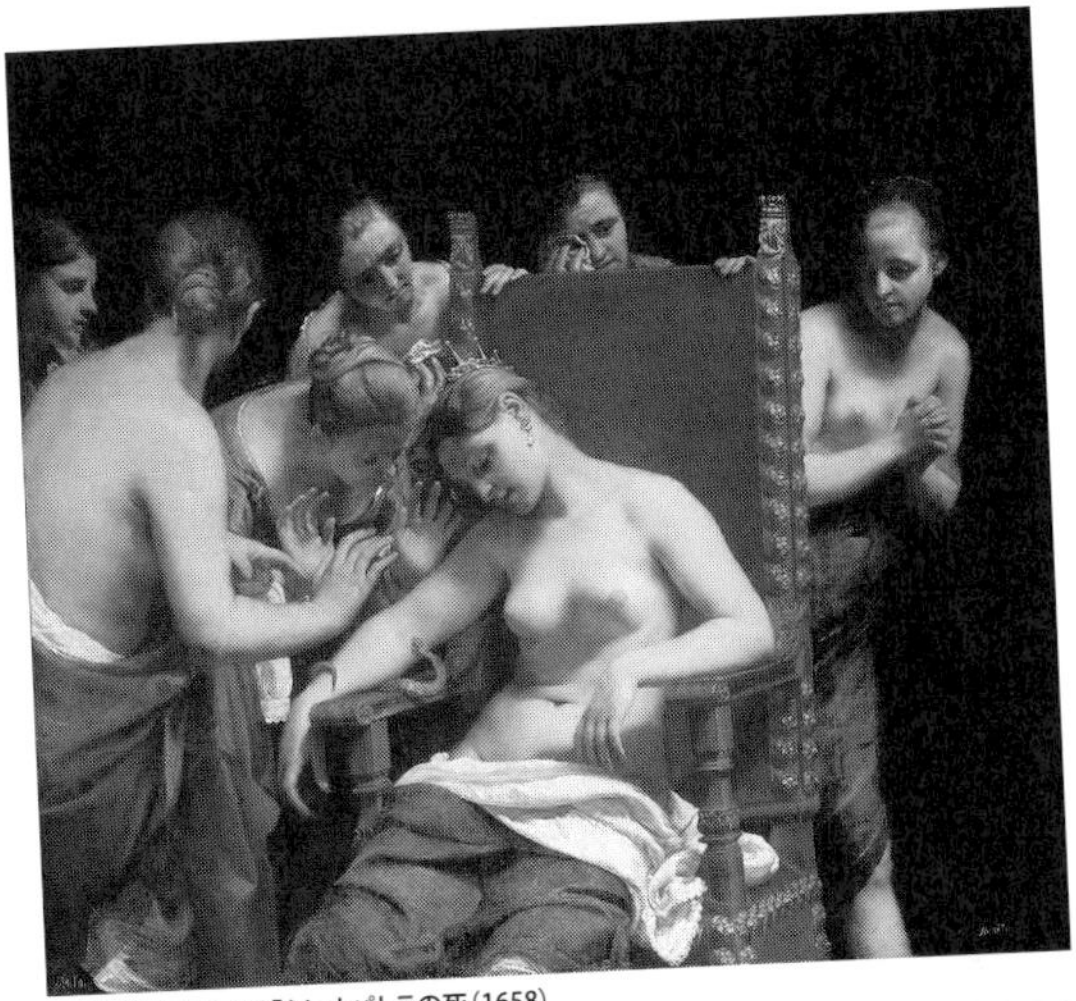

★グイド・カニャッチ「クレオパトラの死（1658）

★クレオパトラ像（紀元前1世紀半ば頃）

★銀貨に描かれたクレオパトラ

ルとセットで見つかっているので時代は明白だが、そのコインにあるのは、鼻が大きく鷲鼻で額が付き出て顎がとがっている女性の横顔であって、目鼻の整ったネフェルトイティとはずいぶん違っている。また、クレオパトラカットという言葉があるくらい、クレオパトラはきれいなストレートヘアの印象があるのだが、実は巻き毛だったかもとの指摘もある。絶世の美女もサラサラヘアも作られたイメージなのだ。

人を魅惑した美の秘密

それでは、カエサルやアントニウスの心を捕らえて離さなかったクレオパトラの魅力や美の秘密は何なのか？ 彼女は、生まれ持っての素材だけでなく、メイク、演出、教養、財力などを努力で結集させて勝負していたのだ。

【アイメイク】 パピルスに描かれた姿を見ても解るように、アイシャドウをしていた。マラカイト（孔雀石）やラピスラズリ（青金石）と呼ばれる鉱石を砕いた粉を目の周りに塗るもので、クレオパトラに限らずエジプトの女性はもちろん、男性もしていた。これはおしゃれや美容の為だけでなく、宗教的な意味合いやナイル川の虫よけ、紫外線対策などもあったらしい。

【ネイル】 クレオパトラは爪を赤く染める習慣があった。植物の花の汁（ヘナ）を使ったのだが、赤色は高貴な色で使用は王族に限られていたという。

【風呂】 クレオパトラの牛乳風呂は有名だが、他にもロバの乳、炭酸、ハチミツ、オリーブ油、真珠やバラの香油で美肌に努めていたという。

【食事】 健康の為に、アラビア語で王様の野菜と呼ばれるモロヘイヤをスープにして飲んだと伝えられる。

【知性】 何よりみなを虜にしたのは知性と教養。アレクサンドリアで最高の教育を受け、数カ国語（少なくとも母国語以外に7カ国語）が自在に話せ、声は甘く楽器のようで、演説が得意で駆け引きが上手く、時に毒を吐くのも会話での戦略。カエサルやアントニウスはそんなクレオパトラの知的な魅力に惚れたという見方もある（プルタルコスによる）。

【演出力】 エジプトの民衆に対しては得意の演説で虜にしたが、カエサルには荷物袋（または絨毯）から身一つで飛び出して初謁見するというサプライズをやってのけた。アントニウスに呼び出された時は、キュドノス川に黄金で飾った船を浮かべて会いに行く。笙や笛・琴などで音楽を奏で、クレオパトラ自身は女神アフロディテのようないで立ちに身を包み、黄金の天蓋の下のカウチにゆったりと腰かけていた。侍女達はネーレイデスやカリテスの装いをし、子供たちはエロスに見立てて彼女を大きな扇子で扇

★アンドレア・カサリ「真珠をワインに溶かすクレオパトラ」（18世紀半ば）

がせ、川の両岸に香水を発散させた。群衆もその船に惹き付けられてしまったという。戦争に明け暮れていたアントニウスには夢のような光景だったに違いない（プルタルコスによる）。

演出力でよく聞かれる伝説が「真珠を飲んだ話」。クレオパトラがアントニウスを宴に招いた時、自分の耳に付けていた大粒の真珠を外し、用意させた強いビネガー（お酢）に入れて溶かしてそれを飲みほしたという。アントニウスは驚いた。真珠と酸と一緒に飲むのは実はかなり危険なパフォーマンスなのだが、おそらくトリックであろう。しかし、カルシウム、ミネラル、アミノ酸が含まれる真珠を粉にして日頃から美容のために飲んでいたという説もある。因みに、真珠の穴の位置をわざとずらして編んだものを〝クレオパトラのネックレス〟という。

様々な演出でクレオパトラの魅力の虜になったアントニウスは、クレオパトラと結婚し、愛する彼女のため領土拡大の戦争を続ける。そして、なんと当時、ローマ帝国の一部であったトルコ南部をクレオパトラにプレゼントしてしまう。これが決め手となりオクタウィアヌスとの戦いが勃発してしまうのである。

【政治力】クレオパトラが王位継承した頃は、世界トップクラスの金持ちだった。彼女の所有する土地は広大で、小麦などさまざま農作物も多く取れた。ローマで消費される小麦の半分がエジプト産だったため、小麦をすべてアレクサンドリアにまとめさせて輸出管理を行い、政治的な交渉材料にした。ローマを他国より優遇する便宜をはかったのだが、クレオパトラのローマとの駆け引きは、いわば小麦戦争とも言える。

18歳で女王に即位したクレオパトラは、身体を張って結婚を繰り返し（弟たちとの近親婚2回、カエサルとは愛人関係、アントニウスとは重婚）、エジプトを守ろうとした政治家でもある。エジプトを攻め取ろうとするローマと向き合い続け、並々ならぬ努力と度胸、そして男性では絶対にできない外交手段でエジプトを守ろうとしたのだ。

クレオパトラの妖艶な魅力は現代でもなお衰えず、多くの謎を残しながらロマンを掻き立て続ける。だが近年、その墓が発見される可能性があると考古学界は沸き立っている。サントドミンゴ大学の考古学者キャスリーン・マルティネスが20年にもわたって進めているプロジェクトだ。アレクサンドリアから約30キロの位置にある古代遺跡「タップ・オシリス・マグナ神殿」でクレオパトラのコインが多く出土、ファラオの巨像の一部も発見され、さらには地下の墓のさらに下に別の墓がある事も判明、「クレオパトラとアントニウスの墓」である可能性もあるという。

アレクサンドリアはクレオパトラの生まれ育った聖地。クレオパトラの魅力の謎が解明される日も近いのかもしれない。

◉資料
「クレオパトラとエジプトの王妃展」図録
「女王はいずこに眠る　クレオパトラの墓の謎」「歴史秘話ヒストリア」（NHK）
「クレオパトラ 古代エジプト女王の素顔」「地球ドラマチック」（NHK）　ほか

映画におけるクレオパトラ

★「シーザーの御代」(1917)
　別題「クレオパトラ」。監督は「サロメ」(1918)ほかの監督したJ・ゴードン・エドワーズ。フィルムは長らく火事で消失したとされていたが、近年、いくつかのフッテージとセダ・バラのインタビュー肉声が発見され話題になった。サイレント。

★「シーザーとクレオパトラ」(1945)
　主演ヴィヴィアン・リー、監督ガブリエル・パスカル。2年後「風邪と共に去りぬ」に主演するヴィヴィアン・リーのクレオパトラが美しい。少しコメディタッチのテクニカラー大作。

★「Helen Gardner in Cleopatra」(1912)
　ヘルム・グレンダー主演。最初の映画化とされるサイレント映画。

★「クレオパトラ」(1934)
　主演クローデット・コルベール、監督セシル・B・デミル。『十誡』(1923)の監督セシル・B・デミルが『或夜の出来事』のクローデット・コルベールで撮った初のトーキー版「クレオパトラ」もの。豪華なセットで、デミル監督らしくスペクタクルシーンに迫力があり、クローデット・コルベールの妖艶な美しさは大評判になった。アカデミー賞撮影賞も受賞した。

★「妖艶妃・クレオパトラ」(1985)
　歴史ポルノ作品。シーザー暗殺の夢に苦しむクレオパトラは侍女に慰めてもらう。華やかな性宴を開催しシーザーとは馬小屋で愛し合い、ブルータスやマーク・アントニーとの愛欲にもふける。

★「クレオパトラ」(1970)
　虫プロと日本ヘラルドによる劇場用長編アニメ。エロティックなシーンやギャグ、実写映像との合成など実験的意欲作。史実をベースにしたSFで、クレオパトラは整形手術により絶世の美女になる。

★「クレオパトラ」(1959)
　主演リンダ・クリスタル、監督ヴィットリオ・コッタファーヴィ。イタリア史劇版「クレオパトラ」。アントニオを守るため踊り子に化けて元側近に接近するクレオパトラがオリジナルで面白い。

★「クレオパトラ」(1963)
　監督 ジョセフ・L・マンキウィッツ
　主演エリザベス・テイラー
　20世紀フォックスが社運をかけて制作した大スペクタクル歴史劇。エリザベス・テイラーの病気、スキャンダルや、ロケ地、監督、脚本、出演者、長すぎる編集など、度重なる変更などで配給会社を危うく潰し掛けたことでも有名。興行的には大赤字で英国ハマーフィルムに援助してもらって事なきを得た。それでも、一流の俳優陣、美術や衣装の豪華さ、20万人を超すエキストラ、セットの迫力などは群を抜いており、映画史に残る一作に違いない。

美しき吸血鬼像
――ポリドリ以前のヴァンパイア文学

◉文＝市川純（英文学研究者）

霧は渦を巻きながら次第に濃さをましてゆき、やがてその中から外套ひるがへし黒衣に身をつつんだ金髪の美青年が忽然と姿を顕はした。

（須永朝彦『就眠儀式』六二頁）

序

現在、吸血鬼を描いた小説や映画、マンガやアニメは無数にあるが、そこで描かれる吸血鬼の風貌は貴族的な美青年であることが多いように思われる。あるいは蠱惑的な女性吸血鬼もいる。これがマンガやアニメとなると、さらに美少年や美少女の吸血鬼で活況を呈している。

しかし、人間を襲って血を吸う魔物が美しくなければならない必然性はないし、民間伝承として語られていた吸血鬼は美しいとは限らない。フィクションで描かれる吸血鬼は美化され、理想化され、生者を誘惑する存在として造形されてきたようだ。では、一体いつから吸血鬼は美しくなったのだろう。ここでは吸血鬼文学の古典を遡り、我々を誘惑する美的吸血鬼像の起源を考えてみたい。

1 ポリドリの『吸血鬼』

美しい吸血鬼像を辿っていくと、最初期の吸血鬼小説であるジョン・ウィリアム・ポリドリの短篇作品『吸血鬼』（一八一九）において既に示されている。ルスヴン卿、あるいは最近の邦訳ではラスヴァン卿の名で登場する謎めいた貴族は、不気味でありながらも美を宿した容貌で女性の目を引く。

この男は死んだような顔色をしており、謙虚に恥じ入ったり情熱に昂ったりして血色が良くなることもなかった。しかし顔付きや輪郭は美しく、噂の男を付け狙う女猟師たちは彼の気を引き、どうにか好意の印と言えるものを得ようと躍起になった。（一二五頁）

この謎めいた美青年が女性たちを魅惑し、やがて吸血鬼であることも発覚、主人公の青年オーブリーが思いを寄せる女性や、彼の妹までもがその犠牲に……という物語である。

本作の作者ポリドリはイタリア人亡命者の父とイギリス人の母との間にロンドンで生まれた若き医師で、詩人バイロン卿の専属の医者を務めていた。『吸血鬼』誕生のきっかけは、スイスにあったバイロンの別荘ディオダティ荘で詩人パーシー・ビッシュ・シェリーやその妻となるメアリーらと合流し、皆で幽霊譚を書こうという提案に応じたことであった。ちなみにメアリー・シェリーの『フランケンシュタイン』（一八一八）が誕生したのもこの時がきっかけである。

貴族風で謎めいた、女性を次々に誘惑する吸血鬼像はいかにもバイロンの雰囲気を漂わせている。バイロンもまた様々な女性と関係を持ち、多くの浮名を流していた。さらに『吸血鬼』は、出版人の判断でバイロン作として出版されてしまった経緯もある。また、別荘滞在時にはバイロンも物語を書いており、ダーヴェルという吸血鬼らしい謎の男を描いた散文に挑戦し、未完の「断片」（一八一九）に留まるものの、これもポリドリの『吸血鬼』に影響していると見られる。

貴族風の美青年で、神秘性や不気味さを醸し出し、女性を誘惑する吸血鬼、また具体的にはバイロン卿のイメージがポリドリの小説において既に形成されている。では、これをもって美しい吸血鬼像の起源とすべきかというと、もう少し遡って検討すべきことがある。

2 ポリドリ以前の吸血鬼詩（イギリス）

小説という形式における吸血鬼作品であれば、イギリスではポリドリの『吸血鬼』がその最初期の例と考えられているが、韻文にはさらに古い例がある。有名詩人の作品では、サミュエル・テイラー・コウルリッジの『クリスタベル』（一八一六）に登場する妖婦ジェラルダインに吸血鬼のイメージが指摘されてきたし、バイロンの『異教徒』（一八一三）は吸血鬼そのものを主題にした作品ではないが、トルコ人からの呪いの言葉として吸血鬼に触れる表現がある。また、ロバート・サウジーによるイスラム世界を舞台にした『タラバ、悪を滅ぼす者』（一八〇一）にも、主人公タラバの妻オネイザが「吸血鬼の死体」（一一六頁）として登場し、そこに中欧の吸血鬼に関する説明が長い注として付いている。ただ、これらは吸血鬼そのものをメインテーマに据えた作品ではない。

　吸血鬼の問題を大々的に取り扱った詩を書いた最も初期の例と考えられるのは、ここまでに挙げた作家・詩人のような知名度はないが、ジョン・ハーマン・メリヴェールが書いた『ペス

★フィリップ・バーン＝ジョーンズ「吸血鬼」(1897)

トの死者――或るハンガリーの伝説」（一八〇七）である。メリヴェールはこの詩を雑誌『アシニーアム』一八〇七年四月号に発表する際、前書きを付けて中欧の吸血鬼伝承について触れている。その上で十六世紀のイギリス人が、現ハンガリーのブダペストの一部である街ペスト（疫病の響きもあるのだろう）を旅して体験した不可思議な現象を歌っている。

　作品は全体として民間伝承風で、イギリス人旅行者がこの街の男から吸血鬼の話を聞く。それによると、病死したはずの「ヴルヴイウスという名の仕立て屋」（一〇五行）の男が吸血鬼となり、眠っている娘の部屋に侵入し、血を吸って帰ったという。後でヴルヴィウスの柩を掘り出すと、「血管が血で滿ちて居る様で唇は汚れて居た／其れは皆儂の娘から吸ツたばかりの血で溢れていたンじや」（一五一―五二行）という。

　若い娘が寝ている部屋に侵入するという点で、若干性的なニュアンスはあるが、ヴルヴィウスの容貌が美しいと思わせる描写はない。むしろ、この都市の一般的住人の一人という雰囲気である。異国に伝わる奇妙な話を伝えようとするバラッドのような作風であり、積極的に美しい吸血鬼像の造形を試みるフィクションではない。

　だが、ここで吸血鬼の美的イメージの発掘が途絶えてしまうかというと、そうではない。もう少し範囲を広げてみたい。

3 ポリドリ以前の吸血鬼詩（ドイツ）

吸血鬼といっても、血を啜るのみならず死肉を貪る吸血鬼的な怪物として広く捉えれば、古代から世界各地に類例が見られる。ただ、いわゆるヴァンパイアを描いた文学作品の例を辿ると、歴史はそこまで古くない。また、英文学よりもむしろドイツ文学の方が先んじてこれを描いた。

　それは歴史的に見て当然である。ヴァンパイアの伝承が盛んであったバルカン半島や中欧は十四世紀以降オスマン帝国の支配を受けていたが、次第に弱体化し、十八世紀にはハプスブルク帝国が勢力を強めていた。この頃になって、両者の勢力が激突する中欧やバルカン半島における吸血鬼も含めた話題がドイツに流入してきたのである。そして、吸血鬼は科学的にも神学的にも論争となり、詩も書かれるようになる。

　吸血鬼を扱った最初の詩と考えられるのはハインリヒ・アウグスト・オッセンフェルダーによるその名も「吸血鬼」（種村季弘訳では「わたしの愛する乙女は」）（一七四八）で、吸血鬼の問題を扱った科学雑誌に掲載されていた。舞台はハンガリーで、信仰篤い母の言いつけを遵守する乙女のクリスチアーネに対し、吸血鬼とされる男が次のように語りかける。

　　それならわたしも復讐してやろう、
　　今日、トックアイエルで、へべれけに
　　お酒を飲んで吸血鬼になり、
　　そうしてきみがやすらかにまどろむとき、
　　きみのこよなく美しい頬から、
　　深紅の生き血を吸いとってみせよう。
（一〇―一五行）

人間に襲い掛かる魔物の恐怖というより、吸血鬼イメージにかこつけて女性を誘惑する男が描かれている。危険な誘いを受ける女性の名がクリスチアーネなのは、ハイデ・クローフォード（Heide Crawford）も指摘しているように（六頁）キリスト教を寓意し、宗教的道徳が象徴されているようだ。詩の最後は「きみの信心深いおふくろさんのお説教と／わたしのとでは、どっちがいいかね？」（二三―二四行）と、この乙女に貞操から逸脱する選択を迫る。また、アシュリー・M・クイン（Ashley M. Quinn）によれば、オッセンフェルダーによって、現実に報告される吸血鬼とは異なる、誘惑し、性的でエロティックな吸血鬼が文学作品として生み出されたのだという（八五頁）。

　吸血鬼が女性を誘惑する存在であれば、それがとりわけ美しいと描写されなくても、少なくとも誘惑を妨げるような醜さを備えるわけにはいかない。オッセンフェルダーの詩には吸血鬼の美醜を形容する表現はないが、誘惑可能な水準の容貌は読者のうちにも暗黙裡に了解されているのではないだろうか。

　ドイツではその後さらに有名な詩が書かれる。ゴットフリート・アウグスト・ビュルガーの「レノーレ」（一七七四）では、真夜中に戦地プラハから死んだヴィルヘルムが恋人レノーレの元にやってきて、馬に乗せて疾走、死の世界へと誘う。吸血鬼ではなく死神を描いたバラッドだが、次に紹介するゲーテの「コリントの許嫁」（一七九八）と共に話題となってイギリスにも紹介され、吸血鬼文学に影響を与えた。美貌を示す描写はないが、母の制止を振り切ってヴィルヘルムに従うレノーレからは男の抗いがたい魅力を想定させるし、疾走する馬上での二人の興奮状態には官能性が感じられる。

　ギリシアを舞台にした「コリントの許嫁」は官能性がさらに濃く、若い男女の愛の交歓が描かれる。

にはかに男は若き勁き腕に
恋にふるへて乙女を抱きぬ。
「墓より来にし身なりとも
わが抱かばや熱からむ！
息つき交はし口づけて
胸に情はわき溢れぬ！

吸血鬼は、詩にうたわれた初期のころから蠱惑的な美を想像させるものを持っていた

わが身炎となりにしを熾けずや汝。」

（一一三―一一九行）


男が夢中になって愛する許嫁の女は墓から現れ、男の胸から血を吸って命を奪う存在である。男はそんな彼女の官能性の虜になっている。

　ドイツ詩における吸血鬼を扱ったごく初期の例には、このように生者を誘惑する吸血鬼の姿と、官能性を含んだ描写が見られる。その雰囲気はバイロン卿のような貴族的なものではなく、美貌の描写も明示的ではないが、相手を誘惑して抗いがたい不思議な力を備えている。すると自然とこの吸血鬼の容貌には蠱惑的な美しさを想像したくなるように思われる。前提としてある程度の美しさを感じさせなければ、誘惑されるのは難しいのではなかろうか。

結び

　吸血行為だけでは、吸血鬼と美貌とは結び付きにくい。だが、誘惑という要素が吸血鬼文学の初期からあったということは、自然と美的な吸血鬼を想像させる余地が当初からあったということではないだろうか。やがて、誘惑する存在としての吸血鬼の美的側面は意識的に描かれるようになり、絵画や映像、マンガなど視覚表現になるとその美しさは一目で認識できるようになる。さらにその視的イメージは、新たな美しき吸血鬼作品を生み出す刺激となるだろう。

●引用文献
Crawford, Heide. 〝The Cultural-Historical Origins of the Literary Vampire in Germany.〟 Journal of Dracula Studies, vol. 7, 2005, pp. 1-9.

Quinn, Ashley M. 〝Mothers, Daughters, and Vampires: The Female Sexual Dilemma in Eighteenth-Century Vampire Poetry.〟 Scientia et Humanitas: A Journal of Student Research, vol. 12, 2022, pp. 81-98.

オッセンフェルダー、ハインリッヒ・アウグスト「わたしの愛する乙女は」種村季弘訳、種村季弘『吸血鬼幻想』河出文庫、河出書房新社、一九八四年。一九九―二〇〇頁。

ゲーテ、ヨーハン・ヴォルフガング「コリントの許嫁」竹山道雄訳『書物の王国　12　吸血鬼』『書物の王国』編纂委員会編、国書刊行会、一九九八年、九―一四頁。

サウジー、ロバート『タラバ、悪を滅ぼす者』道家英穂訳、作品社、二〇一七年。

須永朝彦『就眠儀式』西澤書店、一九七七年。

ポリドリ、ジョン・ウィリアム「吸血鬼ラスヴァン――奇譚」平戸懐古訳『吸血鬼ラスヴァン――英米古典吸血鬼小説傑作集』夏来健次・平戸懐古編訳、東京創元社、二〇二二年、一九―五〇頁。

メリヴェール、ジョン・ハーマン「ペストの死者――或るハンガリーの伝説」市川純訳『幻想と怪奇　12　イギリス女性作家怪談集　メアリー・シェリーにはじまる』牧原勝志編、新紀元社、二〇二二年、二七七―八三頁。

愛の人でなし
——乱歩式人形愛の美学

◉文＝八本正幸（小説家・映像作家）

愛というものについて考える時、僕はいつもこんな文章を思い出す。「しかし、愛というものは本来、『特定の者だけ』に向けられるものではないだろうか。とすると、むしろすべての愛は偏愛であると言い切ってしまったほうがすっきりするのではないか、とも思われてくる」フランス文学者・巌谷國士が澁澤龍彦『偏愛的作家論』（一九八六年、福武文庫）に寄せた巻末エッセイ「或る『偏愛作家』について」での発言である。そして、偏愛という言葉から真っ先に思い浮かべるのが、江戸川乱歩の諸作品なのだ。

乱歩の作品は、一般的には探偵小説にカテゴライズされるだろうが、三島由紀夫が『黒蜥蜴』（一九三四年）を探偵と女賊の恋愛ドラマとして読み、それを戯曲というかたちでリ・メイク／リ・モデルしたように、彼の作品には様々な偏愛のかたちが描かれている。

その中でも最も有名なものが「押絵と旅する男」（一九二九年）だろう。押絵の少女に恋をしてしまった男が、レンズのマジックで自分も二次元の存在となって想いを遂げるという物語は、その郷愁をかき立てる語り口とともに、多くの読者を魅了して来た。そしてその愛のかたちは、アニメやマンガの二次元キャラに萌える現代の読者にも共感出来るものに違いない。だが、二次元化はしても生身の肉体である男は老化という現実に直面するのである。

乱歩の恋愛小説で「押絵と旅する男」と双璧をなす名作に「人でなしの恋」（一九二六年）がある。こちらは平面ではなく立体的な人形への愛が描かれる。人に似て人ならざるものへの恋、それはおのれが人でなしになることでもある。そういう意味では「押絵と旅する男」の主人公も、文字通り人でないものになることで想いを遂げたわけである。

一方、人形に恋をした「人でなしの恋」の主人公は、その人形を壊されてしまい、自ら死を選んだ。これは心中である。そして人形に嫉妬してそれを破壊した新妻は、間接的に夫を殺すことによって、

★江戸川乱歩『人でなしの恋』（創元推理文庫）

★乱歩の映像化作品
（右から）
『押繪と旅する男』川島透監督（1994）
『黒蜥蜴』深作欣二監督（1968）
『蜘蛛男』山本弘之監督（1958）

自分もまた人でなしになってしまったのである。この世に愛ほど恐ろしいものはない。

人形や押絵への愛は、半永久的な美への愛でもある。愛する対象が、いつまでも美しいままでいること！　それを願うからこそ、多くの絵画や彫刻が芸術家の手になって来たのだろう。

「虫」（一九二九年）の主人公は、愛する女性を殺して自分だけのものにし、その美しさを永遠にとどめようとして、絶望的な作業に没頭して行く。だがその努力は報われず、彼女の身体は眼に見えない微細な虫に蝕まれて行くのである。彼の行為は、いわば「人間人形化計画」と呼ぶことが出来るだろう。どんなに美しい女性（あるいは男性）であったとしても、老化という現象には勝てないし、死というかたちで時間を止めたとしても、腐敗という現実が襲って来るのだ。

そう考えると、『蜘蛛男』（一九二九年）で描かれる死体を石膏で塗り固めるという行為も、美しい女性を美しいままに永遠に閉じ込めようとする偏愛行動であったと思えるし、『黒蜥蜴』に登場する、美しい男女を剥製にして陳列する恐怖美術館こそが究極の愛のかたちであったかと思えて来る。ああ、だから三島は映画『黒蜥蜴』（深作欣二監督、一九六八年）の中で自らその剥製人形の一体を演じ、おのれの美しい肉体をフィルムに永遠に焼き付けようとしたんだね。これは人形愛としても、人形が対象なのではなく、自分が人形になるという願望であり、ある種のナルシシズムということになる。もちろん、ナルシシズムも立派な偏愛のかたちであることは言うまでもない。

そしてナルシシズムというのなら、女性にも永遠に若く美しくありたいという願望があるのではないだろうか？　乱歩は少年探偵団シリーズの一作『魔法人形』（一九五七年）で紅子という美しい少女を登場させ、「人間が人形にかわるのよ。そのかわりに、わたしの若さと美しさは、永久に、すこしもおとろえないで残るのだわ」と語らせている。美容整形やアンチエイジングに奔走する一部の現代女性たちの姿を見ていると、乱歩の描いた人間人形の世界は、あながち荒唐無稽なものとは思えなくなって来る。テレビを点ければ、あるいはYouTubeなどの動画サイトを開けば、人形のように美しい韓流アイドルたちの姿を容易に鑑賞することが出来るのだから……。

こうして、江戸川乱歩作品を手がかりに、人形愛について考えていると、だんだん不思議な気分になって来る。人形《ヒトガタ》とは、古来より呪物として使われることもあり、単なる玩具ではなく、どこかスピリチュアルな存在と感じられる。多くは内部が空洞になっているので、その空洞に神が宿るのかも知れない。あるいは、神は自らに似せて人を作ったのだとしたら、人は神に似せて人形を作ったのだと……。

乱歩の描いた人間人形の世界は、半永久的な美への愛だ。

★江戸川乱歩『魔法人形』（ポプラ社）

◉文＝並木誠（美術・舞踊批評）

畸形的な美の逸楽

――『眠れる美女』と『ＥＹＯＤＯ～八潮秘宝館ラブドール戦記』

「夜が用意してくれるもの、蟇、黒犬、水死人のたぐい」

――川端康成『眠れる美女』

海辺にある秘密の館の二階。四方を深紅の天鵞絨のカーテンで仕切る、八畳の部屋で眠る生き人形たる若い女。

「娘は麻痺したように眠らされている。毒物か劇薬のたぐいを飲ませられている」「江口老人はそっと横にはいった。娘のどこも触れぬように気をつけた。娘は身じろぎもしなかった」。全裸の若い女の体温や甘い匂い、唇の形や八重歯、乳房や項、背中、手や足や豊かな髪を手でなぞる老人たちの偏愛。一糸まとわぬ若い女とひたすら添寝するだけの一夜を過ごす、畸形の逸楽ともいうべき秘密の館での物語。

老人たちは言う。「秘仏と寝るようだ」。江口老人は「若い女の無心な寝顔ほど美しいものはない」などと思う。まだ男性の機能を失っていない江口老人は、嫁に出した三人の実の娘や過去の逢瀬、神戸の外国人妻の愛人や十四歳の娼婦などに想いを馳せながらも枕元に用意された眠り薬で、添寝しながら深く眠りの底に沈みこんでいく。時には、江口の娘が畸形児を産む悪夢に襲われたりする。

★川端康成『眠れる美女』（新潮文庫）

川端康成『眠れる美女』は、デカダンス、耽美、官能、変態の極致である。三島由紀夫による代筆疑惑もあるが、谷崎潤一郎『瘋癲老人日記』の変奏でもあり、恐らくは川端康成自身の少女趣味と被るのであろう。川端康成の禽獣の獲物を追う様な鋭い眼で美少女を凝視する癖は有名だった。

老人たちは密かに思う、「老人は死の隣人さ」。「こんな寒い夜に若い肌であたたまりながら頓死したら、老人の極楽じゃないか」。実際に物語の後半で、この館の常連のひとりである福良老人が、添寝中に狭心症でなくなる。館の人の手によって怪しげな温泉宿に運ばれ、遺書もない睡眠薬自殺とされたのであった。

しかし最後には添寝していた長身の娘が死に、やはり車で運ばれて行

★『眠れる美女』の吉村公三郎監督による映画化作品（1968）

く。老人にとって添寝の光輝な対象であり、いわばイデア的な隔たりであった生命にあふれた若い女もまた死ぬ。『眠れる美女』は、生き人形へのピグマリオンコンプレックス的な偏愛を描きながらも、決して若い女と老人は、生と死という関係ではないという逆説も込められた作品なのである。

無生物である物に対して美を見出し、畸形の逸楽に耽る者たち

一方、写真家で、自ら蒐集したラブドールを展示する八潮秘宝館の館長である兵頭喜貴のドキュメンタリー映画、福田光陸監督『HYODO〜八潮秘宝館ラブドール戦記』。幼少期の路傍に捨てられたマネキンや百貨店にあるマネキンへの性愛を発端とした兵頭とラブドールの関係は、単なるピグマリオンコンプレックス的な性愛でなない。ラブドールとの性交シーンは、ラブドールとの結婚式も然りだが、人形と一体となる儀式のようである。兵頭は、ラブドールとの性交は、指から磁力を放つような自分の身体の延長であると語る。マーシャル・マクルーハンはメディア＝あらゆる媒体は身体の拡張であると考えたが、兵頭とラブドールの性愛的関係も究極的にはラブドールを使った自慰であり、この身体の拡張の論理の敷衍と考えるのが妥当であろう。また兵頭が、靖国神社の靖国デイに従軍看護婦のコスプレをさせたラブドールと参拝するシーンがあるのだが、これは戦争で散華した若い兵隊たちを慰めるために飾る花嫁人形の文脈なども踏まえている兵頭本人は、理論的な説明を潔しとしないようだが、そうした面も今後クローズアップして欲しいと思うところではある。

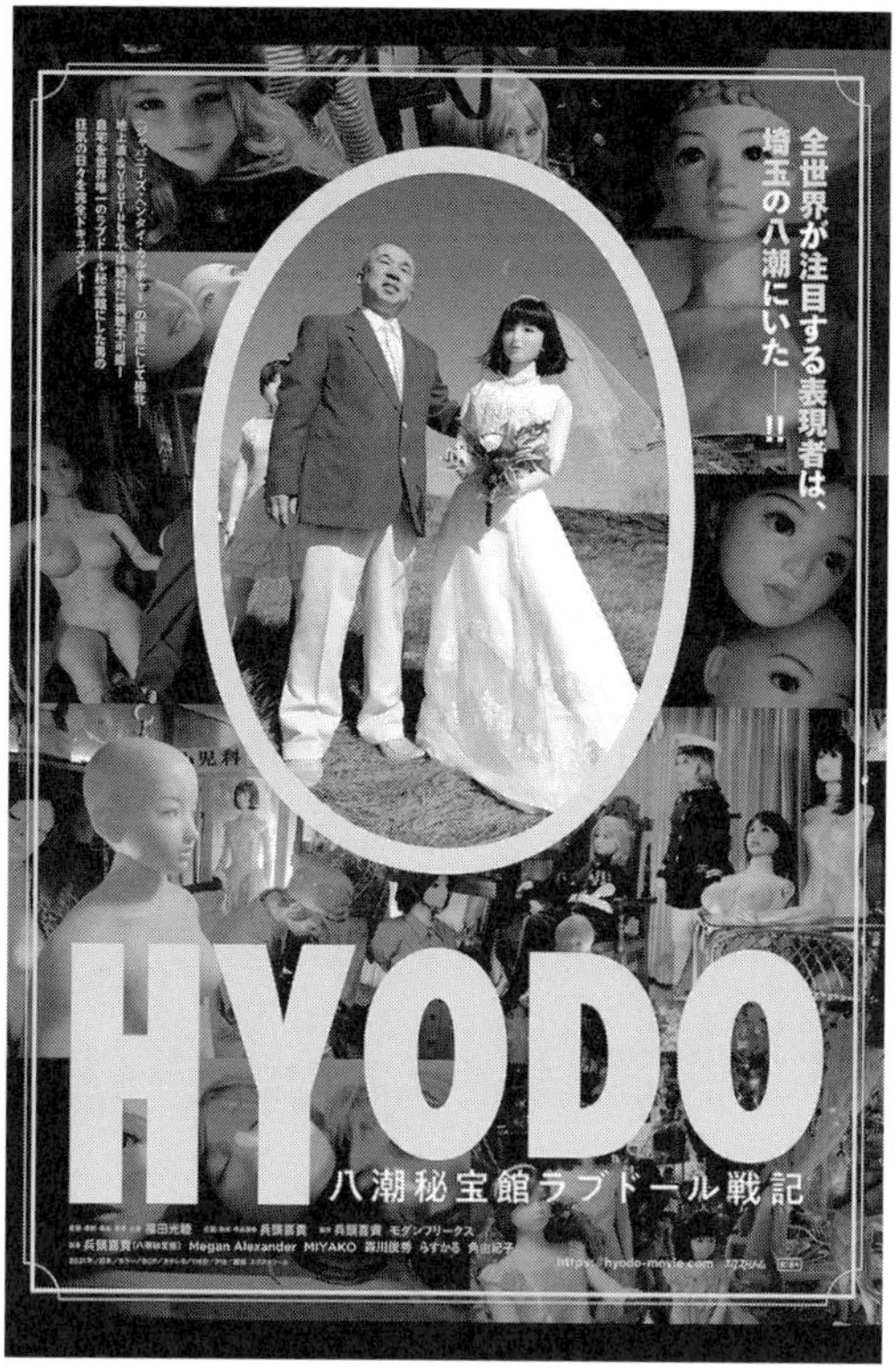

★福田光陸監督『HYODO〜八潮秘宝館ラブドール戦記』(2022)

川端康成『眠れる美女』の生き人形の少女や『HYODO〜八潮秘宝館ラブドール戦記』のラブドールなど、対物性愛（Object sexuality）という、無生物である物に対して美を見出し、恋愛や性愛《セクシュアリティ》を感じる人々は少なからず存在する。極端なところでは、実際にベルリンの壁やエッフェル塔と法的な根拠に基づかないと思われる結婚をした女性がいる。エッフェル塔と結婚した女性の実話に想を得て、なんと遊園地のアトラクションを愛する女性を描いた『恋する遊園地』（ゾーイ・ウィットック監督）なる映画も作られている。

生き人形、ラブドールのピグマリオンコンプレックスから対物性愛までのグラデーションは、まさに『眠りの美女』の江口老人の感慨ともいえる嘆息に象徴される。すなわち「計り知れぬ性の広さ、底知れぬ性の深みに、江口は六十七年の過去にはたしてどれほど触れたというのだろう」。性の世界は驚くほど多様で、如何に深淵で広大であるかを物語っている。

美少年推しのヤバい奴ら
——春泥、右野マコ、地球のお魚ぽんちゃん ほか

◉文＝日原雄一（精神科医）

朝起きる。もちろん憂鬱な朝である。憂鬱な一日がきょうもはじまる。枕元に神木隆之介のカレンダーをおいてある。みこいすさんのチェキも、額縁に入れてある。そうした美少年の神々からなんとか力をもらって、ヨロヨロと立ち上がる。ファイルに入った神木隆之介の雑誌切り抜きのなかには、私が神木くんファンだからと、須永朝彦先生にわざわざ送っていただいたものがいちばん目につけるところに飾ってあります。

先生のご近所の古書店に、「美形俳優や少年アイドルの雑誌切り抜き（寫眞・記事）」等を並べた平台があり」須永先生ご自身は「自分用に稲垣吾郎・斎藤工・福士蒼太の切抜フォトを買つてしまひました」と述べられていた。福士蒼太なら私も好きで、神木隆之介・福士蒼太主演の映画『神さまの言うとおり』のBDを先生に送りつけてしまったこともあった。蛮勇が過ぎるぞ私。その須永朝彦先生も、もういない。こうしたお手紙やメールのやりとりをさせていただいたのは短いあいだで、その後すぐ大病をされ亡くなられてしまったが、自分のなかで大切な思い出として胸にしまってあるのです。

立川談志が選挙に立候補したときのキャッチフレーズは「伝統を現代に」だった。最後まで「江戸の風」をだいじにしていた。美輪明宏（丸山明宏）とキスしたときのことを、「あんなに甘いキスはなかったよ」とふりかえっている。

須永先生のご著書『世紀末少年誌』には、『少年愛の苦学』という章がある。「いつたいに、日本の中世から近世にかけての一時期は、衆道すなはち少年愛が人情風俗の先端を切つて闊歩した時代で、楚々たる少年の腰は『柳腰』として称美され、色鮮やかな大振袖が武士階級や芸能界の少年の盛装であつた」とお書きになられている。だから私が選挙にでるとしたら、やっぱり「伝統を現代に」、少年愛の復権を演説したいところだけれど、談志と同時期に立候補して「風呂屋の男湯と女湯の壁をなくす」ととなえてもちろん落選した月亭可朝とおんなじになりそうだからやめておく。江戸のころには混浴が一般的だったから、そういう意味で言えば月亭可朝も「江戸の風」をだいじにしていたと言える。その可朝師匠も、談志家元も死んだ。みんなみんな死んでしまう。

だからこそ、「推しは推せるときに推せ」という名ぜりふがある。神木隆之介も「なんとなく、僕は長生きしない気がしています」と言っている。だからこそ

★春泥『月食奇譚』（茜新社）

★鈴木春信

推せるとき推しまくっている。

　推すにもいろんな推しかたがある。神木隆之介は映画『神さまの言うとおり』で、好きな福士蒼太に「愛することと殺すことは一緒だろ?」と語った――って話は何度も書いてるけど、山本夏彦のいう「寄せては返す波の音」に倣って何度でも書きますが、何度書いてもハードなエピソードでまさに津波ですね。

　愛することと殺すこと――春泥『月食奇譚』では、とてつもない美少年の山田くんは、好きになった男と寝ては殺していく。気に入った少年をつかまえて、ロボトミー手術で言うままにしようという、ジョイス・キャロル・オーツのブラム・ストーカー賞受賞作、『生ける屍』って作品もあった。

美少年に近づく方法

　のっけからブッソウなもの並べてどうしようってんだ。もうちょっとおだやかなところをいきましょう。おなじ春泥作品では、『ガンバレ！中村くん!!』の陰キャの中村くんは可愛い美少年の広瀬くんになんとか近づきたくて、がんばって「ウィッス」なんて挨拶したりする。そうしたなかで中村くんの中学の同級生、松村くんと出会う。松村くんも広瀬くんに週六でライン送ってたり、なぜか小学生時代の広瀬くんの写真も持ってたりして、こっちはこっちでヤバい広瀬くん推しなのである。

　右野マコ『田舎の美少年』では、今倉一成くんは地方に転校したさきで、クラスに絶世の美少年・伊田宏伸くんを見つける。しかも、田舎のクラスメイトたちは、だれも伊田くんの魅力に気づいてない。しょう油顔男子の別の子がいちばんカッコイイだろ、とか言ってるし、伊田くん当人は進路希望に、「家業の漁師かなー」ってぼんやりしてる。

　今倉くんは「この美しさを俺が独り占めしていていいのだろうか…?」って罪悪感までいだく羽目になり、「世界と分かち合うべき宝なのに」「俺が責任持って何とかすべきなのでは!?」って使命感にかられる。しっかり伊田くんを芸能界に導くべく、いっしょに芸能界デビューして、四人の男子グループ「Precious Darling」を組んでデビュー曲『えぐいくらい君が好き』を歌番組で披露する直前、今倉くんは司会のアナウンサーからマイクを奪いとって大演説をはじめる。「運命の出会いは突然に 一目会ったその日から 俺の人生は色を変えた」「刮目せよ！ これが究極の美少年！ 伝説の生き証人となれ！」。しかもそれが、曲披露のたび毎回変わるのだ。ただしそのことばはものすごく正しくて、運命の出会いは突然に来るし、その日から人生の色は変わります。おなじこと繰りかえし言ってるだけだって気づきましたが、めちゃその通りなんである。いつのまにか「Precious Darling」の半数が、同じグループメンバーの伊田くん推しになってたりする。

ワンコ系とニャンコ系

　ただし基本的には、今の日本では、少年愛は法に触れうるものである。高野ひと深『私の少年』でも、ただネグレクトされてる少年と夜、サッカーの練習につきあってただけで、職場でも問題になって、ふたりはひきはなされてしまう。だからそんな自民党政権はとか、拳をふりあげてもはじまらない。私の親戚には警視庁のえらいさん、内閣調査室に所属してたような国家権力の犬もいたりするが、犬だってかわいいものである。うちにいたシーズーは心臓がわるくて九歳で死んでしまったけど、とってもいい

★高野ひと深『私の少年』
（双葉社）

★右野マコ『田舎の美少年』
（KADOKAWA）

★春泥『ガンバレ！中村くん!!』
（茜新社）

子だった。

ワンコ系男子という言葉もありまして。びみ太『田舎に帰るとやけになついた褐色ポニテショタがいる』では、大学生の市橋航平くんが実家に帰ると、いとこの市橋圭くんが、やけに可愛いポニテショタになってる。「まさか久々に会った従弟が色っぽく見えるとは……」って、航平くんもとまどってるんだけど、ポニテショタの圭くんはすごい。膝の上でゲームしたり、お風呂に一緒に入ってきたり、同じ部屋で隣り合わせの布団で寝たりする。そのうちにどんどん愛しさが増してくる。

育成、ストーカー、殺意……美少年の推しかたもさまざま

逆にニャンコ系男子もいる。ヤドクガエルの代表作、『要くん』シリーズの主人公は、「俺はただ女の格好で犯されるのがたまんねえだけだよ」と制服でそっけない表情しながら、「今度遊びたくなったらまた呼べよ」なんてことも言ってきたり、いろいろと誘惑してくるときの妖艶さがすごいのである。

少年愛の分類学

少年愛のかたちにもいろいろある。『田舎の美少年』『私の少年』が美少年育成型だとしたら、『田舎に帰るとやけになついた褐色ポニテショタがいる』は勝手に育ってたほうに誘惑される型か。『ガンバレ！中村くん!!』はストーカー型で、『月食奇譚』は殺意型。

地球のお魚ぽんちゃん、というマンガ家さんもいる。すごいペンネームだけど作品もすごい。『男子高校生とふれあう方法』では、男子高校生が吐き捨てたガムを回収したり、自分の髪の毛でマフラーを編んで靴箱に入れておいたりする。それがDKO、「男子高校生おんな」だ。僕はどっちかっていうと、男子中学生おとこのわざを身につけたい。DCOか。これはストーカー型の最たるものですね。

二〇二二年末。『霧尾ファンクラブ』という地球のお魚ぽんちゃん先生の新作がでて、帯の文句がそれはそれは。〝私たちの日常は推しで回っている〟。作中の、霧尾くんって美少年を推す女学生ふたり、藍美ちゃんと波ちゃんの会話。「霧尾くんのおならが爆音だったらどうする?」「嬉しすぎるだろ」。霧尾くんの忘れ物の学ランを藍美ちゃんは「展示物」と呼び、どっちが霧尾くんにとどけるかとりあってじゃんけんして、グーとチョキを両手を使って同時にだす。ハハハ、ってわらうしかないんだ。

森川ぬゐ『少年を飼う』っていう、まさに直球なマンガもある。飼えるものなのか少年って。それも、とびきりの美少年なのだ。これは飼育型、いわば「美少年誘拐飼育事件」ってことか。エロ映画のタイトルっぽくしてみたけど、そんな事件を起こす前に、小沢信男先生や須永朝彦先生のいる天国へ行ったほうがいい気がする。私は地獄のほうだろうが。「美少年地獄」。けっこう楽しげな地獄感があるからフシギです。地獄でも天国でも、そこに美少年がいてくれれば私にとっては極楽である。

★森川ぬゐ『少年を飼う』（コアミックス）

★地球のお魚ぽんちゃん『霧尾ファンクラブ』（実業之日本社）

★ヤドクガエル『要01-03総集編』（電子版、ナンバーナイン）

★びみ太『田舎に帰るとやけになついた褐色ポニテショタがいる』（KADOKAWA）

宮西計三——始めから壊れたものへの愛、あるいは愛によって解体される私たち

●文＝石川雷太（美術家）

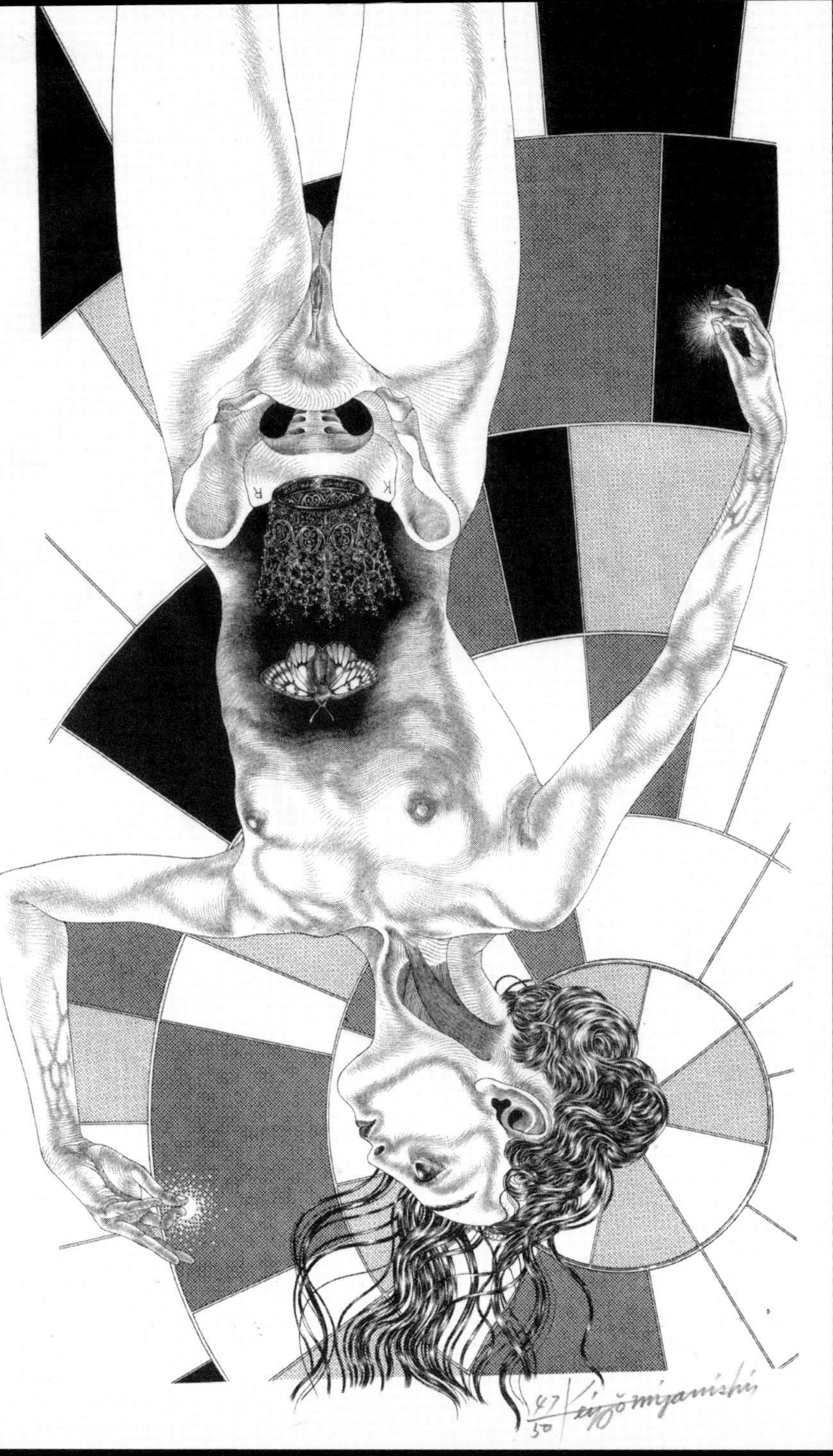

★「Esther」1994／画像はいずれも、提供：ギャラリー白線

最も好意的な誤解が「ロマンス」の本質であるとするなら、「ロマンス」は私たち自身の内なる欲望の反映として、過剰で完全な美の化身を追い求めることになる。愛が深ければ深いほど、その欲望は常態的な規範を無視し、現実から乖離した怪物を生み出し続ける。しかし、局所的で畸形的で偏執的で身勝手な美の欲動に動かされたその果てに現れるそうしたものたちは、恐ろしくも、私たちを魅了して離すことはない。

例えば、80年代に日本のインディーズ文化を牽引した音楽雑誌「フールズメイト」の巻頭で出会った宮西計三の作品「trash」が、私にとってのそれだ。これは一体何なのか？ 人の頭頂部に大きく開いた女性器、そして何本もの腕が、それをこじ開け、髪を引きちぎろうと四方八方に伸びている。何度見ても理解できない。理解できないまま、しかし、確実に自分の性的な欲動のサイクルに確実に暴力的にコミットしてくる。故にそれは美しく、恐ろしく、血生臭く、エロティックで、一度見ただけで強烈に脳裏に焼き付けられ、トラウマじみた美の規範として今でも私の頭の奥に巣食うている。この作品は、故遠藤ミチロウによる伝説的パンクバンド、ザ・スターリンのファーストアルバム「trash」（1981）のジャケットに使われているので、知っている方も多いと思う。

宮西の作品はハンス・ベルメールと並べて評されることが少なくなく、宮西自身もその影響を認めている。しかし、確かに少女の身体を解体しそれを捻じ曲げて再構成したようなイメージは似ているが、その表現を同じ系統として位置づけるのはいささか短絡的だろう。ブルトンに見出されシュルレアリズムというアートのムーヴメントの中で活動していたベルメールに対し、宮西の経歴は特異だ。

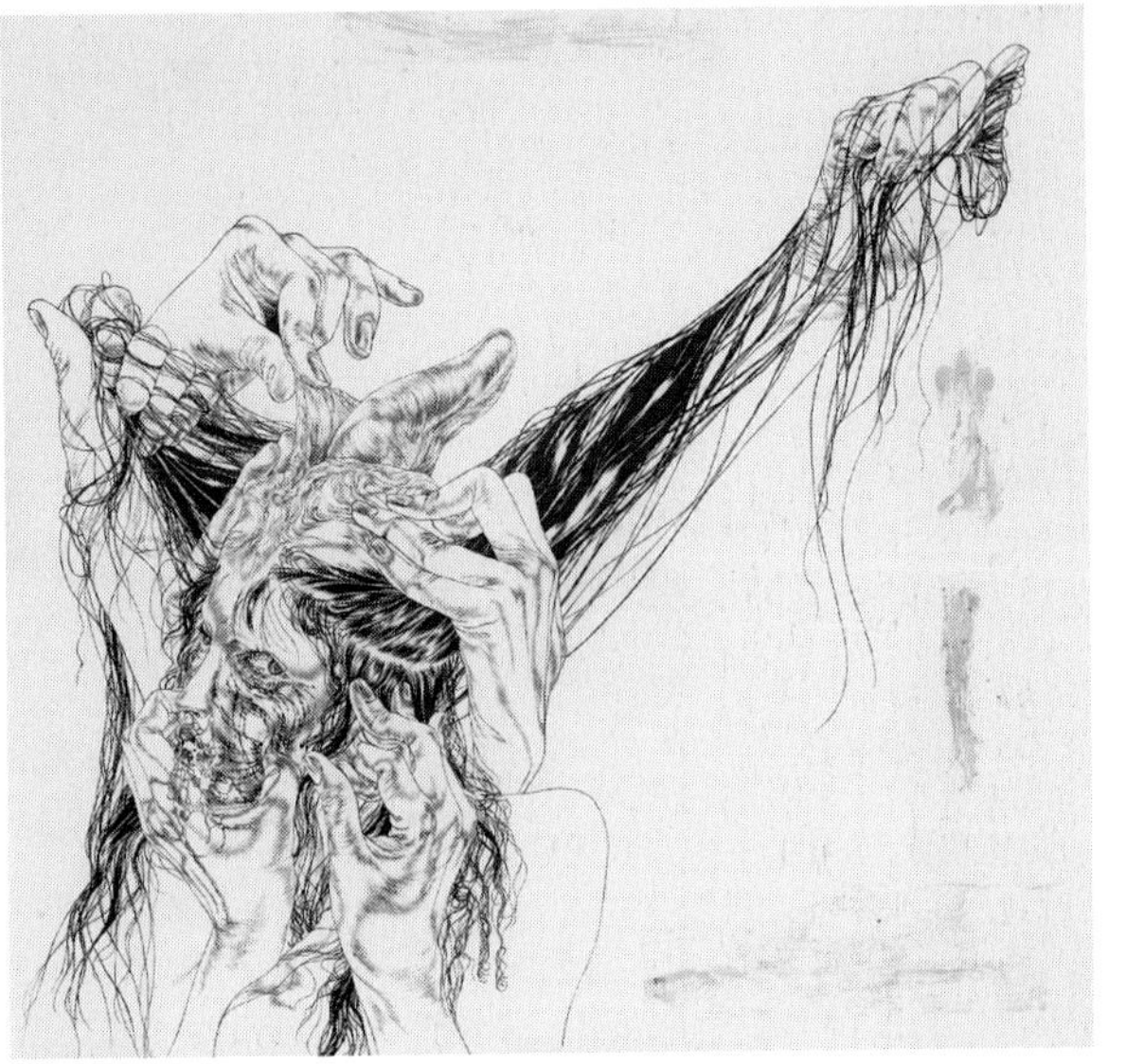

★「trash*」1981

影響を受けた作家について私が尋ねた際の宮西氏の答えを、少し長くなるが紹介したい。

「影響を受けた…とは、それには良いものに限らず悪い影響をも含まれるはずである。田舎の山に育った私にとって環境の全てが影響をもたらしたことは確かだ、それも悪い方にだ。物心が付いた頃から漠然と絵が好きだった。自然と身近なマンガに夢中になるのである。それは変身願望そのものであるかのようであった。物語に入り込み、主人公になり、現実逃避するのである。

私には身の回りのもの全てが恐怖に感じられ、夢すらも恐ろしく泣きながら夜をむかえたものだ。そこでマンガを描きたいと言う欲望が救いとなったのです。小学校も5年にもなると目ばかり肥え、何を見ても不満に感じられ、少年マンガから当時既に衰退しきっていた貸本マンガへと興味を変えていった。そこでエログロ文化に出逢う事になる。ロートレックからバイロス、海外の名も知らぬ不思議な挿し絵。元来私は日本的なものが嫌いだった。特に土着的な物を忌み嫌っていた。こうして小学校5年生の土曜日、ハンス・ベルメールと出逢ったのである。

その年、家族は高校進学を控えた姉の事を考えて、山から麓の駅近くに引っ越していた。電車に乗る事を覚えた私は毎週土曜には街に出て本屋を転々とした。同時期に青年マンガを知り真崎守とも出逢った。真崎氏は私の救い主であり育ての親ともい言えよう。氏は一マンガ家を越えて、優れた教育者でもある。氏の作品を見て私は一目でそれを見抜いた。そして4年後、氏の元を訪ね、以来、氏は師として今も尚変わることは無い。これが私の受けた影響である」

注目したいのは、その活動が、辺境から始まり、漫画やエログロといったアンダーグラウンドな領域を経由して展開されてきたという点だ。いわゆる「アート」は所詮都市の文化でありスノッブであり表面的な心地よさだけを演出したものが少なくないが、現実的な痛みや葛藤、根源的なエロスの渦中から絞り出されるように創造されるインディペンデントなアートの方が、人の琴線に触れるものが多いのは言うまでもない。宮西の作品も、まさにそうした場所から生まれてきた。

人々のリアルな欲望を映し込んだ漫画、エロ本、アングラ、商業主義に背を向ける先鋭的な音楽、そうした猥雑なサブカルチャー文化に触れ、社会規範に照らすのではなく自らの感性のみを頼りに価値あるものを嗅ぎ分け、摂取し、その独自の世界観は構築された。だからこそ、それらの作品は、恐ろしく、心地よく、恥ずかしく、多くの葛藤へと人々を巻き込みつつ、私たちをその世界へと引きずり込んでゆく。こうしたアカデミズムをも凌駕する強度を帯びた作品が、インディペンデントの領域、すなわち私たちの側から生まれてきたということはとても重要なことだ。表現やアートは「私たちのもの」でなければ意味がない。そして、分厚い権威主義の壁に穴を穿つ大きな可能性のひとつがここにある。宮西計三はもっと世界的に評価されるべきアーティストだと思う。

フールズメイトへの掲載や、ザ・スターリンへの作品提供はすでに述べたが、80年代、日本のその後の

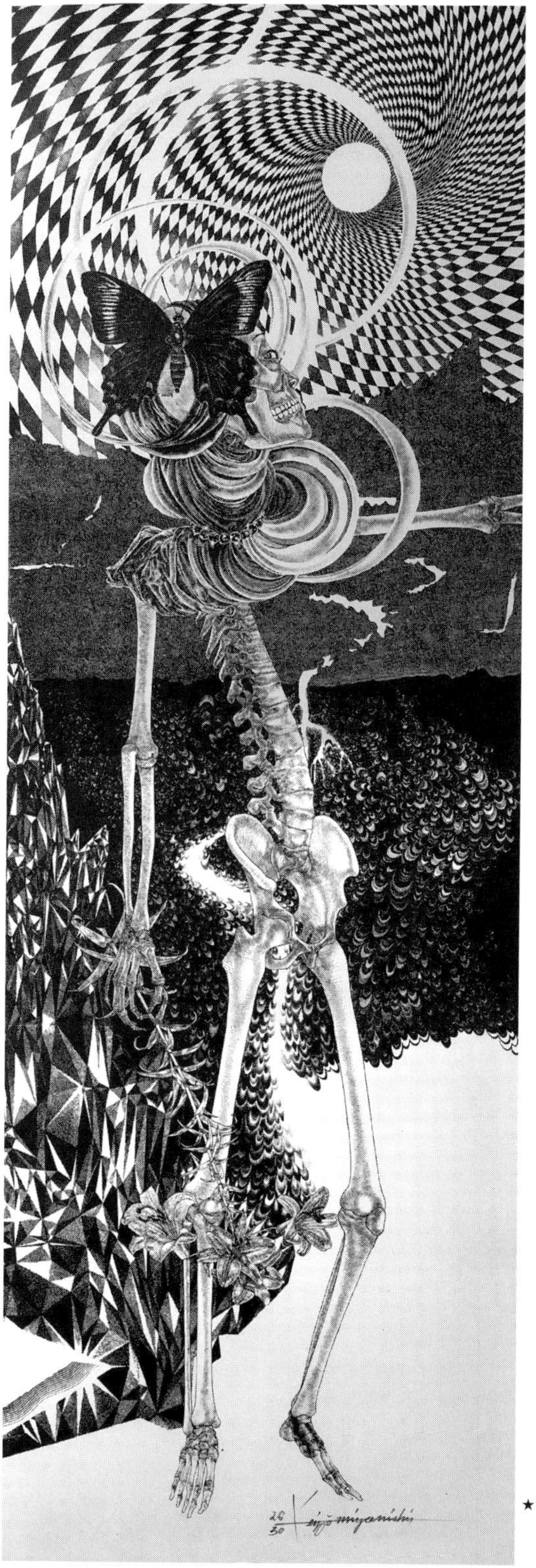

★「指差す人」

文化の方向を左右したインディーズのムーヴメントとも強い関わりを持っていた。自身もバンド「Onna」を結成し、1983年に7インチシングルEP「Onna」を自主レーベルCupid & Psyche よりリリースしている。耽美でサイケデリックで深く包み込まれるような危険な甘さに満ちた両性具有的サウンドは、あまりに独創的で他に例がない。宮西の作品世界をそのまま音像化したような作品だ。宮西は、詩があって絵があるという漫画と同じように音楽も作っており、絵も音楽も同じなのだと言う。強靭なヴィジョンの前では、ジャンルや媒体の違いなど取るに足らぬものなのだろう。最近は舞踏家、薔薇絵による公演を個展会場で開催し、その音楽を自らが奏でるなど、絵と音楽の間の垣根はますます消えつつある。音の作品は他に、「Eros・Onna の世界」(Bloody Butterfly, 2001)、片羽 [Katawa] (P.S.F. Records, 2007) などがある。なお、前述の「Onna」の音源は、1999年にペヨトル工房、2009年にHOLY MOUNTAINから再リリースされている。

初期は漫画という媒体での活動が主だったためか、偏執狂的な微細な点描によるモノクロ作品が多かったが、2008年の個展「ad hominem—あたらしい人—」辺りから、鉛筆と水彩による作品を手がけるようになる。色が加わることで更に重厚に進化し、錬金術のための新たな劇薬が加わったという感じだ。

宮西は何を描いているのか、今一度考えてみたい。その作品は極めて美しい。しかし表面的には悍ましい。常に矛盾を孕み甘美な恐怖を伴っている。それはいったいどういうことなのか？ 描かれた少女たちの身体はバラバラに解体され、再度繋ぎ合わされているか、大きく歪められている。しかし死体ではない。すべての部分が生きている。肥大した性器や骨や眼球や物が、あたかも意志を持った生き物のように自律的に離合集散を繰り返し、結果、見たこともないような魔物として物象化している。私たちの断片的な欲望を寸断された部分それぞれが引き受け、その部分の意志を解放することによって現れる怪物、それは欲望の集積であり、私たちの愛の権化だと言えるだろう。

だからそれは人間であり人間ではない。人間ではないが、欲望の実相を映し込んだ剥き出しの人間そのものである。その魔物たちは、私たちが普段「人間」が奏でる物語や「人間」そのものに惹かれているのでは実はなく、その力学は私たちの部分対象へ向かう欲動の集積の或る一面的な現れに過ぎないという、戦慄的な事実を物語ってしまっている。それも無言で、言葉や知性で反駁不可能な暴力的なヴィジョンとして。

私たちの「欲望」の実相とは、なんと恐ろしい現実であろうか？ そして、なんと美しい宿命であろうか？ 私たちの愛は、美への欲求は、やがて「人間」を破壊し、バラバラな身体の欲動そのものへと純化され、鉱物へと向かうのかもしれない。

愛と呼ばれる力動の到達点は死であり、充実した虚無への回帰である。そして、宮西計三は、その現実を、苦行さながらに描き続けるリアリストであり、まさに愛の殉教者なのだろう。

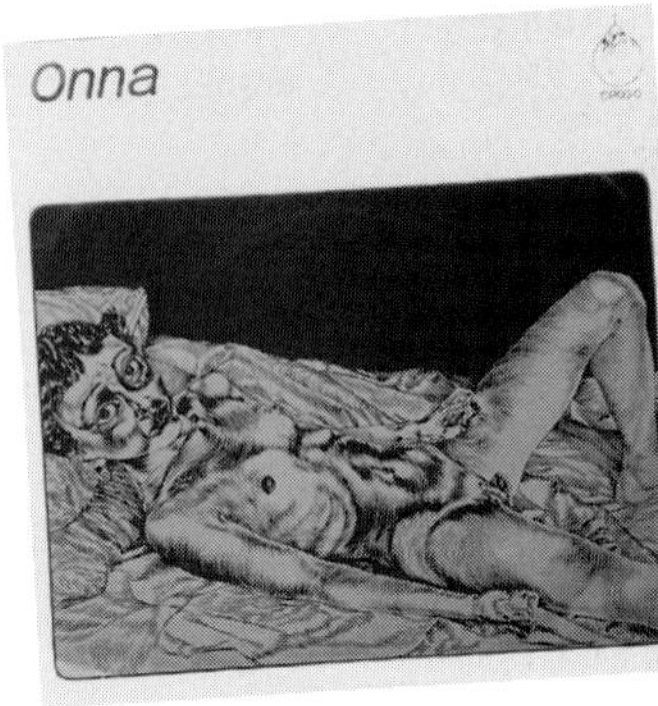

★7インチシングルEP「Onna」

★「鏡」2016

★(左頁)「薔薇色の裁縫店を覗きて見れば、踊る陰毛シューシューと、声上げ跳ねるマルドロールのお針子むすめ」2019

keizomiyanishi

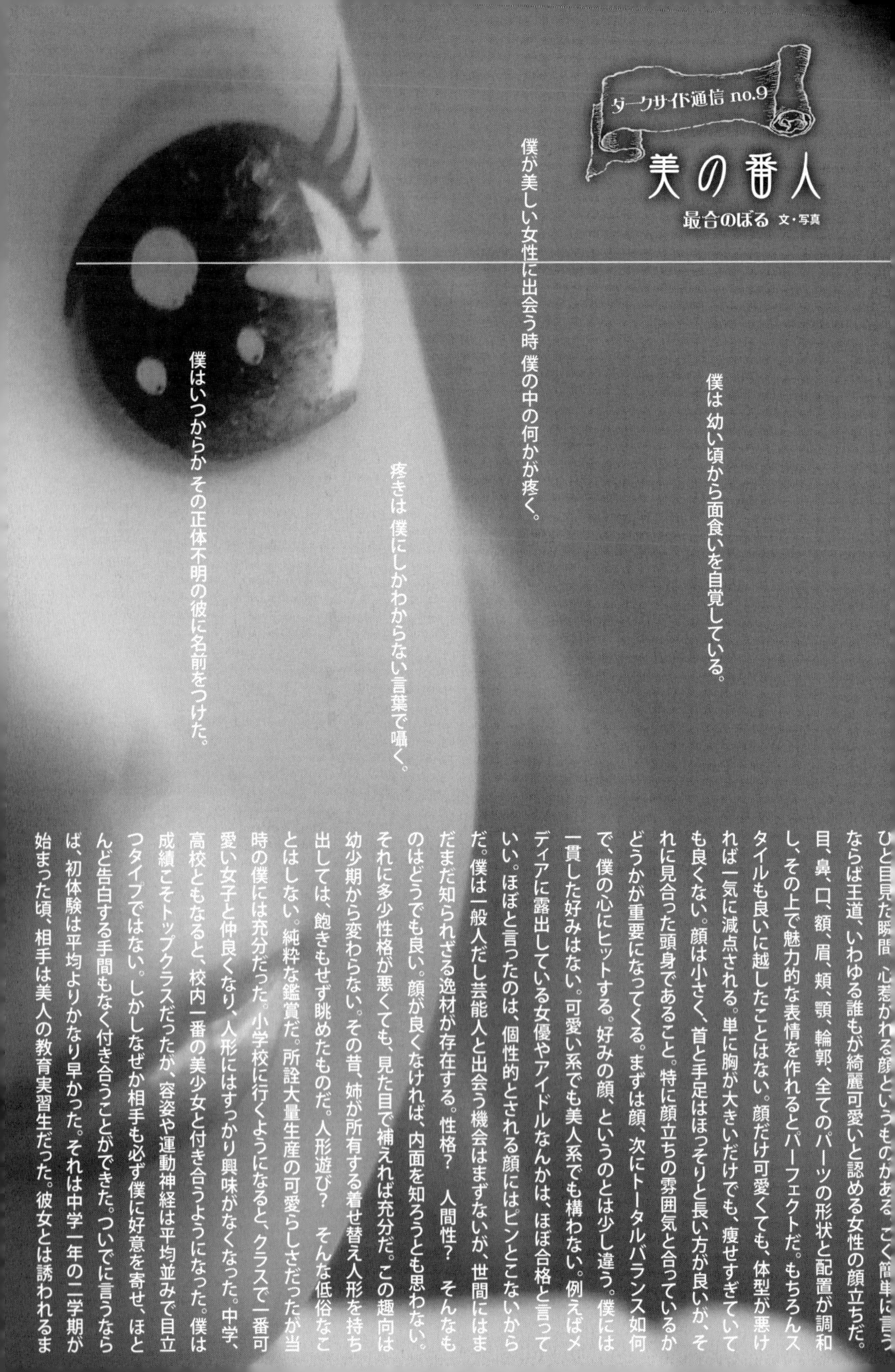

ダークサイド通信 no.9

美の番人

最合のぼる 文・写真

僕は 幼い頃から面食いを自覚している。

僕が美しい女性に出会う時 僕の中の何かが疼く。

疼きは 僕にしかわからない言葉で囁く。

僕はいつからか その正体不明の彼に名前をつけた。

ひと目見た瞬間、心惹かれる顔というものがある。ごく簡単に言うならば王道、いわゆる誰もが綺麗可愛いと認める女性の顔立ちだ。目、鼻、口、額、眉、頬、顎、輪郭、全てのパーツの形状と配置が調和し、その上で魅力的な表情を作れるとパーフェクトだ。もちろんスタイルも良いに越したことはない。顔だけ可愛くても、体型が悪ければ一気に減点される。単に胸が大きいだけでも、痩せすぎていても良くない。顔は小さく、首と手足はほっそりと長い方が良いが、それに見合った頭身であること。特に顔立ちの雰囲気と合っているかどうかが重要になってくる。まずは顔、次にトータルバランス如何で、僕の心にヒットする。好みの顔、というのとは少し違う。僕には一貫した好みはない。可愛い系でも美人系でも構わない。例えばメディアに露出している女優やアイドルなんかは、ほぼ合格と言っていい。ほぼと言ったのは、個性的とされる顔にはピンとこないからだ。僕は一般人だし芸能人と出会う機会はまずないが、世間にはまだまだ知られざる逸材が存在する。性格？ 人間性？ そんなものはどうでも良い。顔が良くなければ、内面を知ろうとも思わない。それに多少性格が悪くても、見た目で補えれば充分だ。この趣向は幼少期から変わらない。その昔、姉が所有する着せ替え人形を持ち出しては、飽きもせず眺めたものだ。人形遊び？ そんな低俗なことはしない。純粋な鑑賞だ。所詮大量生産の可愛らしさだったが当時の僕には充分だった。小学校に行くようになると、クラスで一番可愛い女子と仲良くなり、人形にはすっかり興味がなくなった。中学、高校ともなると、校内一番の美少女と付き合うようになった。僕は成績こそトップクラスだったが、容姿や運動神経は平均並みで目立つタイプではない。しかしなぜか相手も必ず僕に好意を寄せ、ほとんど告白する手間もなく付き合うことができた。ついでに言うならば、初体験は平均よりかなり早かった。それは中学一年の二学期が始まった頃、相手は美人の教育実習生だった。彼女とは誘われるま

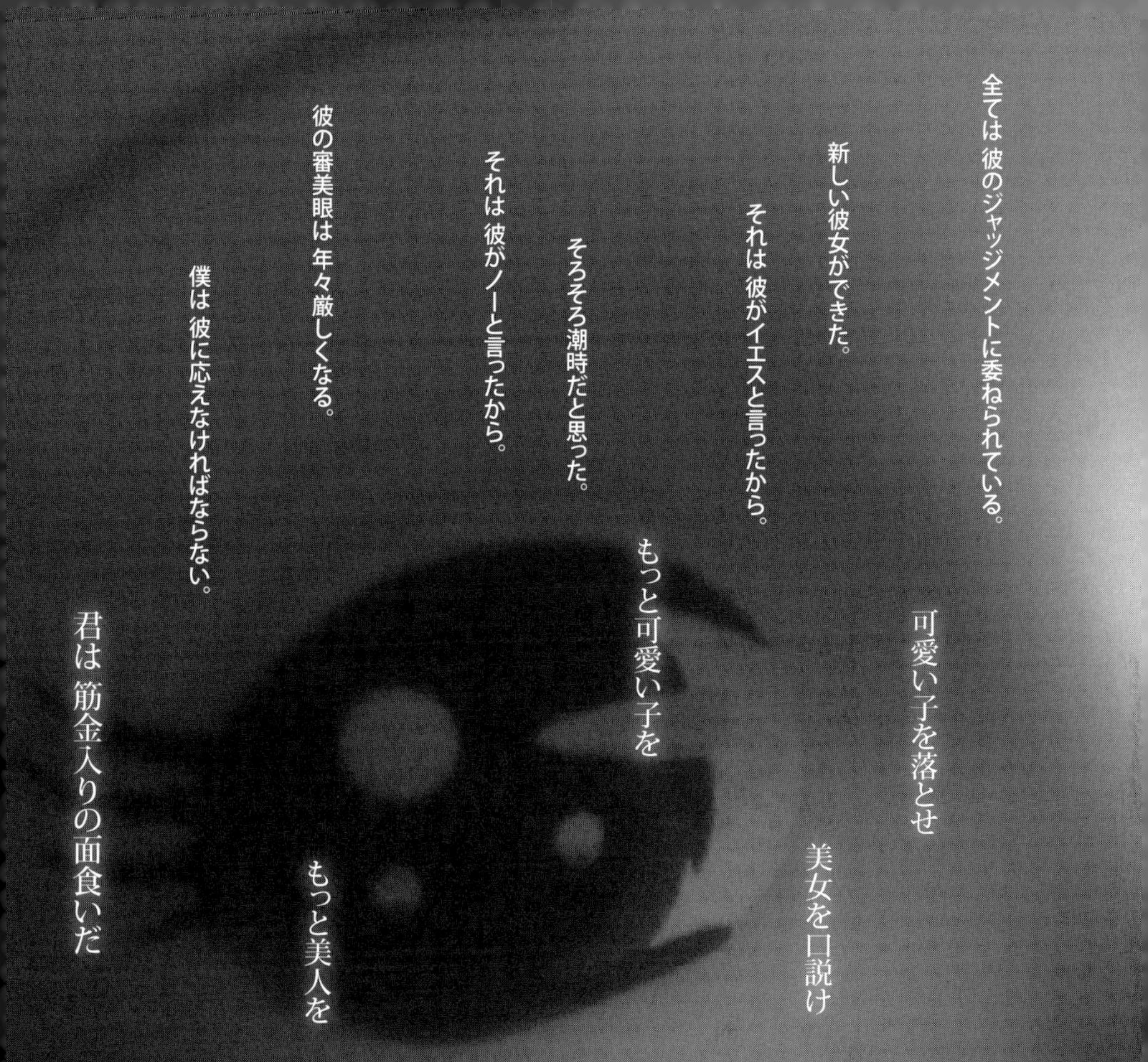

全ては 彼のジャッジメントに委ねられている。

新しい彼女ができた。

それは 彼がイエスと言ったから。

そろそろ潮時だと思った。

それは 彼がノーと言ったから。

彼の審美眼は年々厳しくなる。

僕は 彼に応えなければならない。

可愛い子を落とせ

美女を口説け

もっと可愛い子を

もっと美人を

君は 筋金入りの面食いだ

まに何回か身体を重ねたが、なぜか突然音信が途絶え、だいぶ後になってから自死したことを聞いた。理由は中絶手術に失敗して妊娠できない身体になったからだとか。関係を持っていた時期と重なったが、今となっては真相はわからないし知ったところでどうしようもない。成績優秀な僕は超難関大学の医学部にストレートで合格すると、学内外のミスコンで優勝した女の子などと、取っかえ引っかえ付き合うようになった。とにかく誰もが振り返るような可愛い子を連れて歩くことが僕のステータスだった。はっきり言ってセックスは数回程度で飽きる。それでも顔を眺めるのは好きなので、大人しく眠っていてくれれば良いのだが、そうもいかないのが面倒で別れてしまうのが常だった。傍から見れば大層な女好きに思えるかもしれないが、例えば小学生男子が草野球に夢中になるように、純粋に好きなことに没頭しているだけだった。極論、僕は女性が好きな訳ではない。美しく整った顔が好きなのだ。だから大学病院でインターンを始めた頃など、言い寄る女性は沢山いたが、恋愛感情のある付き合いをすることは一切なくなった。肉体関係を結ぶのは、人が羨むような美しい顔に恍惚の表情が浮かぶのを眺めるためだけの行為といっても過言ではない。さして見た目の良くない僕が美貌の女性を組み敷く時、性交の快楽とは別の、えも言われぬ高揚感と支配欲が満たされる。それは僕がいわゆる美青年だったら、そこまで感じることはないように思う。凡庸な容姿の僕だからこそ享受できる特権的快楽だ。当然ながら避妊は言われなくても完璧にする。理想の顔の女性を身近に置くために、自分の審美眼を信じ、妥協することのないジャッジメントを続けてきた。それは外科医となった現在でも変わらないが、そんな僕も三十歳を過ぎて世間体を考えるようになった。つまり結婚だ。身近なところで手を打ちたくなかったので、高額の婚活パーティーに申し込み、何度目かで知り合った理想的な外見の女性と、結婚を前提に付き合うことになった。

結婚相手として選んだ彼女は容姿が完璧なだけでなく、性格もセックスの相性もとても良かった。育ちの良さは経歴書で確認済みだし、美人にありがちなお高くとまったところも一切ない。素直で朗らかで、くるくると変わる表情も愛らしい。何より驚いたのは、一緒にいると気持ちがとても安らいだことだ。こんなにも平穏な精神状態になったのは彼女が初めてだった。お陰で他の女性に全く興味がなくなり、これが身を固めるということかと、目が覚めるような思いだった。プロポーズには最高のシチュエーションを用意した。ホテルの最上階のラウンジを貸し切り、極上の夜景を背景にカルテットの生演奏が流れるというロマンチックな演出で、最大限に奮発した婚約指輪を渡した。その時の彼女は最高に美しかった。ほっそりとした指の上で大粒のダイヤモンドが煌めき、彼女は眩しそうに目を細めた。こんな美女が僕の妻になるなんて、本当に夢のようだった。僕らは金色に泡立つシャンパンが注がれたグラスを合わせ、その軽やかな音の余韻が残る中で彼女は口を開いた。

「お互い おじいちゃんおばあちゃんになっても 仲良していようね」

彼女の言葉を聞いた時の僕の気持ちがわかるだろうか。言葉の意味を理解するまで、たぶん僕は貼り付いた笑顔のままフリーズしていたはずだ――目の前の女は小首を傾げ、媚びを売るような笑顔を向けていた。そして追い打ちを掛けるように、自分が老いるのはずっと先のことだとか、ごちゃごちゃ言っている――ようやく言わんとする主旨が理解できた瞬間、口に含んだシャンパンが泥水のように感じられた。僕の手から華奢なグラスが滑り落ち、床に砕け散たのが合図だったかのように世界が音を立てて崩れ、カルテットの演奏もシャンパンの味も、何も感じられなくなった。目の前の女が発した信じがたい言葉だけが、頭の中で暴力的に何度もリピートされた。僕は堪らず席を立ち、トイレに駆け込んで胃の中身を全て吐き出した。洗面所の鏡に映った自分の顔は紙のように白く、衝撃の強さを物語っていた。僕はトイレから出ると席には戻らず、そのままホテルから逃げ出した。どうやって自宅に戻ったのかは覚えていない。

声を聞け

なぜ聞かない？

声を聞け

なぜ聞かない？

おばあちゃんになるとは？

警鐘を鳴らせ

警鐘を鳴らせ

警鐘を鳴らせ

認めない

彼女のひと言によって、僕はどんなに美しい女性もやがては老いるということに、初めて気づかされた。なぜこんな簡単なことに考えが至らなかったのか。生涯連れ添うという結婚の前提条件だというのに。それでも僕は、老いてなお美しい人は沢山いると、肯定的に捉えようと努力した。エステや美容整形という方法もあると慰めにもならない愚策に思考を巡らせた。しかし僕にはわかっていた、老いの美など認められないことを。次第に彼女に会うと将来の劣化した風貌が透けて見えるようになった。解決策が見つからないまま追い詰められていき、そんな僕に対して美の番人は沈黙を続けた――。

動悸が早い

眠れない

認めない

僕は混乱しているのか？

僕は混乱しているのか？

どうして黙っている？

どうして黙っている？

汚いシミ

深いシワ

深いシワ

何か言ってくれ

何か言ってくれ

彼女の顔が崩れていく

……何を今さら？

美の番人ですよ。

さっきから話しているじゃないですか。

ですから、子供の頃に……。

そう、彼が思い出させてくれたんです。

だから……美の番人ですよ。

これは幻覚？

これは幻覚？

僕はずっと従ってきた

僕はずっと従ってきた

頼むから助けて

助けてくれ

助けてくれ

助けてくれ

助けてくれ

助けて

助けて

助けて

助けて

いい方法を教えよう

美の番人は、やっと囁いてくれた。

認めない

認めない

認めない

まだ小学校に上がる前のことだ。僕は、お気に入りの着せ替え人形の顔に股間をこすりつけているところを、姉に目撃されてしまったことがある。当時は姉も幼かったので、僕の行為が自慰とはわからなかったはずだ。しかし異様な雰囲気を感じたのか、姉は人形の髪を掴んで取り上げようとした。引っ張り合いになった結果、僕の手には首が抜けて頭のない人形が残った――でも僕には、お気に入りの可愛い顔がちゃんと見えていた。

顔がなくても、見えていたんだ。

僕はこの時ほど、外科医になって良かったと思ったことはない。
僕らが導いた最善の方法とは――顔を除去すること。
顔さえなければ、永遠に自分の理想を投影できる。
麻酔で眠る僕の婚約者は、本当に美しかった。
彼女の美貌を記憶に留めながら、メスを滑らせる。
顔の皮膚を削がれた女は、二目と見られぬほどおぞましかった。

僕は今、留置所にいる。
今日は初めて弁護士が面会にきた。
年若い弁護士は精神鑑定のことや今後の可能性を伝える。
それは全く以て、つまらない話だ。
ささくれ立った自分の指先を眺めてやり過ごした。
「――また来ますね」
立ち上がった弁護士は、身をかがめてこちらを覗き込んだ。
知的で端整な顔立ちが視界に飛び込む。
瞬時にジャッジメントが下される。
髪型を変えれば、もっと大人の美しさが引き出せるだろう。
ピンクベージュの 口角が上がった。
ほら、彼女は何も知らずに微笑みかけている。
久しぶり に 囁きが 聞こ え る。
僕は、その美しい人に微笑みを返した。
美の番人も、その美しい人に危険な笑みを返した。

END

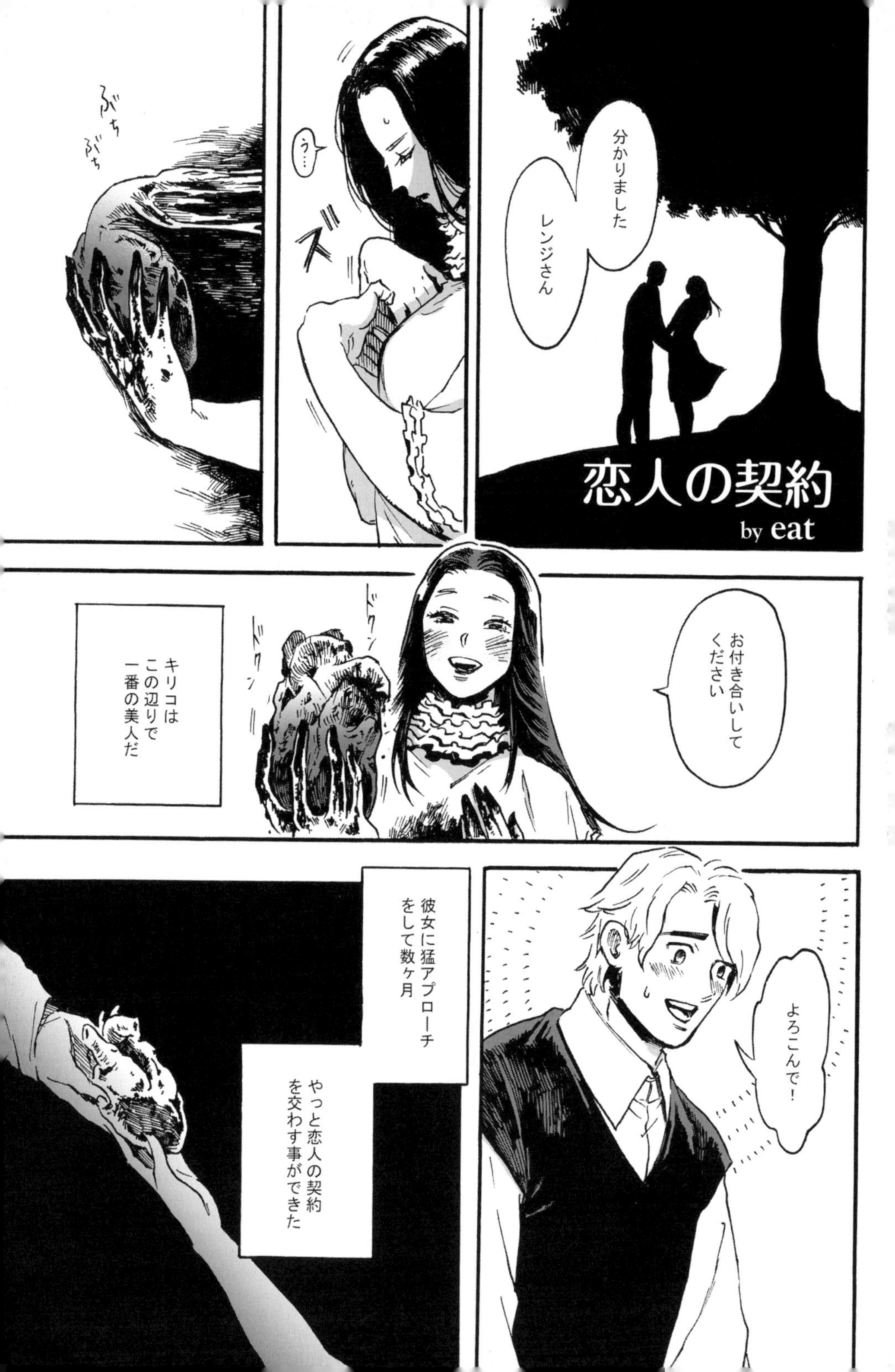
分かりました
レンジさん
恋人の契約
by eat
う…
ズ
ぶち
ぶち
お付き合いして
ください
ドクン
ドクン
キリコは
この辺りで
一番の美人だ
よろこんで！
彼女に猛アプローチ
をして数ヶ月
やっと恋人の契約
を交わす事ができた

心臓を差し出した人間は感情と気力を失う為
その人間の心臓が新しく生成されるまで
心臓を受け取ったパートナーがお世話をするのが常識だ
心臓は…
この状態のキリコが僕に恋心を感じてくれれば
また生成される
だけど キリコの心臓は一年経っても
空っぽのままだった
平均は一ヶ月
キリコの髪からどんどん艶が消えていく

唇も乾燥して
カサカサしてきた
心臓を返すと
キリコは僕の
事を忘れて
しまう
嫌だ…!
僕はキリコ
の胸に
花を植えてみた
花を植えると
一時的に感情
が戻って
心臓生成を
促す効果がある
らしい
マニュアル通り
彼女は久しぶりに
笑顔を見せてくれた

まぁ…
長くは保たなかったが
何度も
何度も
植え直したが…
空
ごめんなさい
こんなに良くしてくれているのに…
何も感じないの
やっぱり
付き合ったら好きになれるかも…と思って
心臓を捧げちゃダメね

あなたがあまりにも熱心にアプローチをしてくれるから
思わず心が揺らいじゃったのよ
悪いのだけど心臓を返してくれないかしら
僕はまだ諦めたくなかった
はい

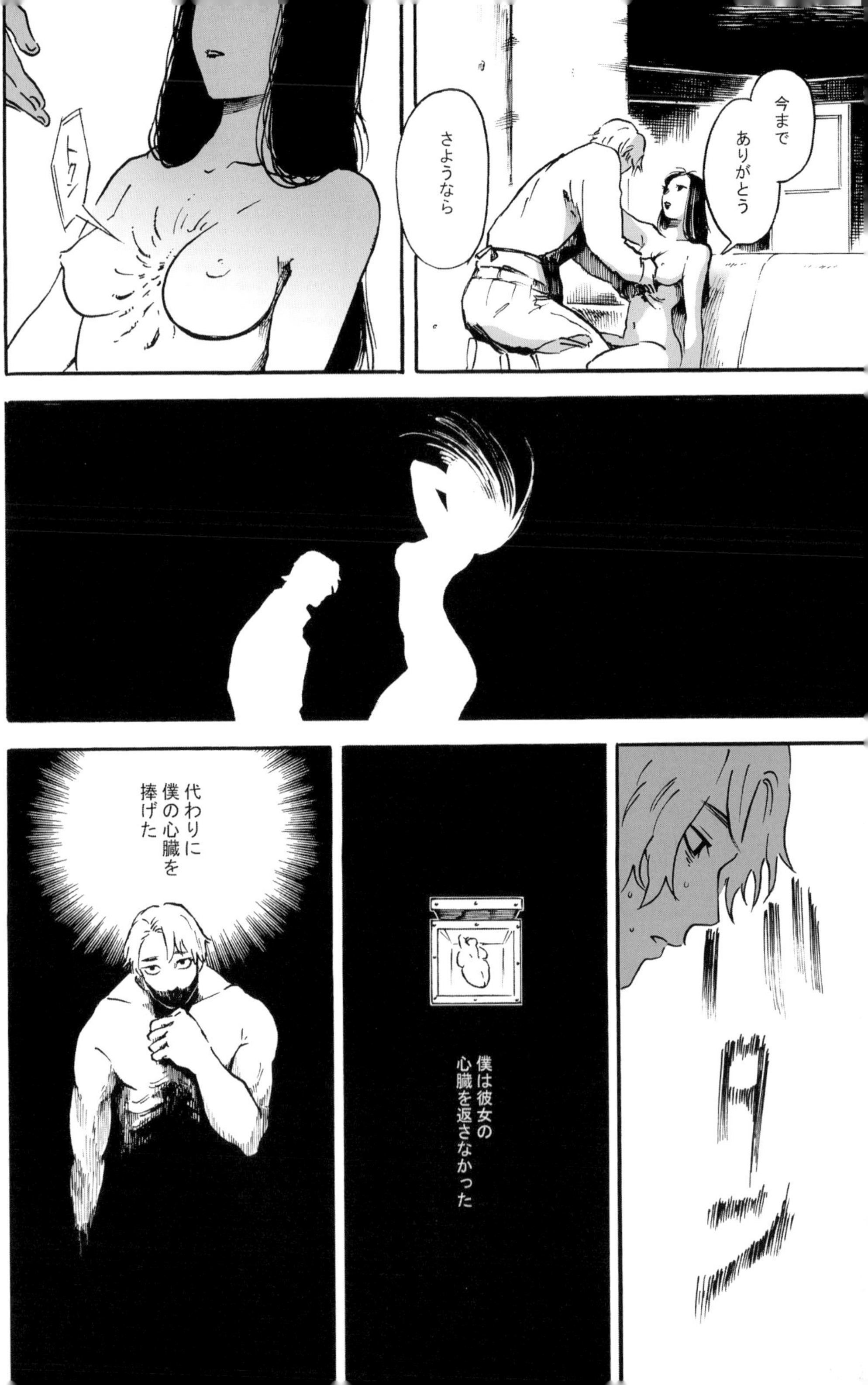
今まで
ありがとう
さようなら
トクン
バタン
僕は彼女の
心臓を返さなかった
代わりに
僕の心臓を
捧げた

あれからキリコが動く事はない
まるで植物みたいだ
拒絶反応だろうか…
ほらキリコ
分かるかい？
君の心臓は僕に植えたんだ！
元気に動いているだろう？
君の心臓は僕を受け入れてくれたんだよ
綺麗だ…

出会った頃より美しくなってる気がする
これは僕の心臓のおかげだと思わないかい？
たとえ動かなくても
いつまでも美しい君と一緒にいられる僕は
幸せ者だ
翌週僕達は結婚した
周りからは人形のような花嫁だね
と
羨ましがられた

見た目に騙されし愚かなる者たちよ
あの人は美しい
美しい…
救い…
憧れ…
美しい…
愛…
美しさを崇拝する

岸田尚一コマ漫画 ◉コラージュ＆文＝岸田尚

四方山幻影話 54
◎写真&文＝堀江ケニー
●モデル：太楼
ドール：ANGEL PHILIA DOLL
©QUARANTOTTO

納
納
内
納

今回のテーマを頂き、まず思い浮かんだのが、以前からモデルをお願いしている太楼さんだった。
と言うのも、わざわざ説明しなくても知っておられる方は多いとは思うが、太楼さんはモデルでもありながらカメラマンでもあり、彼女の作風は以前よりドールとのツーショットポートレートだったからだ。
まるで、生きてる人のように撮るドールとのポートレートは、まさにピクマリオン愛、人でなしの恋。テーマにドンピシャ。

そのドールは太楼さんとお揃いの衣装を身に纏い、まるで小さな分身のような感じ。あらゆる素敵なシチュエーション、ロケーションで撮影されていて、そこには愛を感じずにはいられない。個人的に一番凄いなぁ～と感じるのは、彼女の撮影するドールには生がみなぎっているところ。ドールには性格もうかがえ、一個人として太楼さんと写真に収まっている。

そんな太楼さんに、前々から気になっていたことを聞いてみた。そもそもなんで、ドールとのセルフポートレートを撮ろうと思いついたのか？

その答えを聞いた時、あ！なるほどねーと深く納得&同意してしまった。はじめはモデルさんを使って撮影をしたかったのだが、モデルさんを探すのもなかなか骨が折れるし、好きなタイミング、好きなロケーションで撮影するのがまた大変だった。それなら前から好きだったドールをお迎えして、一緒にポートレートを撮ろうと思い立ったそうな。分かります。とてもお気持ちお察し致します。

そんな太楼さんの作風であるドールとのポートレート、本来なら三脚を立ててご本人がセルフで撮るところを、今回は自分のコラムだということで、無理を言って、自分風に撮影させて頂きました。ありがとうございました！

◉文と絵＝あや野

ヴェルレーヌと美少年ランボー、破滅に突き進んだ愛

10代の頃、ドビュッシーの名曲「月の光」の元となった詩に魅せられ手に取った『ヴェルレーヌ詩集』。作者はどれ程の美しい男性なのだろうかと、ページを開き著者近影を見た時の衝撃と言ったら……。

そう、ヴェルレーヌ様。眉間に寄せた苦悶の表情にハゲ散らかし放題の頭。終生飲酒・放蕩の悪癖に悩まされ、かの有名な同性愛事件では2年間の獄中生活を送ることになる――と趣深過ぎるプロフィール。

そんな過激過ぎる生涯の中で、幾度もの偏愛的退廃美に取り憑かれたヴェルレーヌ様でしたが、中でもあまりにも有名過ぎるランボー様との〝愛の日々〟について触れていきましょう……。

ある日、既にパリで名を馳せていたヴェルレーヌ様の元へ、謎の少年から手紙が届きます。同封されていた詩に脳天を撃ち抜かれるほど驚愕した彼は、すぐさま手紙の主をパリへと呼び寄せます。

現れたのは、内なる凶暴性を秘めた憂いのある美少年……そう、ランボー様でした。

たちまち10歳年上のヴェルレーヌ様は虜になってしまいます。

ヴェルレーヌ様には、当時新婚ホヤホヤ身重の奥様がおりましたが、〝絶対服従的な美〟を前にした今、抗うことなどできなかったことでしょう。

その後の二人と言えば、酒とハシシと愛欲に溺れ狂う日々。ヴェルレーヌ様はどこへ行くにもランボー様を同席させ、文壇詩壇の大家たちに紹介して回りました。

しかしいくら天才と言えども、傍若無人で反逆的行動ばかりするマグマのようなランボー様を寵愛庇護するのは、ヴェルレーヌ様だけ……次第に周囲から完全に孤立していくこと

になります……。

家族を捨てたヴェルレーヌ様は、ランボー様と二人で国外に愛の逃避行へと出かけます。

放浪しながら詩作に耽り、この頃作られた男性同志の聖なる愛を詠った「尻の穴のソネット」は、かの澁澤龍彦氏に〝文学史的に珍重すべき作品〟と言わしめたほど、色褪せる事のない瑞々（禍々?）しさで迫ってきます。

自由を求めた二人の暮らし。しかしあまりの破茶滅茶ゆえ、皮肉にもどんどん生活は不自由になるばかり……。ところが、周囲との軋轢が増すほどヴェルレーヌ様の恋は燃え上がり、ランボー様への激重感情を募らせて行きます。

しかし一方で、ノーフューチャーよろしくランボー様は、この生活にすっかり飽きていたご様子。埋まらない二人の温度差、地球上の全てを舐め切っているかのようなランボー様の愚行はさらに過激さを増していきます。

この魔性の天才美少年のおかげ（?）で、金銭の困窮その他、問題に次ぐ問題が降りかかり心身共に疲れ切ってしまったヴェルレーヌ様。度々「もうダメだ!」と彼を置いて逃げておりましたが、ランボー様の方から去ろうとするや否や!

絶望し逆上!(えええ)

自殺用に用意していた拳銃で彼を撃ってしまいます。

嗚呼、昼ドラも真っ青な愛の共依存のドロドロ劇場……。一発がランボー様の左手首に当り、ヴェルレーヌ様は2年の禁固刑を言い渡されてしまいます。

この事件の後、ランボー様は代表作『地獄の季節』や『イリュミナシオン』を書き上げました。しかし、夢から覚めるように蒼い炎は消え……絶筆してしまいます。

その後、二人の関係は二度と修復される事はありませんでした。出所したヴェルレーヌ様は、足を患い病院を転々とし、金銭面も困窮したまま五十一歳のときパリで没します。

さながらオム・ファタールに狂わされた大変破滅的な人生と言えましょう。

「美しい彼」が届けたい思い

八田拳（みこいす）インタビュー

◉取材＝日原雄一（精神科医）

二〇二〇年は死にたい年だった。今もそこそこだがそれは措いて。コロナ禍一年め、みんなつらい思いをかかえているなかで、私を救ってくれたのが八田拳（みこいす）さんのYouTubeの動画『みんなの愚痴、聞かせて!!!!』だった。超絶美少年が、優しく↘

おだやかな声と口調で、視聴者から寄せられた愚痴にひとつひとつ向き合ってこたえていく。

なんだこの神の子は、とおもった。みこいすさんは「踊ってみた」動画もたくさんアップしていて、その作品も芸術的ですさまじい強烈な迫力があった。

——まずは『shabondama 2023SS ceremony』のご成功、おめでとうございます。

◉ありがとうございます。これまでは新作だけでなく以前つくった洋服も着てもらっていたんですが、今回の衣装はみんな新作。踊り手さんも、元気を与えられるような、自分が偶像として輝けるような曲で踊ってくれました。わたちゃんは『あくあ色パレット』っていう、「自分が活躍できるのは、応援してくれるみんながいるからだよ」という曲で着て踊ってくれて、僕自身もそういう気持ちでいろいろな活動をしている面があるので、印象に残っていますね。

——どの服も本当に綺麗で可愛くて、それを着ることでみんなのことを輝かせてくれる素敵な作品ばかりでした。shabondamaのHPでは、西井万理那さんがトップページに上がっていますが、西井さんがshabondamaの服を着た姿はとても美しく感じました。

◉どんなかたでも悩んだり、落ち込んだりすることはある、と思っていて。西井さんは、ふだん元気でつねに笑顔でみんなを盛り上げてくれる面

★ファッションブランド「shabondama」

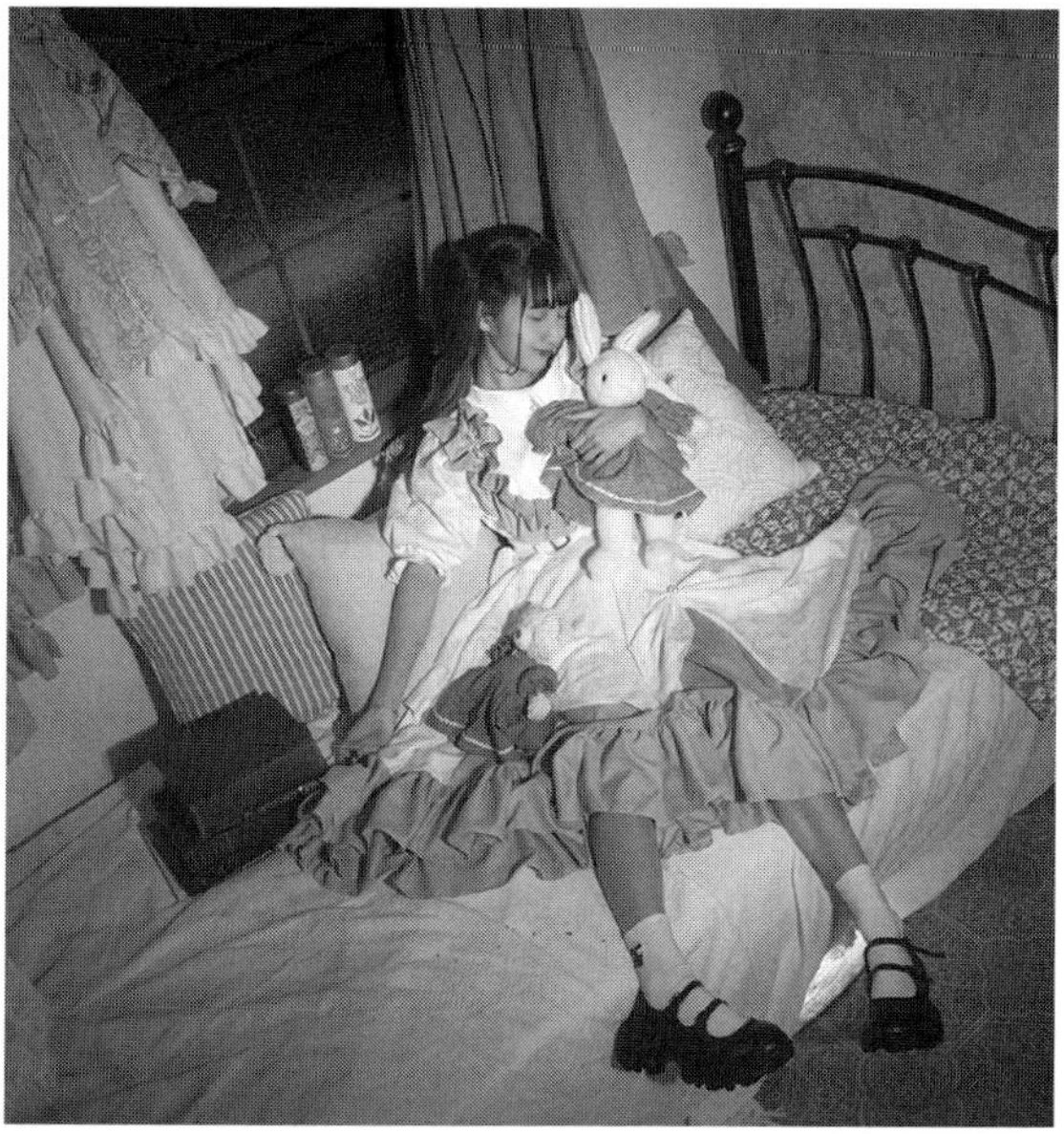

その「踊ってみた」は、土方巽や田中泯の舞踏に匹敵すると、過言かもしれないが言ってしまおう。もう、いっぺんにファンになってしまった私でした。
きつい通勤環境のなかでも、みこいすさんのそうした一連の「メンタルクリニック動画」のおかげで、私はコロナ禍一年めを死なず乗り切れた。みこいすさんは本名の「八田拳」として俳優としてもご活躍していて、映画『そして、バトンは渡された』、ドラマ『美しい彼』などの話題作にも出演している。「美しい彼」ってまさに君のことだよと、これはずっと思ってるし当人にも言いましたが。
一方、「心が壊れてしまいそうな時、強く可愛く生きる魔法をかける服」をコンセプトに、『shabondama』というファッションブランドを立ち上げて、定期的に「踊ってみた×ファッションショー」のイベントも開催している。今回の特集がこんなふうなのを言い訳に、そうした八田拳(みこいす)さんに話を聴きに行ってみた。

もありつつ、プライベートではもちろんいろいろ考えていらっしゃるかたなので、自分的には儚くもあり美しくもあると考えています。
――みこいすさんはこれまでの動画作品、『リアル引きこもり俳優、外出します。』や『僕がぼっちで陰キャたる由縁。』などで、表現者として苦手とするところ、過去のつらいご体験についても語られていて、僕自身はそれがみこいすさんの動画の、ものすごく魅力的な部分に思っていました。

◉中学一年くらいのころ、自分もつらい体験をした時期があって。好きだった声優さんの、同じようなことがあったんだけど頑張ってるよ今、っていう記事を読んで、めちゃめちゃ勇気を貰えました。

　当時はそれこそ、学校に行かなかったら未来が閉ざされてしまうと思っていたので、「昔の自分を救いたい」っていう一心で、表現者として活動していきたいです。大それたこと言っちゃってますけど（笑）。

――あのころの自分に声をかけるとしたら、どんなことを話されたいでしょうか。

◉「焦らないで」って言いたいですね。昔から僕、現状を変えないと、っていうぼんやりとした不安があって、でも動くことができなかった。今もそういう時はあるんですけど、自信を持って、って言いたいんですよね。

　昔は「このまま自分が何もできないまま死んでしまうんだろうなあ」って、自分のことをどんどん嫌いになってしまう時間が多くて。それを見ないようにしてくれたのが多くのコンテンツで、そうして自分自身から目をそらしていた時でも学びは得られたし、焦らないで、自分のしたいことをする時間にしてほしい、本当に今は何もしないでいいよ、って言いたいですね。

まずは自分のことを好きになることから始める

――以前のみこいすさんの動画コンテンツ『100の質問』では、恋愛をしたことがあるか、って問いがありましたが、どう答えたか覚えていらっしゃいますか（笑）。

◉え？　したことはある、って答えたとは思うんですけど（笑）。「ある、しんどいかも」みたいな（笑）。

――まさにその通りですね（笑）。「あるよ、つらいよね」って、あっけらかんとすっごく明るい調子で語っていたのが、本当に恋愛ってそのとおりのものだなあと印象に残っていて。

◉僕は自分に自信がないので……。その人を追っかければ追っかけるほど、自分の長所だった部分がなくなっていくと思うんですよ。ひとの心ってわからないじゃないですか。なのにわかろうとしたり、お互いの気持ちを確かめるために駆け引きしたり。それは、恋愛をしないと得られないつらさで、ふつうに恋愛をできているみんながすごいなって。まずは自分のことを好きになることから始めよう、と思っています。

――「自分自身のことを好きになること」は、いま現在できていますか。

◉それこそ今回『shabondama 2023SS ceremony』を制作するなかで、「自分の嫌いなところを好きになる必要はなくて、嫌なところも見つめて、それも自分であるっていうことを納得することが大事」っていうことを伝えたいと思ってました。そのことをまずは自分自身でできるようになろう、と思っています。

――僕は精神科医として朝、ああ今日も職場に行かなきゃ嫌だなあ、というなかで、みこいすさんの「メンタルクリニック」動画にすごく毎日救われているんです。視聴者さんの悩み投稿に、推しのみこいすさんが「わかるー」って共感を寄せることが、愚痴を寄せた視聴者さんにとっても、同じような悩みをかかえている人にも、とても救いになっていると思います。なので、みこいすさんの多彩な活動のなかでも、「メンタルクリニック」動画は視聴数がもっと伸びてほしいって感じていて。ああした動画を必要としている人はもっともっと多くいるはずなので。NHKあたりが放送しろよって思っています（笑）。

みこいすさん・八田拳さんは俳優としても活躍されていて、話題のドラマ『美しい彼』ではクラスメイト役として、その「美しい彼」である八木勇征さん、萩原利久さんと共演されていましたが、そのなかでのご印象をうかがえたら。

★「美しい彼」DVD-BOX

◉八木さんは本当に容姿端麗で、色々な方にすごく丁寧な対応をされている方だな、という印象があります。萩原さんは席が近いシーンが多かったのですが、スタッフさんともすごく仲良く話されていて、大変和やかな雰囲気でした。

――僕は「美しいのは君だ！」って、みこいすさんのこと思ってるんですけど（笑）。アニメなどの作品では美しかったり可愛かったり、「推し」のキャラはいらっしゃいますか。

◉僕の趣味嗜好になっちゃうんですけど、『ローゼンメイデン』に雪華綺晶っていうキャラクターがいて、実体をもたない少女なんですね。だから空の器、寄生する先を探しているんですが、その子の狂愛のしかたと言うか、だれかを慕う気持ちで生きてるっていうところがめちゃくちゃ好きですね。

――他に映画やドラマ、小説などではどのようなものがお好きでしょうか。

◉映画は吉田大八監督の『腑抜けども、悲しみの愛を見せろ』、あと『下妻物語』も。

小説だとミステリーをけっこう読んでいますね。降田天の『女王は帰らない』だったり、歌野晶午も『葉桜の季節に君を想うこと』など何作も読んでいます。あとは誉田哲也の『ストロベリーナイト』、浦賀和宏の『彼女は存在しない』など。復讐、みたいな話が好きで。

五十嵐貴久の『リカ』も復讐の話なんですけど、めっちゃ恐いです。リカは主人公のことが好きすぎて、執着がすごいんですよね。

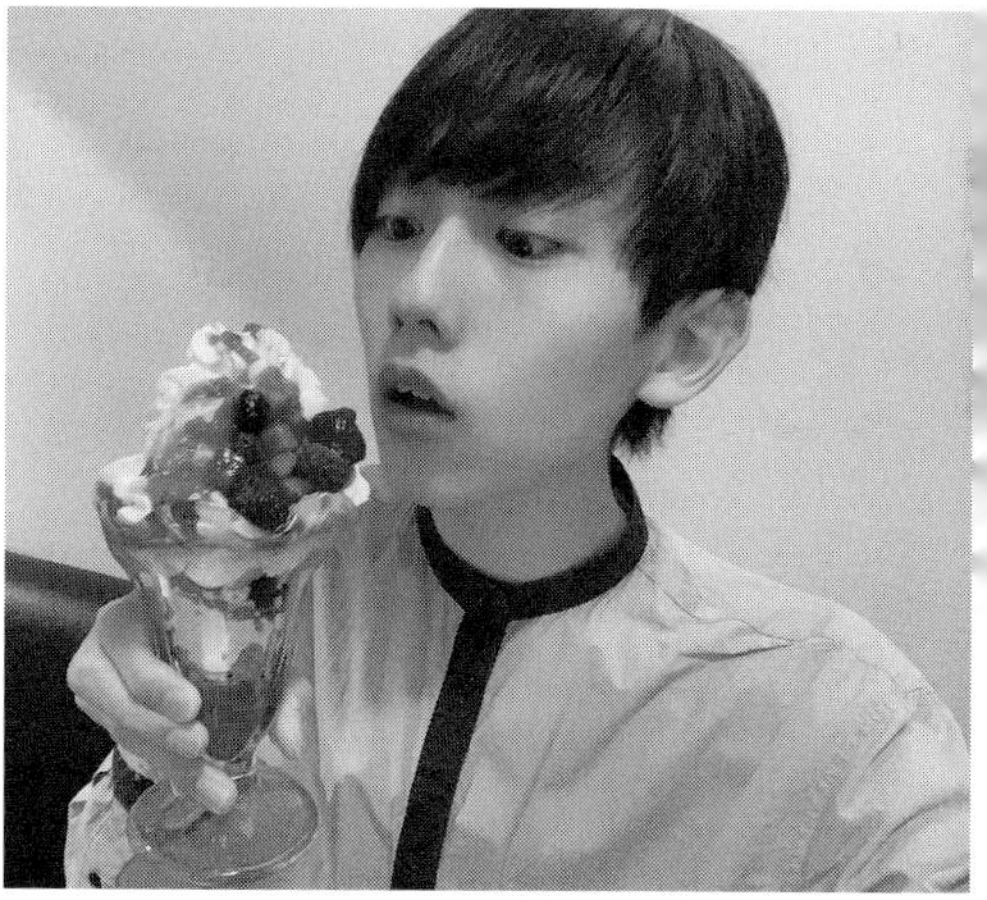

BL作品では、ちぇりまほ『30歳まで童貞だと魔法使いになれるらしい』や、テレビドラマの『おっさんずラブ』ももちろん観てました。BLは学生時代、友達の女の子から勧められて好きになって、そういうものはなかなか世間には受け入れられていないイメージがあったので、『おっさんずラブ』の登場は衝撃でした。『美しい彼』もそうでしたけど、BLのドラマ・映画出演にはとても興味があります。

ただ、YouTubeがいちばん僕の思いが伝わりやすい媒体だと考えているので、俳優やshabondamaの仕事が増えていくなかでも、続けていきたいと思っています。

――みこいすさんの活躍は、ファンにとって本当に嬉しく、またそのことでみこいすさんの「昔の自分」に、今のみこいすさん自身の優しいあたたかい言葉が伝わることを願っています。今日はとてもお忙しいところ、お話をうかがえて嬉しかったです。ありがとうございました！

あこがれの美女の正体は……？

ステファン・グラビンスキ「シャモタ氏の恋人」

（『不気味な物語』国書刊行会所収）

◎絵と文＝さえ

ある日シャモタのもとに、とある人物から手紙が届く。それは一年前に外国に行ってしまった、首都一番の美女と謳われたヤドヴィガからだった。

シャモタは彼女の恋人でもなんでもない。ただ遠くから恋焦がれていただけの自分に逢瀬の手紙が届いたことに疑問を感じながらも、きっとこの想いを感じ取ってくれたんだと喜びの方がまさる。そしてついに彼女に逢える日がやって来て……。

その後も決められた日に屋敷での逢瀬を重ねるが、ヤドヴィガはヴェールで髪を隠すだけでなく目や口元まで隠すことがあり、そのうえ二人で逢えるようになってから一度だって口を利いてくれたことがない。愛する相手を心配するどころか、シャモタは捉えどころの無さに苛立ちを覚え、物理的に彼女を傷つけてしまう。それは本当に愛しているからなのか。彼女を独占しているのは自分なのに不明瞭なことがあるのは許せないという執着からではないか。

さらには、あの有名な美女が帰って来たというのに、町では噂にもならず目撃もされていない。果たしてヤドヴィガは本当にヤドヴィガなのか？

ひとりの女に翻弄される男の末路とはいかに。シャモタをそうまでさせるヤドヴィガはまさにファム・ファタール！……なんてね。

徹底的に「内面」に失望し、肉体の美しさを「発見」する

谷崎潤一郎
痴人の愛

新潮文庫、670円

★ルッキズムが社会の中にある差別や偏見を助長する悪しき風潮であると指摘されるようになって久しい。

ルッキズムとは、外見の美醜に偏った価値基準でそのひとの人間性や能力が判断されてしまう傾向のこと。実際のところ、生まれつきのルックスによって人生の成功度が決定されてしまうような事態は現代でもままあり、もしそれが無意識の差別感情に基づいているものだとすれば、是正されて然るべきだとは思う。

とはいえそれでも美しいものに惹かれてしまうのは、人間として生まれてきた以上、仕方のないことではあろう。いくら近代以降の小説の作者が外見に左右されない人間の「内面」の美しさについて語ってみたところで、その事実は変えられない。谷崎潤一郎の『痴人の愛』は昨今の「内面主義」に反する外見至上主義的な価値観によってひとりの少女に溺れていく男の姿を描いてみせた、悪魔的な作品だ。

小説の語り手である「私」は河合譲治という名の、会社では堅物で通っている独身のサラリーマン。ある日、彼はカフェで女給として働くナオミという少女の美しさに見惚れ、彼女の身柄を引き取って一人前の女性へと育てることを決める。譲治の申し出はわけもなくあっさりと受け入れられ、二人は大森に借りた洋館で友達とも夫婦ともつかない共同生活を始めるのだが、ナオミの奔放すぎる生き方に譲治はすっかり翻弄されてしまい……。

二人で一緒に暮らし始めるまで、譲治がナオミの日本人ばなれした外見とその肉体にしか興味がなかったことは明らかだ。譲治はナオミのことを当時流行していた映画女優になぞらえて「私のメリー・ピクフォード」と呼び、その後もたびたび彼女の容姿や仕草を「西洋人」のそれに喩えてみせる。いっぽうで小説を読んでいくとナオミ自身もまたかなりの「西洋かぶれ」であることがわかるのだが、そこには作品が書かれた当時（大正時代）の平均的日本人がもっていた西洋への屈折した憧れも、もしかしたら込められていたのかもしれない。

だが譲治がナオミの心、すなわち「内面」にまで踏み込んでコントロールしようとしたとき、彼の計画は綻びの気配を見せ始める。英語の勉強ができないからといって帳面ごと破り捨てる、ダンスパーティの会場に居合わせた世間知らずな日本人の女性を猿のようだと嗤う……。いや、こんなものはまだ序の口だ。まるで夏場、畳の上に放置された死体のように、ナオミの「ヤバさ」はじわじわ「私」の内面を浸食していき、そしてついにはそれ単体で別離の要因ともなりうるような決定的な報告がもたらされてしまう。

しかし、それでも――いや、徹底的に「内面」に失望したからこそ、譲治の心はあらためてナオミの肉体の美しさを「発見」するに至る。「ルッキズム」だと笑うなかれ、自分より圧倒的に美しいものの前に跪く快楽も、確かに存在するのだ。（梟木）

 ※価格は税別です

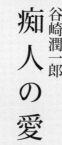

様々な偏愛を通して欲望とイノセンスを炙り出す

坂口安吾

夜長姫と耳男

青空文庫

★身も心も甘く溶かすフェティッシュは、まるでチョコレート。『夜長姫と耳男』はフェティシズムの要素を網羅的に掻き集め、化粧箱に設らえた小さな仕切りに一つずつ並べて物語としてパッケージングした、チョコレートボックス的おとぎ話である。

今日に至るまで、漫画、舞台、アニメとジャンルの枠を超え色褪せることなく焼き直される理由はここにある。種々のフェティシズムが詰め込まれているが故に、時代とニーズに合った切り口から二次創作が多産される。

本頁ではこの作品について、独断と偏見で偏愛の形「〜フィリア」「〜イズム」を見出しながら物語を追ってみたい。チョコレートボックスを開き、整列したカラフルな粒を愛ながら味わうように。一つ一つ異なる味を秘めるそれらは、日常のベールに覆われた甘味な欲望を暴くかもしれない。

仏師の修行をしている大きな耳を持つ耳男は《奇形性愛《ディスモーフォフィリア》》無邪気な明るい笑顔を放つ13歳の夜長姫のために《小児性愛《ペドフィリア》》菩薩を彫ることを命じられる《聖物性愛《ヒエロフィリア》》。残虐な性格の夜長姫は《加虐性愛《サディズム》》美しい奴隷である機織女に命じて耳男の耳を切り落とさせるが《虐被性愛《マゾヒズム》》耳男は夜長姫を恐れながらも《恐怖愛好《フォボフィリア》》彼女のために魂を込めた像を彫る《偶像性愛《ピグマリオニズム》》。耳を失った耳男は《身体欠損性愛《アポテムノフィリア》》蛇を集めては《蛇愛好《オフィディオフィリア》》殺して天井に吊り《動物加虐性愛《ズーサディズム》》生き血を飲んで気力を奮い立たせた《血液性愛《ヘマトフィリア》》。やがて疫病が流行ると死に興味を持った夜長姫は《死性愛《タナトフィリア》》国中に死の呪いをかけるべく大量の蛇を楼に吊る《集合体愛好《トライポフィリア》》という命令を耳男に下す《支配嗜好《ドミナント》》。最初は夜長姫に従った耳男だが《服従嗜好《サブミッシブ》》ついに夜長姫を殺してしまう《殺人性愛《エロトフォノフィリア》》。

こんな風に人間の一挙手一投足に大仰なラベル付けをするのは滑稽だけれど、分析して整理すると見えるものがある。「〜フィリア」は「〜フォビア」に置き換われば、偏愛の対極である恐怖症を表す。自分が当たり前に生きている世界は、他人と共有し得ない。

フェティシズムという語を最初に用いたド・ブロスによれば、語源はアフリカの呪物を指すフェイティソ（魔術・呪符）にある。その後、物神崇拝から転じ今日ではフロイトの論から展開した個人的偏愛の意が広く浸透している。耳男と夜長姫は語源的な意味のフェティシズムの渦中にあるが、2人の間にフロイト的偏愛関係はない。フェティッシュを繋ぐように物語が紡がれているから読者にそれを想起させるのであり、2人が繰り広げるのはあくまでアクロバットな変形ボーイミーツガール。

チョコレートボックスから気まぐれに選んだ一粒で空腹と退屈を紛らすように、虚構の登場人物の真心は、現実との境界線を超えた途端に慰みものになってしまう。逆手にとれば、読者が偏愛を見出した瞬間、炙り出し絵のように欲望とイノセンスの鮮やかなコントラストが生じるのが本書の魅力である。（安永桃瀬）

蒸せ返るほど濃密な美と愛そのものの瞬間を紡ぐ

森茉莉
甘い蜜の部屋
ちくま文庫＝2分冊の電子版あり

★『甘い蜜の部屋』の頁を繰るたびに〝本当に美しいもの〟を形に留める最適な方法は、美の術を名に冠する〝美術〟ではなく、〝小説〟なのではないかと思わせられる。美との邂逅のなか心奪われた〝瞬間そのもの〟を真空保存しておけるのは小説という魔法だけ。美術が美そのものを捕らえ得ないことを暗示するかのように、虚飾を寓意する静物画「ヴァニタス」はラテン語で「空虚」を意味する。絵画は模倣の美をもって鑑賞者の心を動かし、小説は著者の生きた瞬間の美をうつしとる。

そして、愛も美と同じく、瞬間に宿る。

愛も刹那刹那をいつも表面張力でぴったりと満たし続けるものではないだろうか。もしそれが叶うのなら『甘い蜜の部屋』に宿る美は、そっくりそのまま愛の形となる。

本書の主人公は、裕福な家庭で我儘に育った少女藻羅。藻羅は天性の魅力から幾つもの恋心を引き寄せるが、彼女が心を開くのは父親との絶対的な愛の前だけ。作品の背景に作者森茉莉と父森鴎外の関係があることは論を俟たないが、本書の肝要は2人の関係性ではなく独特の文体にある。頁に連なる言葉には、物語を語るための言葉とも美文を紡ぐ優雅とも違う、茉莉が世界を認識するためにしたためたような切実さがある。一毫の余白も許さず全てを美で埋め尽くすかのような強迫観念的な筆致には、カンバスを油絵具で重く塗り潰したヴァニタスのような死の匂いすら漂う。

誰もに平等に立ち現れる現実などなく、世界とは当人の見ている景色、感じる手触りそのもの。蒸せ返るほど濃密な美によって紡がれた風景が本書に閉じ込められている。文字を追うごとに美しいものを目前にするよりも真に迫るありようで、美という瞬間に呑みこまれていく。華美なレトリックを真珠のネックレスのように繋いでみせる文章は、ときに虚飾のようであり、あまりの糖度の高さに食傷気味にも感じられるが、ここに繰り広げられるのは絢爛優美な世界を描こうとして生み出された物語ではなく、茉莉が切り開いた世界そのもの。

『甘い蜜の部屋』は、美と愛を描いた〝物語〟ではなく、まだ何も知らない少女のようなまっさらな瞳で目の前の景色をまっすぐ見つめ、伸ばした指先に触れたものだけで慎重に誠実に世界をスケッチした、美と愛そのものの瞬間を留める〝小説〟だ。スケッチのパースがデッサンが、茉莉の内面における特有の物理法則に依っている。それはアレゴリーとしてのヴァニタスではなく、直截的に生きられるデカダンである。

喉が焼けるほど甘くねっとりとした濃厚な蜜を飲み、外界と内側をつなぐ気道を封じて窒息するように、現実を絶した場所に生じる超現実的な絶対的自由のなかでは、蠱惑的な藻羅の存在は耽美でも陶酔でもなくただただ切実なリアル。甘い蜜に溺れるかのような現実は、茉莉自身の生きた瞬間。ヴァニタスをも超克する茉莉の過激で過剰な少女性によって天地創造されたこの世界を、ガーリーコアと呼んでみたい。(安永桃瀬)

人形に理想の存在の〈復活〉を願う

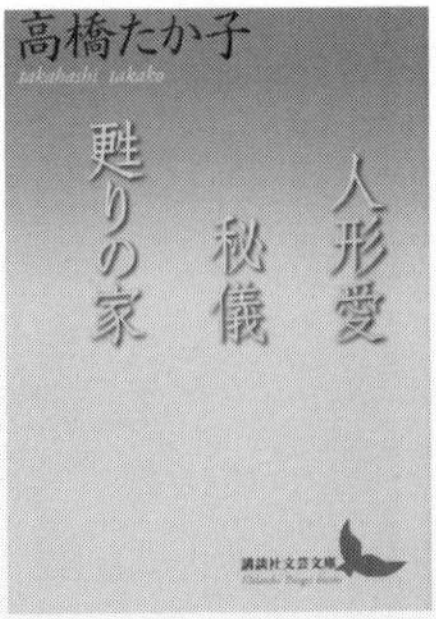

高橋たか子
人形愛

『人形愛／秘儀／甦りの家』（講談社文芸文庫）所収＝電子版あり

★短編「人形愛」は、『群像』昭和五十一年七月号に発表。のちに『人形愛』（講談社、昭和五十三年九月）に収録。

本作についておもいだされることは、昔、恩師の一人である上総英郎が講義中に、「高橋さんの「人形愛」に託されているのは、（高橋）和巳の〈復活〉でしょう」とコメントしたこと。いまひとつは星新一が『きまぐれ読書メモ』（有楽出版社、一九八一年）のなかで「人形愛」をとりあげ、不思議な読後感を印象としてあげていたことだ。星新一の感想は、手法として採用された夢幻的な構造から導かれたものだろう。

高橋たか子は、内向の世代のひとりとして、いわれのない不安を幻想的に描いた「彼方の水音」「骨の城」を皮切りに、人間の〈悪〉を直視し、その営みを明晰に綴った「誘惑者」「没落風景」といった作品群を生み出し、ほどなく受洗。以降は、文学と宗教をめぐる葛藤を知的に描き続けた。遠藤周作と同じく、フランスのカトリック作家、モーリアック「テレーズ・デスケレウ」の決定的な影響をうけ、第一次戦後派を基点に文学的出発を告げている。

亡き夫や恋人の影を人形・玉男に託した、孤独な中年女性の彷徨を描いた「人形愛」は、官能性の底に眠る超越的な志向をとらえ、夢幻的な処理を施した理想の他者を求めた物語でもある。

この他者はかつて愛した夫でもあり、同時に、個を離れた、未だ出会うことがない絶対的な存在ともいえる、理想的な〈美〉を投影したなにかである。ゆえに、あらゆるものの器となりうる、ヒトガタ・人形が、主要な素材とされている。「人形愛」の「私」は、エロティシズムの底に眠る神秘的なものに働きかけ、覚醒を待っているようにもみえる。そう、「人形愛」はなにかを待ち望む物語でもある。

さて、上総英郎が〈復活〉と表現したものはなにか。キリスト教で規定される〈復活〉ならば、信徒ではない私は語る手段をもたない。だが、シンプルに死者との再会を意味しているともとれる。現実世界ではかなえることができないが、この世ならぬ論理に支配された場であれば、亡き伴侶・高橋和巳と再びめぐりあうことができるかもしれないのだ。

「人形愛」には、理想化された異性愛の背後に、作家の個人的な欲望があるようにも感じられる。高橋たか子は神との関係性を異性愛にたとえることがあるが、こと「人形愛」の作品世界には、このような私小説的な読み取りを可能とするものが、色濃く内包されているようだ。

遠藤周作が主張した「母なるキリスト」が、自らの実母への執着を投影しているとも捉えられるように、異性愛の延長線上に絶対的存在を見いだす高橋たか子という作家は、どこまでも個であることにこだわり、それゆえの孤独を引き受けた生をおくったようにも感じられる。

いずれにせよ、「人形愛」は、短編ではあるが、〈理想美〉を通じて初期作品と受洗後の世界をつなぐ架け橋的な作品である。（黒田誠）

美しい者が、孤独で異端者であるのは必然

菊地秀行
城の少年

マイクロマガジン社、1600円

★菊地秀行を「耽美と抒情の作家」だと言っら、いったいどれくらいの人が同意してくださるでしょうか。

『城の少年』を読んでいない人ならば首を傾げるかもしれない。けれど、『城の少年』を一読以上された方ならば、あるいは。

二〇二〇年に絵本という体裁で発刊された『城の少年』は、おそらく既に少なからぬ人から言及されていると思われますが、絵も物語も詩情にあふれた美しい作品です。

あらすじを詳細に語るのは野暮というものでしょうから、かいつまんで述べるにとどめますが、近隣の人々に忌まれる城に独り暮らしていた少年が、ロマの少女と出会うことで心身ともに変化を迎える。そして——というもので、つまりは孤独な魂同士の邂逅と成就の物語です。もっと端的に言えば、異端者の恋。

孤独、また異端というものは、現実社会においては忌まれるものですが、物語の世界においては、むしろ俄に輝きだす傾向を持ちます。殊に美に耽る類の物語においてはまず、魂は世俗に馴染み埋もれてはなりません。世俗的であればあるほど「美」からは遠ざかってしまうのですから。隔離され、世俗の塵や垢に染まず、純粋であり続けなければならないのです。美しい者が孤独であり、異端者であるのは必然と言えるでしょう。

『城の少年』の主人公である少年は、異端者集団の中においてすら異端でした。つまり、彼が美しい存在であることは、その置かれた状況からも明白です。

そして、訪問者である別の美しい異端との出会いによって変貌を促されます。物語は、美を凍りついた美のままには放置せず、しかし、やはり彼らは美しいと歌い上げます。少年がどのように変貌し、どのような結末を得るのかは、ぜひご自身の目で確かめていただきたく思います。

ところで、もしあなたが菊地秀行作品の愛読者ならば、この絵本の背景の中に見慣れた旅人の姿を見出すのではないでしょうか。四十年来、氏が書き続けてきた美貌の吸血鬼ハンターを。

そう、本作は、氏の代表作の一つである『吸血鬼ハンター"D"』シリーズの外伝でもあるのです。

『D』を筆頭に、『魔界都市ブルース』シリーズの秋せつら、『魔界医師メフィスト』シリーズのドクター・メフィスト。いずれも人の運命を狂わせかねないほどの美貌の「男性」を氏は書き続けています。一見醜怪で猥雑な世界を切り裂いて、彼らの美は一層冴え冴えと輝きます。

暴力や醜さの渦は人を超えた美を称えるため。哀切を一層際立たせるため。氏は常に美と抒情を編み続けてきたのです。

そして暴力や醜さの要素を排除し、純粋な孤独と、恋と、成就のみをつづった『城の少年』は、菊地秀行作品の美と抒情の精髄なのです。（壱岐津礼）

「フツウ」でなくても自分たちの体現するものこそが美

キャサリン・ダン
異形の愛

柳下毅一郎訳、河出書房新社＝電子版あり

★パパは愛情あふれる天才だった。だって、子どものわたしたちに「自分自身だってだけでお金を稼ぐ能力」を授けてくれたのだから……。パパは〈ビネウスキの奇天烈カーニバル〉の団長。ママは元空中ぶらんこ乗り。落下事故の後は、生きたメンドリを喰いちぎって血を啜る獣人《ギーク》となった……。

カート・コバーンやコートニー・ラヴといった薄汚れた《グランジ》はぐれものロックスターが愛読した本書は、まずもって、ユードラ・ウェルティ「キーラ、インディアンの父無し娘」（原著一九四〇年、拙訳、「ナイトランド・クォータリー」Vol.28所収）やウィリアム・リンゼイ・グレシャム『ナイトメア・アリー』（原著一九四六年、柳下毅一郎訳、ハヤカワ・ミステリ文庫）といった獣人《ギーク》小説の系譜に連なる。ウェルティは黒いユーモアで、疎外された存在が獣人《ギーク》たらしめられる皮肉をこれでもかと描きぬいた。グレシャムは陰影豊かな構成と文体で、サーカスの最底辺たる獣人《ギーク》に、人間の栄光と転落を重ね合わせた。

原著が一九八九年刊行の『異形の愛』は、これら先行作の文脈を押さえながら、さらに踏み込んだ風景を読者に披露する。語り手の両親は、放射線やヒ素（！）を駆使し、子どもたちをあえて「フツウ」とはかけ離れた形にデザインしたのだ。長男は、両手足がヒレ状となったアザラシのごとき姿。長女・次女は下半身を共有するシャム双生児。語り手の三女はアルビノで小人症。次男は、念動力《テレキネシス》の使い手として生まれた。あたかも知的設計論《インテリジェント・デザイン》のパロディのようだが、かように多様な子どもたちの個性は、シオドア・スタージョンのミュータントSF『人間以上』（原著一九五三年、矢野徹訳、ハヤカワ文庫SFほか）をふまえているのだろう。

異貌や異能は、掛け値なしの贈り物《ギフト》。もはや彼らは、自分たちが「フツウ」からかけ離れているとうじうじ悩むことはない。それどころか、自分たちの体現するものこそが美であり「フツウ」こそがおかしいと、確信して揺るがないのだ。ここからは、トッド・ブラウニング監督による不朽の名作『フリークス』（一九三二年）の残響が聞こえよう。複雑な構造の物語はこの地平からこそ紡がれている。『フリークス』では自分たちを馬鹿にし都合よく利用せんとする「フツウ」に一致団結して立ち向かうことで、擬似家族ともいうべき絆が強調された。本書ではそうするまでもなく、自分たちが家族であることはまったく当たり前。ゆえに、序盤のアザラシ少年の託宣からの話の広がり、中盤の新聞マイクロフィルムのコラージュといったモダニズム的技巧、あるいは終盤のシャム双子の妊娠・出産より繋がる「豚のしっぽ」の逸話や語り手の告白を総合して捉えれば——核家族という社会の最小単位を冠した章に始まる本書からは、ジェイムズ・ジョイス『ユリシーズ』（一九二二年）やG・ガルシア＝マルケス『百年の孤独』（一九六七年）に代表される「フツウ」な現代文学の前衛のタメを張ろうというストレートな反骨精神が窺い知れるのだ。（岡和田晃）

魔の山で艶めかしい女神像の化身に魅入られる青年

大理石像

ヨーゼフ・フォン・アイヒェンドルフ

今泉文子訳、ちくま文庫『ドイツ幻想小説傑作選　ロマン派の森から』所収

★歌声で若者を二度と戻れぬ魔の山に誘い込む、不思議な吟遊詩人に用心せよ――イタリア中部・トスカーナ地方の都市ルッカ。この地を訪れた〝花〟を含意する名を持つ青年フローリオは、まもなく当の吟遊詩人だと判明する〝運命〟を彷彿させる名の男フォルトゥナートから警告を受ける。「魔の山」とは、後にトーマス・マン『魔の山（Der Zauberberg）』（一九二四年）の表題に採られたともされる造語なのだが、女神ウェヌス（ヴィーナス）の美しさを見て取るに相応しい精神の高みを意味すると同時に、フローリオが迷い込んで目にした水際の石の台座に立つ大理石の女神像のある場所をも意味している。あたかも生命を持つかのように眩惑的かつ艶めかしい肢体をもった女神像に、フローリオは魅入られてしまう。そして翌日の晩、その像に瓜二つの長い巻毛の金髪美女が、空色の外衣をまとい同じ場所でリュートを弾いていたのだった……。

リヒャルト・ワーグナーの楽劇『タンホイザー』（一八四五年初演）にも採られたタンホイザー伝説で語られる、ウェヌスの官能。昏い北方のドイツにはないイタリアならではの南方的な暖かさをもって――随所に歌を散りばめながら――アイヒェンドルフはそれを語り直すのだ。そこに死者のごとき騎士ドナーティや、少年に扮してまでフローリオを追いかける清純な乙女ビアンカといった登場人物が絡んでくる。役割分担は明確ながら、童話《メルヒェン》ではなく近代小説のリアリズムのなかに幻想性が溶かし込まれ、そこまで図式的な印象は受けない。月光の女性性、無原罪の楽園と背反するかのような異教的なエロスが見事に融合する。本作は一八一七年に書き上げられ、二年後にフケーの雑誌「婦人手帖」に掲載されたが、女神像に恋したキプロス王ピグマリオンの伝承とルッカに伝わる幽霊伝説が自然に撚り合わされているのだ。

だが、なぜウェヌスそのものではなく、女神の美が大理石像に仮託されるのか。そこには美学的な伝統がある。今日の人間の肉体において美は統一的な形では体現されないが、古代ギリシア彫刻においては、全体性を備える完全なフォルムとしてすでに表現されていた――ヴィンケルマンは『ギリシア芸術模倣論』（一七五五年）でそう書いた。古代ギリシアの芸術家は大理石像の制作を通して、人間の規範となるべき肉体美のみならず、魂の偉大さをも形象化した。ルネッサンスは古代の模倣によって人間を再生させたというのだ。こうした芸術観は、ドイツ古典主義を基礎づけるもので、レッシングは『ラオコオン』（一七六六年）で、そこから彫刻と絵画、文学という芸術ジャンルの枠組みを再考した。ヴァッケンローダーは、『芸術を愛する一修道僧の真情の披瀝』（一七九七年）で、古典性への憧れを神性への信仰と習合させ、初期ロマン主義の美学を明示的に記した。本作はそうした文脈を起源にまで遡行しつつ洗練させた代表作なのである。（岡和田晃）

今における美少女キャラクターの状況を予見

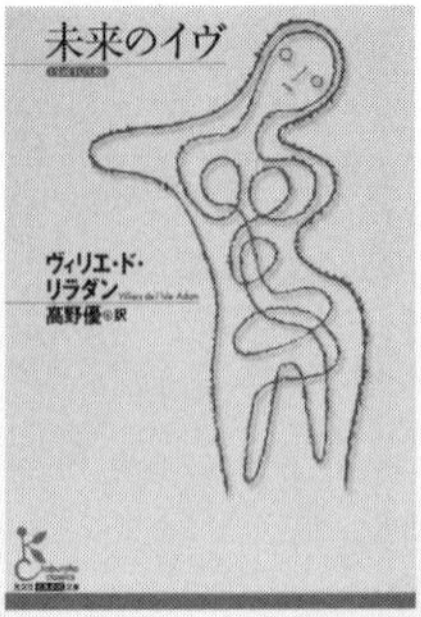

ヴィリエ・ド・リラダン
未来のイヴ

高野優訳、光文社古典新訳文庫、1800円

★近年、SNSなどで二次元の女性キャラクターを使用した広告やイラストが（多くはフェミニストを自称するネット上の女性たちによって）たびたび「炎上」の標的にされているのを目にする。具体的なケースについて取り上げ始めるときりがないため詳述は控えるが、そのたびにやれ「性的消費」だ、やれ「ツイフェミ」だと醜いレッテルを押しつけあう様子に辟易したという読者も少なくないだろう。

それにしてもなぜ、人間とちがって「自我」や「魂」をもたないはずの女性キャラクターのイラストがそこまで問題視されるのか。逆説的な言い方になるが、それはまさにそれらのキャラクターが「女性」であるにも関わらず「自我」も「魂」ももたないからだろう。外見は美しい女の姿をしていながら「女性」としての内面を抜き取られ、男性向けにカスタマイズされた表情や仕草を見せる美少女キャラクターは、なるほどかなり冒涜的というか、フェミニズムの理念に反するであろうものを感じる。

だがそれを十九世紀にもっとも理想的な女性像として描き、しかも現代まで「名作」として読み継がれている作品があるといったら、あるいは驚かれるだろうか。ほかでもない、フランスのリラダン伯爵によるSFアンドロイド小説の古典『未来のイヴ』である。

物語は、アメリカのニュージャージー州にあるエジソン博士の邸宅にイギリス人青年貴族のエウォルドが現れ、苦しい胸の内を告白する場面から始まる。彼の恋人であるアリシアは女性の「美」を体現した完璧な容姿と歌声の持ち主だがその性格は打算的かつ世俗的で、エウォルドは彼女の「肉体と魂の乖離」に悩まされていた。その話を聞いたエジソンは、エウォルドに奇妙な提案を持ちかける。なんと美貌も歌声もアリシアそっくりでありながら「魂」だけを綺麗に取り除いた人造美女のハダリーを、彼のために作って提供しようというのだが……。

以上のあらすじからも十分に察せられるように、本作におけるリラダンの女性嫌悪は根深い。エウォルドは「悪人ですらなく、凡庸」というだけでひたすらに恋人のことを扱き下ろすし、エジソンはエジソンで「女性に自我があると？」などとびっくりするようなことを言い出す。要するに、現代ではなんとも「扱いに困る」タイプの作品なのだが、その偏った女性観によって二一世紀における美少女キャラクターの状況をある程度予見していたこともまた事実なのだ。

それだけではない。ハダリーが純粋な科学の限界を超えた存在であったように、本作にはもうひとり千里眼やテレパシーを使って人造美女の完成をサポートする不思議な女性（アンダーソン夫人）が登場している。おそらく作者はあえてオカルティズムを導入することで科学だけでは説明しきれない部分を作品に残そうとしたと思しいが、家族を失った痛みから〈ソワナ〉としての別人格に目覚め、眠りながら超能力を駆使する彼女の姿はまるで現代のマーベル・ヒロインのようだ。未来に女性が到達すべきもうひとつの可能性を、もしかしたらリラダンは示していたのかもしれない。（梟木）

美と可愛さ満載で、尊すぎてぜんぶ読めない

神木隆之介
おもて神木／うら神木

アミューズ 2727円

★正直に言います。ぜんぶ見れてません。二分冊になっていて、一冊目の『おもて神木』すら。

こんな尊いもの、全部読めるわけねえじゃねえか。言っとくけど私は、二冊目の写真集『サンセリテ』だってまだぜんぶのページ、付属のDVDだってみれてないんだ。一冊目の写真集『ぼくのぼうけん』はかなりまえに読み切っていたから、それは何十回、何百回と読み返しております。平成版『妖怪大戦争』公開当時発売だから、その頃の、12歳の神木くんの可愛すぎる姿が一冊にまとめられてるこの世界の貴重な宝なのです。

そして今回のアニバーサリーブック。芸能生活二十五周年を記念した『おもて神木／うら神木』は、現在の神木くんの、青空をみつめる写真から始まる。そして笑顔で、こっちに手を差し伸べる。もう可愛すぎて死ぬじゃないですか。そして一九九五年、二歳からの出演作やそのときの写真などが一年ずつ、怒濤のように繰り広げられていくんだ。

もう一回言うけど、こんなもんぜんぶ読めるわけねえよ。

たとえば中島らもが、自身の原作なのに、映画『お父さんのバックドロップ』の試写を観て主演の神木くんを「この子は天使や」と涙した二〇〇四年前後。ドラマ『沈まない骨』主演シーンの、まさに天使のような世界を救うほほえみ。かとおもえば隣の『爆竜戦隊アバレンジャー36話』では、両手を膝に組んで、ポツンとさみしげに座っているたたずまい。どちらもいとおしさが爆発しますね。

あと二〇一一年前後もすごい。ドラマ『11人もいる!』で、私が神木くんの魅力にメロメロになりだしたころだ。ドラマ『SPEC』、ドラマ『家族ゲーム』平成版もこの前後で演ってる。

凛々しさと儚さ。天使と小悪魔。真面目さと狂気。この二十五年、作品のなかやバラエティ番組、自身のYouTubeで、さまざまな顔をみせてくれた。ほんとうに、生まれてきてくれてありがとう、生きていてくれて本当にありがとうと言いたい。『リュウチューブ』、さいきん更新がなくてさびしいですが、生配信毎週やってくれてた時期とかはそれはそれでこっちの胸にきてしぬからむずかしいところだ。そんななか今日まで成長を重ね、魅力をさらにさらに増すばかりの神木隆之介は、人間国宝・世界遺産に指定すべきだとおもう。

美と可愛さの化身・神木隆之介の、芸歴二十五周年にあたってのこれまでがつまった本。しかもこの発行が二〇二〇年だから、このあともまだまだ進化してくれてるのだ。映画『妖怪大戦争ガーディアンズ』、『ホリック xxxHOLiC』もこの後の作品だ。あの『妖怪大戦争ガーディアンズ』ラストのすごさったら。そしてNHK朝ドラ、『らんまん』である。「これから勝負の一年が始まるという気持ちです」ってインタビューで答えてて、もう十分すぎるのに。

そして『おもて神木』に触れるのが精一杯すぎて、『うら神木』には触れることすらできずスミマセン。（日原雄一）

彼女が愛したのは、社会が作り上げた〝美〟だった

★韓国といえば〝超〟がつくほどの美容大国であり、同時に外見至上的な価値観の強い国として知られる。テレビに映る韓流アイドルの整いすぎた顔立ちに違和感を覚えた経験をもつ読者は少なくないはずだが、少しでも他人より美しくありたい、そのためなら整形も厭わないという画一化された〝美〟への憧れは韓国社会全体で広く共有されており、それが美容産業を押し上げると同時に、ルッキズムの風潮を生み出す原因にもなっている。二〇二一年に日本でも公開されたチョ・ギョンフン監督によるアニメ『整形水』は、そんな韓国社会の状況を照射したサイコホラー作品だ。

整形水

チョ・ギョンフン監督

物語の主人公はイェジという名の、芸能事務所で人気タレントのメイクを担当している女性。彼女は幼い頃から外見のコンプレックスに悩まされ、自分に自信をもつことができないでいた。そんなある日、イェジのもとに巷で噂になっている〝整形水〟が送られてくる。顔に浸すだけで自由自在に容姿を変えることができ、後遺症も副作用もないという整形水の魔力に、イェジはすっかり夢中になってしまうのだが……。

原作は韓国のウェブコミック『奇々怪々』に収められているホラー・オムニバスの一編。もともと『奇々怪々』そのものが日本の『世にも奇妙な物語』やアメリカの『トワイライト・ゾーン』を意識して作られたというだけあって、本作もまた設定から『世にも奇妙な』テイストを強く感じさせる作品になっている（そのためか「なんとなく結末が予想できる」という理由で視聴を回避する層も、日本版公開時には残念ながら見受けられた）。だが監督はウェブコミックの原作を九〇分尺のＣＧアニメとして生まれ変わらせるにあたって、主人公の性格や変身願望をより身近で説得力のあるものとして伝わるように具体化。さらに物語の終盤ではアニメでしか表現できない驚愕の展開を用意し、『世にも奇妙な』テイストに慣れた日本の視聴者にもしっかりと〝刺さる〟作品になった。

興味深いのは、主人公のイェジが必ずしも「外見は醜いが、内面は美しい」というテンプレートに沿って描かれていないことだ。彼女が自分でも嫌いになるほど太っていたのは明らかに彼女自身の不規則な生活が原因だったし、整形水を使うようになってからも、その理想的なプロポーションを自らの努力によって維持しようとはしない。そもそも彼女がトラウマとして語る「小さい頃、醜い容姿のせいでバレエのコンクールで一位を取れなかった」という記憶だって本当に外見でジャッジされたという客観的な証拠はなく（二位は取れたのだから）、本編でイェジが辿ることになる結末が悲劇かそれとも自業自得によるものかは、あくまで視聴者の判断に委ねられる。

「本当はただ愛されたかっただけ」と、物語のある時点でイェジは自らの行いを振り返って語る。結局のところ、彼女が愛したのは社会が作り上げた〝美〟という概念そのものであり、自分自身ではなかったのだろう。そのことに気付くのが遅れた代償として彼女が支払うことになったものは、あまりにも大きすぎたかもしれないが……。（梟木）

白人による、黒人の肌の色への歪な偏愛

ジョーダン・ピール監督
ゲット・アウト

★アメリカに住む黒人（アフリカ系アメリカ人）たちが過酷な差別に苦しめられてきた時代も今は昔。ブラック・ライヴズ・マターの風が吹き荒れ、黒人に対する暴力や差別の撤廃が叫ばれる昨今である。もちろんそれで世界中の差別がすべてなくなると考えるほど、筆者の頭もお花畑ではない。しかしそれでも黒人の権利について声を上げることが世間的にタブー視されにくくなってきたことは確かだろう。

そうした潮流をいち早く作品づくりに反映させてきたのが、二〇一〇年代後半以降の映画だ。白人のガールフレンドの家を訪れた黒人の青年が遭遇する恐怖を描く本作『ゲット・アウト』（二〇一七年）を皮切りに、自分たちと瓜二つの姿をした集団に襲われる黒人一家の惨劇を描いた『アス』（二〇一九年）、さらには黒人警官によるクー・クラックス・クランへの潜入捜査という衝撃の実話を映画化した『ブラック・クランズマン』（二〇一八年）など、黒人を主人公にした社会批判色の強い作品が矢継ぎ早に公開されており、それぞれが高い評価を獲得している。そして二〇一八年にはアメコミを原作とした黒人ヒーロー映画『ブラックパンサー』が公開され、これも歴代のスーパーヒーロー映画の記録を塗り替えるほどのヒットとなった。黒人はもはやスクリーンの中の脇役などではなく、立派な「ヒーロー」だ。

「黒人はカッコいい」。「黒人たちが差別される歴史の中で育んできた黒人文化は最高にクール」。だがそのような急速な価値転換には、当事者の戸惑いとともに、どこか不自然な印象も付き纏う。『ゲット・アウト』の監督を務めたジョーダン・ピールは作品が公開された二〇一七年の時点で、そのことをすでに察知していたのかもしれない。

『ゲット・アウト』で白人のガールフレンドの家を訪れた黒人青年のクリス（ダニエル・カルーヤ）が体験することになる恐怖とはいかなるものか。残念ながらそれをネタバラシするのはマナー違反だし、初見の価値を大きく下げてしまう結果になるだろう。だがクリスが遭遇するのは、間違いなく二〇一〇年代の間に黒人たちが味わうことになった恐怖と同質のものだ。クリスは自らの外見（肌の色）が原因で白人の一家から蔑まれていると思い込むが、じつはもっと偏執的な欲望の対象とされていたことを知る。そこで描かれているのはSNSのトレンドのように反転する自らの外見に対する評価への恐怖であり、結局のところは外見（肌の色）でしか見られていないという無意識の差別に対する絶望そのものだ。

それでも黒人の外見を純粋な「美しさ」として捉え、白人による差別の根源として描いてみせた本作には、ありきたりなブラックユーモア以上の価値がある。黒人の外見的な評価に対するアンビヴァレントな感情とその肌の色への歪な偏愛から生まれた、変化球な「愛」の物語だ。（梟木）

神聖にして究極のエロティシズムへ
——谷崎潤一郎『少将滋幹の母』をめぐって

◎文＝藤元登四郎（作家、精神科医）

谷崎潤一郎（一八八六〜一九六五年）が『少将滋幹《しげもと》の母』を上梓したのは六四歳の時であった（一九五〇年）。本書では、美女をめぐるエロティシズムが、世俗的世界（社会的慣習で縛られた世界）に対する侵犯として描かれている。四人の主要人物が登場し、女たらし、権力者、老人そして滋幹。バタイユによれば、エロティシズムには肉体、心情、神聖さという三つの形式があるというが、主要人物のあり方はまさしくそれらに対応する。

小説の流れを確認しつつ、精神医学的に彼らのエロティシズムのあり方と変遷を分析したい。

平中《へいじゅう》、女たらし
＝肉体のエロティシズム

王朝時代、桓武天皇の孫の茂世王《もちよ》の孫にあたる、平中と呼ばれる有名な色好みがいた。美人とみれば、人妻、娘、宮仕人《みやづかえびと》など手当たり次第に手を付けた。

女たらしの特徴は王朝時代も江戸時代も同じで、一度関係した女のことには後までこだわらないことである。その種の快楽はスポーツ的で、女が夫や監視の目をかすめて、危うい瀬戸を渡って密会するところに宿る。

★谷崎潤一郎『少将滋幹の母』（中央文庫）
装画は小倉遊亀（新聞連載時のもの）

平中はある女のところに行って思いを打ち明け、泣く真似をした。涙が出ないので硯の水さしの水で眼をぬらした。女もさるもの、水さしの中に墨を入れていたので、平中の顔が墨だらけになった。肉体のエロティシズムは笑いに通じるからだ。

左大臣　藤原時平
＝権力者、心情のエロティシズム

右大臣の菅原道真を追い落とした人である。道真の怒りが大きいほどに、時平の歓びも深まっただろう。すべての権力を握った時、時平は権力の快楽に酔いしれただろう。これは心情のエロティシズムであり、若い男前の時平が次に美女を求めたのは当然である。

彼は伯父の大納言の北の方が世にもまれなる美人であるという噂を耳にした。そこで平中に北の方のことを訊ねた。「あの北の方は並びのない器量のお人で、年は二十歳ばかり」

時平は北の方に接近しようと、大納言のご機嫌うかがいに高価な贈り物を送り続けた。さらなる心情のエロティシズムを獲得しようとしたわけである。

大納言　藤原国経《くにつね》
＝老人、心情のエロティシズム

大納言は齢八十歳に近かったが精力絶倫、北の方に男子を産ませたくらいだった。大納言は北の方を夜ごと愛した。しかし次第に体力が落ちてくるにつれて、耳も遠くなり夫婦の会話もほとんどなくなった。同時に愛し方も執拗になっていった。冬の夜は妻に一晩中骸骨のように痩せた身体をぴったりとくっつけて寝た。なるべく燈火を明るくして彼女の美貌に眺め入った。

北の方はこの老人の歪んだ指で愛撫されるのを感じながら目をつぶっていた。大納言は妻の犠牲の上に自分の幸福があることがわかっていた。従順に従っている妻の顔が神秘的で謎に満ちて見えてきた。次第にこの稀なる美女を誰かに見せびらかして、自慢したい欲望を抑えきれなくなった。これもまた心情のエロティシズムである。

時平と大納言 ＝心情のエロティシズムの交差

大納言は時平の腹の底はつゆ知らず、その贈り物と甘言に感激した。時平を自宅に招いて酒宴を開いた。大納言はぐでんぐでんに酔っぱらった。その挙句、北の方その人を時平に引き出物として贈ってしまった。これは最高の見せびらかしで、心情のエロティシズムの体現だ。

時平は狂喜した。すぐ御簾を開いて「大輪の花のような」北の方の方に近寄った。この時、時平は美女を手に入れると同時に、暴力と侵犯の心情のエロティシズムに酔いしれたことだろう。

その後の大納言 ＝心情のエロティシズムの解体

一方、平中も女たらしの意地を見せた。北の方が時平の車に乗せられたとき、どさくさに紛れてその袖の下に走り書きの恋歌を押し込んだ。

大納言は墓に行き、死体を掘り出し腐乱した死体を見る不浄観《ふじょうかん》の修行をした。北の方を一個の死体と観じて、未練を克服しようとしたのである。だが北の方の幻と死体との断層を前にして、その心情のエロティシズムは極限に達して解体し、大納言は錯乱した。大納言は忘我の悦楽、エクスタシーにふけったと言えるだろう。

少将滋幹の母 ＝神聖なエロティシズム

滋幹は大納言と北の方の間の子供だった。母が大納言の屋敷に去ってから会うことは禁じられ、母にとらわれている父の姿を目の当たりにした。それらの出来事は滋幹の心的外傷《トラウマ》となった。滋幹は美神となった母にとりつかれ、他の女を愛することができなくなったのではないだろうか。

時平の一門は道真の祟りにあって次々と死んでいった。滋幹の母は時平との子どもも亡くなった後出家した。京都の西坂本、一条寺のあたりにある庵に住んだ。滋幹は浮世の義理や掟から解放されて母の庵へ訪ねて行った。桜の満開の黄昏時、光が移ろうはかない一瞬、永遠なる母は夕桜の美の妖精のように立っていた。滋幹は母に駆け寄った。「お母さま！」と。

その時滋幹は六七歳、母は八〇歳後半だった。滋幹は子どものように母のたもとで涙をぬぐった。滋幹にとって年齢もこの世のしがらみもすべて消え、母をめぐる様々な事件もまた幻となった。これはフェイディング（手がかりや刺激を少しずつ取り去ること）であり、忘我、すなわちエクスタシーの境地が残る。世俗的世界のしがらみから開放され、永遠なる美としての母が象徴するエディプス・コンプレックス幻想（父に成り代わって母と合一する幻想）へと身を投げること。これが神聖なエロティシズムである。この小説はここに帰着する。

この作品の世界は現代の資本主義社会の厳格な倫理や抑圧を逃れて、孤島のように浮かんでいる。世間の論理では「精神異常者」とレッテルを貼られかねない人々が過剰なほどに偏執的な言葉で描き出されている。

女たらしの肉体、力に任せて侵犯する権力者の心情、心情が解体された老人の忘我、そして母を女神のように敬い憧れ、年老いてもなお子どものように縋り付く滋幹の神聖さ。これら、美を求めることによって導き出されたエロティシズムは、他人の快楽を隙間からのぞき見するかのように倒錯的な興奮を読者に与える。それこそが、ロラン・バルトの言うテクストの快楽で、究極のエロティシズムはテクストの中にこそ宿る。『少将滋幹の母』はそのことを伝えてくれるのだ。

【主要参考文献】
ジョルジュ・バタイユ著、澁澤龍彦訳『エロティシズム』二見書房、一九七三
ロラン・バルト著、沢崎浩平訳『テクストの快楽』みすず書房、一九七七

★谷崎潤一郎が京都曼殊院に寄贈した鐘。谷崎は少将滋幹が母と再会したのは曼殊院のあたりとしている。谷崎は母親の法会を曼殊院で営んでいたという。（撮影：筆者）

美の女神への供物
——フローベール『サラムボー』を中心に

●文＝宮野由梨香（評論家・人類史研究家）

★ジャン＝アントワーヌ＝マリー・イドラック『サラムボー』(1882年)

美とは天上のものである。この世のものでは決してない。利害も規範も時間も空間もぶっ飛ばすのが「美」だ。これに対して「何言っているの?」と思うのなら、あなたはいまだ美と出会ったことのない幸運な人なのだ。

フローベールの第二長編『サラムボー』は、この美が人間の女性の上に実現しているのを見てしまった男の悲劇を描いている。

○

一八六二年に発表された『サラムボー』は、ファム・ファタル文学の先駆けとなった作品として知られている。『ボヴァリー夫人』の次に書かれた歴史小説であり、第一次ポエニ戦争後の古代カルタゴを舞台としている。当時の著名な文化人の多くに高く評価され、絵や彫刻のテーマに取り上げられるなど、文化的な影響力も大きかった。

サラムボーとは、古代カルタゴの言葉でヴィーナスのことだという(1)。この名を持つヒロイン・サラムボーは、カルタゴを守護する女神タニットに仕える巫女で、浮世離れした美しさを持っていた。

彼女はカルタゴの統領の一人、ハミルカルの娘である(2)。いずれは政略結婚の道具にという父の思惑のもと、女奴隷と宦官の神官に傅《かしず》かれて育った。

初登場時、ハミルカル邸での宴会で傭兵たちの前に現れた彼女は、邸宅の池に住まう神聖な魚の名を呼び、守り神の黒い蛇を従え、小さな黒檀の竪琴を奏でながら、神官や祭司にしか解せぬ古語で神話を語り歌う。

傭兵の分隊長の一人に、マトーという男がいた。彼はサラムボーから目が離せなくなる。

歌い終えたサラムボーは、身を乗り出すようにして聴き入っていたマトーの盃に葡萄酒を注ぐ。マトーは彼女の眼の中に「神の詛《のろ》い」(3)を見て震撼する。

その後、何日たっても「神の詛《のろ》い」はマトーから去らない。両こぶしを自分の頭に打ちつけながら彼は叫ぶ。「ここから彼女《あれ》を追い払ってほしいんだ!」(4)

彼は初心《うぶ》な男ではない。抱いた女の数なら人後に落ちない経験があればこそ、彼はこう断言する。

「あれはただの人間の娘じゃない!」(5)と。

恐怖にかられながらも、彼女に近づこうとする衝動をマトーは止めることができない。

「あの女が欲しい! なんとしても! 死ぬほどに! この腕で彼女を抱く、その悦びを考えるだけで気が狂いそうだ。だが、それでも、俺は彼女が憎い!」

「殴りつけてやりたいほどに! どうしたらいい。いっそこの身を売って彼女の奴隷になろうか」(6)

これほどまでに逃れることができない理由を、彼は次のように考える。「たぶん俺は、彼女が神に捧げた犠牲《いけにえ》なんだろう。……目に見えない鎖で俺は彼女につながれている」(7)

○

宴会は、報酬を待つ傭兵たちの懐柔のためだった。戦争で疲弊したカルタゴは、既に支払い能力をなくしていた。緊張が高まる中、マトーはカルタゴの力の象徴であるタニット神の聖衣を盗んで、サラムボーのところへ持っていく。触れると死ぬという禁忌のある聖衣である。「君こそ女神だ」という心をこめて彼女に渡そうとするのだが、サラムボーは驚いて叫ぶ。「タニットから盗んだおまえに呪いを！　憎悪、復讐、殺戮、そして死の責め苦を！」(8)

サラムボーにしてみたら当然の反応なのだが、マトーは絶望し、聖衣をそのまま陣営に持ち帰る。傭兵たちの喝采を浴びて祭り上げられるがままに、マトーは反乱軍を組織してカルタゴを攻撃し始める。サラムボーへ向かう気持ちを、破壊と虐殺に向けていく。

カルタゴの神官シャハバリムはある策略を思いつく。サラムボーの師である彼は、彼女が父の方針通り性知識皆無に育っていることを知っていた。彼はサラムボーに、カルタゴを救うことが出来るのはあなたしかいないと告げる。戦場のマトーのテントに出向いて二人きりになり、何をされようと助けを呼ばないことが出来れば、聖衣を取り戻すことができると言い、これは神の命なのだと教え込む。娘一人を差し出すことで国が救われるなら安いものだと、彼は考えたのである。

純粋無垢なるサラムボーに神官の策略が見抜けるわけがない。言われた通りにマトーの陣営のテントを訪れる。マトーは狂喜をもって迎えるが、彼女がただ聖衣を取り戻しに来ただけと知るや激怒し、欲望を全開にする。神官に教え込まれた通り、彼女は助けを呼ばない。

★フローベール『サラムボー』(岩波文庫)／上巻の表紙はアルフォンス・ミュシャ『サラムボー』(1896年)、下巻はギュスターヴ・スュラン『ハミルカル軍の戦象による蛮人たちの虐殺』(部分、1896年)

ディスコミュニケーションの見本のようなシーンが展開する。

「なんと美しいのだ！　なんと美しい！」(9)と、マトーは繰り返す。しかし、容姿に関しての讃辞なんか、サラムボーは幼い頃から耳タコなのだ。

「俺は軍を捨てる！　みんな捨てる！」(10)と言って、誰もいない場所で二人だけで暮らすことをマトーは提案する。彼としては精一杯の愛の言葉を尽くすのだが、カルタゴを救うために来たサラムボーは、耳ストローで耐えている。

事後、眠りこけていたマトーは、戦場の急を告げる知らせにテントから飛び出していく。「軍を捨てるんじゃなかったの？」と言ってはいけない。このあたりも含めてマトーは「真の男」(11)として描かれているのだろう。

捕虜となっていたカルタゴの神官の一人がマトーのテントの外にいて、一部始終を聞いていた。逃亡防止のために足の骨を折られていた彼はテントの裾をまくって這い入る。そして、サラムボーを「娼婦」とののしり、「せめて、交尾のときは人目をはばかる獣《けだもの》のまねはできなかったのか！」(12)となじる。

サラムボーには「交尾」という言葉で表現されたのが、マトーと自分との間に起きたことだという自覚がない。「娼婦」という言葉も同じく初耳なのかもしれない。

理解の範疇を越えた概念は頭の中を素通りする。その意味では、マトーの愛の言葉も神官の罵倒の言葉も似たようなものだ。

動じない彼女に、捕虜の神官はわめきたてる。

「それもわざわざ父親の前で恥をさらすとは！」

サラムボーは知らなかったが、両軍の砦は非常に近い位置にあったのだ。

それを聞いたサラムボーは恥じるどころか、「あそこね」と場所を確認するやいなや、「あそこに駆けつけます！」(13)と、聖衣を腰に巻き付けて走る。

天然美女は最強である。

父のテントは、山の斜面を一望できる

場所にあった。聖衣を身に着けてそこに立つ彼女の姿に、周囲から巨大な雄叫びが湧き起こる。カルタゴの女神が降り立った！　男たちはそう思ったのだ。

　戦況は逆転し、サラムボーは援軍を寄越したヌミディアの王に与えられる。捕らえられたマトーは、サラムボーと夫の目の前で惨殺されることになる。

○

　美女の周りで男がバタバタ死んでいく。美女自身には悪気もなければ害意もない。マトーの言うように、それは「神の詛《のろ》い」なのかもしれない。美の女神の所望に従って、男たちは次々と彼女への供物になっていくのだ。

　ガルシア・マルケス『百年の孤独』に登場する「小町娘のレメディオス(Remedios the Beauty)」も、この種の天然美女である。

　「あの人って、ほんとにばかよ」と、小町娘は恋心を打ち明けてきた警備隊の若い隊長を評する。「わたしのために死ぬような苦しい思いをしている、ですって。まるで、わたしが腸閉塞みたい」。そして、その男が死体となって窓の外に発見されると、「ほらね、あの男はほんとにばかだったのよ」と結論づける[14]。

　この小町娘は着飾ることに興味を持たない。いつも頭からかぶるだけの長い麻の服一枚で済ましている。髪を整えるように言われると丸坊主にする。それが、スタイルのよさ、頭の形のよさをより鮮明にしてしまうのだが、企んでやっているわけではない。「あらゆる窮屈なしきたりに生まれつき馴染めない」ような人間なのだ。男の地位も財産も見た目も、彼女にとっては何の意味を持たない。

　二十歳になっても読み書きができず、食卓でもナイフやフォークを使わず、屋敷の中を裸で歩き回る彼女を、知能に問題のある人間だと見なす者もいる。一方で「たぐいまれな純潔な心の持ち主」と見る者もいる。身内のひとりである老大佐は「二十年も戦場で戦ってきた人間のようだ、この子は」と評価する[15]。

　屋根の上の隙間から、この天然美女の入浴を覗いた男がいた。それに気がついても、小町娘はそのまま入浴を続ける。図に乗って浴室に降りようとした男は、転落して死ぬ。

　どさくさまぎれに彼女の下腹に触り、それを自慢した男は、数分後に馬に胸を蹴破られて息絶えた。

　彼女には「死を呼ぶ力がある」[16]……多くの男の死から、人々はそう結論づける。しかし、もちろん小町娘本人に責任があるわけではない。

　この小町娘が庭先でシーツをたたんでいた時のことだ。風でシーツがあおられる。バタバタと羽ばたくシーツに包まれながら、小町娘の体は空へと舞い上がり、はるかな高みへと消えていく[17]。

　彼女は「この世の存在ではなかった」[18]のだ。

　そもそもがこの世のものではないのだから、地上の論理にはなじめない。そして、長く地上にとどまることはない。

○

　『竹取物語』の美女、かぐや姫もこの世の存在ではなく、最後には月に帰ってしまう。

　かぐや姫も、男たちの身分・権力・財力・体力・努力のすべてに背を向ける。自分が所望した「燕の子安貝」を取ることに失敗した中納言石上麻呂の死についても「少しあわれ」と思っただけだった[19]。「少しかいっ」とツッコミを入れてはいけない。美人とはそういうものだ。

　地上にとどまって年老いるなんて、美人のすることではない。「美人薄命」なのは、当たり前である。

　美人薄命という言葉の出典は、蘇東坡の詩「薄命佳人」である。モデルは塩官県（杭州）の浄明寺に実在した尼である[20]。シンプルな尼服に化粧っ気のない顔で尼としての修行に励んでいた。なめらかな肌、漆黒の髪、きらきらした目の年若い尼の美しさに、ふと薄命を予感し「昔から佳人はたいてい薄命だ（古より佳人多く命薄し）」と詠んだ。これは経験則のようなものとして民間に流布していたのかもしれない。

　シンプルな尼服や化粧っ気のない顔は、小町娘レメディオスの麻服や坊主頭と同じく、その天性の美をより引き立てる効果を発していたのだろう。また、仏に仕える尼という立場は、女神に仕える巫女であったサラムボーと共通するものがある。

　美人とは、そもそも人間の男のために存在するのではなく、神とか仏とか、この世ならぬもののために存在するのではないだろうか。そういったものへの供物であることを宿命づけられている。だから、この世に長くとどまることはない。

人間の男が美人に手を出そうとしたら、祟られるのが当たり前である。

サラムボーは「この世の存在」でない最強の天然美女だったのだが…

★ガストン・ビュシエール『サラムボー』(1907年)

○

サラムボーももちろん死ぬが、彼女の場合はいささか事情が異なる。

夫とともに、マトーの処刑を彼女は見た。残虐きわまりない方法で殺されるマトーと一瞬、目を見交わした。その時、サラムボーは「彼女ゆえにこれまで彼がどれほどの苦しみを忍んできたか」を初めて悟る。マトーの心臓は切り出され、動きを止める。人々の喝采の中での出来事である。

サラムボーも乾杯するために、盃を手にして、夫と同様にたちあがった。が、その刹那、彼女は頭をあおむけにして、王座の背にたおれかかった。――顔が真蒼で、手足がこわばり、唇をひらいて、――とけた髪の毛が、床までたれた。

こうして、ハミルカルの娘は死んだ。タニットの聖衣に手をふれたために！(21)

フローベールの第二長編『サラムボー』は、こうして幕を閉じる。

サラムボーの死の理由は「タニットの聖衣に手をふれたため」と説明されている。しかし、おかしいではないか。

彼女がタニットの聖衣に触れたのは、これよりもずっと以前のことなのだ。どうしてここに来て、突然、祟られなくてはならないのか？

それは、彼女が死ぬ直前のマトーと目を見交わして、マトーの苦しみを悟ってしまったからだろう。その時点で、彼女はこの世の存在になった。この世の存在なのに、聖衣に触れるという禁忌を犯している。だから死んだ。

死んだのは美の女神《サラムボー》ではない。「ハミルカルの娘」……ただの人間なのだ。

【注】

(1) 田部貞之助訳『フローベール全集2 サラムボー』(筑摩書房)二八一頁。以下「全集」と略記する。
(2) ハミルカルの娘がヌミディアの王に与えられたという記録はあるが、その名をサラムボーとして傭兵軍の総帥の恋の対象としたのは、フローベールの創作である。
(3) 「全集」一八頁
(4) 中條屋進訳『サラムボー(上)』(岩波文庫)六〇頁。以下、「岩波文庫」と略記する
(5) 「岩波文庫」(上)六一頁
(6) 「岩波文庫」(上)六二頁
(7) 「岩波文庫」(上)六〇頁
(8) 「岩波文庫」(上)一五三頁
(9) 「岩波文庫」(下)六九頁
(10) 「岩波文庫」(下)七七頁
(11) 作者フローベールが登場人物の性格をまとめた最初のメモに、マトーについて「真の男larvae homme」と書かれている。(「岩波文庫」(下)三〇八頁)
(12) 「岩波文庫」(下)八四頁
(13) 「岩波文庫」(下)八五頁
(14) 鼓直訳『百年の孤独(改訳版)』(新潮社)二三七頁
(15) 同書二三八頁
(16) 同書二七七頁
(17) 同書二八〇頁
(18) 同書二三七頁
(19) 岩波書店『新日本古典文学大系17 竹取物語 伊勢物語』四九頁
(20) 小川環樹・山本和義『蘇東坡詩集 第二冊 巻六～巻九』(筑摩書房)五二九頁参照
(21) 「全集」二七五頁

我である汝よ
——イスラム神秘主義《スーフィズム》が目指すルッキズムの極致

◎文=仁木稔（SF作家）

人は人を見た目で判断する。魅力的な、つまり優れた容姿なら、人格や能力といった内面も優れていると思い込む。逆もまた然りだ。この傾向は性別を問わない。同性——特に女性同士では魅力的な外見はマイナスに働く、という通念は誤りだ。ただし競争心が絡むなら、その限りではない。

外面には内面の少なくとも一部が現れている、という反論もある。確かに努力やセンス、さらに立ち居振る舞いは、外面に現れる内面だろう。しかし人は、たった一枚の顔写真からでも、自動的に他人の能力や性格を評価する。しかも写真を見る時間は〇・一秒で充分だという。

外見的魅力の判断基準は、文化はもちろん個人によっても異なる。しかし左右対称性や皮膚の肌理といった共通項はあり、それらは生物学的に説明がつく。そして例えば、〝美〟と〝佳〟という文字はどちらも〝うつくしい〟と〝よい〟という意味を併せ持つ。ギリシア語のκαλος《カロス》も、〝うつくしい〟と〝よい〟だ。美しいことは良い／善いことなのである。ではなぜ、外見がよけ

れば中身もよいと短絡するのか。ヒトは視覚に最も依存する上、間接的にしか他者の内面を知り得ない。間に合わせで外面の評価を内面に適用しているのだが、自覚は難しい。他者の内面を外面で判断した被験者に研究者がその可能性を指摘すると、大多数が否定するという。本音であれ建前であれ、それが悪しき価値観だという考えが浸透している証左でもある。しかしルッキズムという用語が作られてから、まだ半世紀も経っていない。否定のための名付けであり、それまでは否定の必要が皆無ではないものの、ほとんどなかったのである。

ならば美しい外面と悪い内面、およびその逆の組み合わせが存在するという事実に、古人はどう対処していたのだろうか。ギリシア哲学はカロカガティア、すなわち〝美にして善〟という概念を考案した。美しい外面と善い内面を兼ね備えたのが理想の人間だ。しかしこれを彫像等、視覚芸術で表現しようとすると、目に映るのは美しい外面のみになる。また古代ギリシア・ローマでは抽象概念の神格化ないし擬人化が盛んだったが、善い概

念は美しい外見、悪い概念は醜い外見で表された。結局、それが直観に即しているのだ。

外面の優劣から内面の優劣を判断するのであって、その逆ではないので、美しい外面と悪い内面の組み合わせとその逆では、前者がより深刻な矛盾となる。なぜ善であるはずの美男美女が悪しき性質を持ち得るのか――全能にして善なる唯一神の信奉者にとっては、なぜ悪が存在し得るかという、より根源的な疑問の一部だ。西欧キリスト教は十一世紀以降、この疑問を追究するあまり、悪魔《サタン》に過大な権能を与えてしまった。

〝美徳と悪徳の寓意〟は、中世を通じて好まれた主題である。ロマネスク期には男性兵士に斃される異教徒または怪物という構図が多かったが、ゴシック期に入ると明確に美女と醜女の対置になる。悪魔がますます強大化していった中世末期、聖書の悪女――原罪の母エバ、誘惑者デリラ、大いなるバビロンらは美女として視覚化されるようになった。外面の美は富や若さ、あらゆる快楽と同様、悪魔の領分となったのである。

宗教改革が到来すると、悪魔の力はもはや神に届かんばかりで、跳梁する魔女たちは醜い老婆から若く美しい裸婦となって版画に描かれ、量産された。また美徳と悪徳の主題が再び流行し、今度はどちらも美女だが悪徳は肌も露わ、美徳は慎み深い衣装を纏った。少なくとも男性にとって、建前はともかく本音ではどちらが魅力的かは瞭然である。

一方、イスラムにおいては、なぜか悪について考察されることが少なかった。お蔭で悪魔《シャイターン》の概念は発達せず、二元論に陥らずに済んだ。その上で「神は美であり、すべての美を愛する」と断言された。十一世紀末頃、とある佚名の文人は「美しい顔の特性について」(『ノウルーズの書』守川知子/稲葉穣・訳注/校訂、京都大學人文科學研究所附屬東アジア人文情報學研究センター)と題するペルシア語文書の中でこう記している――この世の中には、それを目にすることによって楽しい気持ちになり、心が洗われるような美しいものは数多くあるが、どんなものも美しい顔にはかなわない。

この著者も、「美しい顔が美しい性質と結びつけば、それはこの上なくめでたいものとなる。外面も内面もともに美しければ、神からも人々からも愛される者となる」とは述べている。またペルシアの偉大な思想家ガザーリー(一一一一年没)も、外的な美と内的な美を区別し、後者のほうが優れているとした。内外の美醜が必ずしも合致しないことは、認識されてはいたのである。

右の二名も述べているが、美が愛されるのは快楽だからだった。しかし一部のムスリムは、キリスト教徒と同じように快楽を悪と見做した。美女も例外ではなく、男を神から遠ざける企みを抱いていると断じられた。その彼らでさえも上記の伝承「神は美であり、すべての美を愛する」を否定せず、矛盾を解決しようとした形跡もない。

八世紀初め、イスラム世界は拡大発展し、支配民族のアラブは異教・異文化由来の奢侈に耽溺していた。その反動として生まれたのが、禁欲主義である。原初イスラム――想像上の――に回帰しようという復古主義の一環であり、今日のいわゆる原理主義へと続く潮流の端緒となった。十世紀以降、イスラム世界の保守化に伴い、徐々に浸透していく。

九世紀半ば頃、褐衣の者《スーフィー》と名乗る人々が登場した。この自称は初期の禁欲主義者たちが羊毛《スーフ》の粗末な衣を纏っていたことに因み、その後継だという主張である。しかし禁欲主義者がひたすらに神を畏れ、快楽を排したのに対し、スーフィーは聖典《クルアーン》の言葉「神に愛され神を愛し」(五章五十四節)を拠り所とし、快楽を善として肯定した。

伝承によれば、神は次のように語った――私が彼を愛すると、私は彼の聴覚に、彼の視覚に、舌に、手に、足に、心になり、彼は私によって聞き、私によって見、私によって喋り、私によって

★ヴェロネーゼ「美徳と悪徳の間の若者」(1580年頃)

打ち、私によって歩き、私によって思考する。

この“彼”になること、すなわち自我を滅却し神と一つになることが、スーフィーの究極目的である。まずは一時的にでも忘我の境地に至るべく、修行に励む。彼らの信仰や実践は、非イスラム世界では神秘主義あるいはスーフィズムと呼ばれる。

具体的には瞑想や聖典の読誦、神の名を繰り返し唱えるなどで、食事や睡眠の抑制といった苦行も取り入れられた。しかしやがて、より容易な手段として歌舞音曲による高揚が利用されるようになり、さらに手っ取り早く酒や薬物に頼る者まで現れた。正統を自任し、すでに保守的で禁欲的な傾向にあった多数派ムスリムは、スーフィーを異端視した。そもそも神と相思相愛になり合一するという発想自体が冒瀆だった。

スーフィーは神への愛を、生身の美しい人への愛に仮託して詩に詠んだ。最良の被造物たる

★ニザーミー『ライラとマジュヌーン』写本挿絵（部分）（16世紀）

スーフィズムにおいて、美しい人への愛は神への愛と等しい。

美しい顔は、美そのものたる神の隠喩である。このような独自の修辞を駆使しつつ、形式は従来の恋愛詩に忠実であるため、知識のない者はそれと気づけない。異端視に対する目晦ましとなることもあれば、軽佻浮薄との誹りを招くこともあった。

恋愛詩形式のスーフィー詩は、ペルシア語圏で最も栄えた。影響は非常に大きく、スーフィーを標榜していない詩人たちにまで及ぶようになった。その代表的作品が、ニザーミー（一二〇九年没）の長篇叙事詩『ライラとマジュヌーン』（岡田恵美子・訳、平凡社）である。アラブの青年カイスは、幼馴染の美女ライラに恋焦がれるあまり物狂い《マジュヌーン》となってしまう。ライラの父によって二人は引き離されるが、彼女への愛の中でカイスの自我は次第に境界を失い、溶けていく。ついには心眼に映る彼女の面影すら消滅し、残った“美”の本質と彼は一つになるのだ。

一方が他方に「我である汝よ」と呼び掛けるに至るまでは、二人の愛は本物ではない——独自の発展を遂げたペルシアのスーフィズムにおいて、神は遍く世界に満ち、被造物との区別はない。したがって美しい人への愛と神への愛との区別はなく、究極的には愛する者と愛される者の区別も滅却するのである。

言い換えれば、愛される者は外面の美しさ

以外、不要なのだった。美しくありさえすればいいので、容貌の個性もどうでもいい。カイスの愛がある段階まで達してしまえば、ライラ本人はもはや用済みだ。いっそ清々しい臆面のなさである。必然的に彼女は無個性で精彩を欠き、父の言いなりに軟禁生活に甘んじ、政略結婚にも抗わず、終始受け身となった。作者は同じだがスーフィズムの影響が少ない『ホスローとシーリーン』（岡田恵美子・訳、平凡社）の、ペルシア皇帝を相手に矜持を貫くヒロインとは大違いだ。

詩に詠われた〝美しい人〟のうち、果たして何人が実在したのかは不明だが、生身の人間はこんな愛され方には到底耐えられまい。なお、ペルシア語は代名詞も含め品詞に性がなく、〝美しい人〟が女だとは限らなかった。

トルコやインドにも影響を及ぼしたペルシアのスーフィズムだが、アラブ世界には伝わらなかったとされる。実際、アラブによるスーフィー文献にペルシアの影響は認められない。しかしペルシア・スーフィズムの意外な反映――かもしれない要素が、意外な場所に見出せるのだ。アラビア語説話集『千夜一夜』である。

難解な教義を平易な物語によって民衆に伝える手法は、初期のスーフィーによって生み出され、スーフィズムそれ自体と共に広まった。最も盛行したのは、これもペルシアにおいてで、寓話や教訓譚は芸術の域にまで洗練された。しかし発祥の地であるアラブ世界では、無学な下層民の娯楽として低い地位に留まった。この扱いはスーフィー関連に限らず、前近代のアラビア語フィクション全般に共通する。正統派のアラブ・ムスリムにとって、虚構《フィクション》の物語は無価値どころか有害だった。なぜなら、それらは快楽だからである。

例外的に十四、五世紀、アラビア語の物語集が次々と編纂された。収録された物語は、さまざまな地域のさまざまな階層から採取されており、その範囲はペルシアにまで及んでいた。教養人はこれらをこっそり楽しみ、読み書きできる下層民である物語芸人は幾つもの話を抜き出し、改作し、書き留めてカフェや市場で朗読した。その集成が『千夜一夜』である。

このようなかたちでなら、ペルシア・スーフィズムがアラブ世界に伝播した可能性はある。しかし『千夜一夜』に垣間見えるその影響は、いかにもな教訓話ではない。数ある娯楽作の中で幾度か繰り返されているモチーフ、〝互いに一目惚れする瓜二つの美男美女〟だ。

人は己に似たものに好感を抱く。多くの研究で確認されている事実だ。対象は生物・無生物を問わず、名前の最初の一文字が同じといった些細な類似であっても影響は大きい。人に対しての場合、類似性の範囲は性格、信条、言動、習慣、出身地等、なんにでも及び、そしてもちろん容姿も含まれる。〝互いに一目惚れする瓜二つの美男美女〟の〝原案者〟は、この性向に気づいていたのかもしれない。

ところでイスラム古典文学において、美貌は一つの型しか存在しない。髪と瞳は黒く、肌は白く、頬は薔薇色、唇は赤く小さい――個々人の特徴は、描写されたとしても黒子《ほくろ》がせいぜいだ。男女の違いですら、一方は瑞々しい頬の産毛を、他方は高く盛り上がった乳房を持つかでしかなかった。こうした在りようからペルシア・スーフィズムが生じた、わけでもあるまいが。部分的になら地域差はあり、アラブ世界では砂丘の如く巨大な尻と脂肪の折り重なった腹が顕著である。

件の物語群においては、いずれも血縁でもないのに生き写しなのは単なる偶然で、冒険の発端として機能するだけである。『とりかへばや』やシェイクスピアの『十二夜』のように、どたばたが引き起こされたりはしない。〝原案〟も本当にペルシア・スーフィズムのものだとしたら、説教の一部として語られた、瓜二つの美男美女が互いに一目惚れする、というだけの短い寓話だったのではあるまいか。いずれにせよ〝真理〟のとば口としては、それで充分であろう――誰よりも美しい、我である汝よ。

三人の画家を虜にした
モデル・佐々木カ子ヨ

●文＝水波流（作家・舞台制作者・FT新聞編集長）

浪漫と抒情の美人画家・竹久夢二。稀代の責め絵師・伊藤晴雨。日本近代洋画の巨匠・藤島武二。大正時代を代表する三人の画家のモデルとなった女性がいた。佐々木カ子ヨ《かねよ》。全く画風の違う三人が彼女に見出したそれぞれの「美」とは如何なるものだったのだろうか。

　大正五年、彼女は一二歳で母親とともに秋田から上京すると、生活苦から東京の美術学校のヌードモデルを務めるようになる。当時はモデルのなり手は少なく、芸者や遊女、貧困層の子女がやむなく手を付ける仕事と見なされていた。

　しかし彼女にそのような卑賤さはなく、人に裸体を見られるのも無頓着。お金目当てだけでなく、むしろ描かれることで承認欲求を満たしていた。

★佐々木カ子ヨ（写真：竹久夢二）

一二歳と思えぬ大人びた肢体に猫のような目をしつつも、素朴な秋田訛りで話す少女は人気者となり、瞬く間に名家の子息である画学生たちと複数の恋愛を経験する。それを隠すどころか荒唐無稽な身の上話をつけて吹聴したため「嘘つきお兼《かね》」と渾名された。またこの頃から藤島武二のアトリエにも足繁く通うようになり、藤島も父親代わりのように生活面から恋愛相談まで何かと助言する、特別な関係が出来ていたようだ。

伊藤晴雨はこの時期、挿絵画家と劇評家として多数の新聞雑誌を兼任し人気を博す一方で、緊縛した女を描く責め絵に関しては眉をひそめられ、理解を得られずにいた。晴雨は緊縛に拒否反応を示さないカ子ヨと出会うと大変重宝し、なんとしてでもこの少女を手放さないよう、あの手この手で口説き落とした。

彼女は緊縛されて乱れた黒髪に匂い立つような蠱惑の表情を浮かべ、晴雨の求めに応じるだけでなく自らも積極的に様々な痴態を表現した。指示通りのポーズを取るだけのモデル業と違い、真剣勝負とも言える晴雨との駆け引きを楽しむようで、そのくせ描き終わるとけろりとして身繕いをし、何事も無かったかのように帰って行く。晴雨は淫靡と無垢を併せ持つこの早熟な少女にのめり込む。モデルと画家の関係から愛人と化すまで時間はかからなかった。晴雨三四歳、カ子ヨ一二歳である。しかし彼女は晴雨の愛人になっても美術学校のモデルも続け、自由奔放に逢瀬を重ねていた。

★伊藤晴雨

奇妙な愛人生活は三年あまり続き、晴雨は「この女を写生した画稿が積んで山を成して居た」と語るほど精力的に描き続けた。残念ながらその絵は戦火に焼かれ現存しないが「今私の画いて居る女の顔は彼女の形見である」と後年回想するとおり、その後の彼の描く女にはどこかしら彼女の面影が伺える。

しかし彼女はやがて竹久夢二によって略奪されてしまう。

夢二がカ子ヨと出会ったのは大正八年、三五歳の頃だ。最愛の人とされる彦乃との仲を引き裂かれ、題材に困った夢二は滞在先の菊富士ホテルの一室に篭もりきりであった。一方カ子ヨは一五歳。この頃、誰の子かわからぬ子を流産したという説がある。知人の引合せで彼女を一目見た夢二は魅入られたように猛然と筆を走らせだす。請われるままにモデルを始めた彼女は、やがて夢二の部屋に住み着き始める。

夢二は彼女に「お葉」という新しい名を与えた。それは様々な男のモデルとなり、抱かれてきた彼女の過去を汚らわしいものと忌み嫌い、自分だけの新しい女として扱うためであった。夢二は彼女を誰にも渡さぬとばかり、自分の絵に封じ込めるように描き、また絵そのままになることを彼女に要求した。『黒船屋』『野分』『秋のいこい』『青いきもの』など、彼女はまるで彼の描く美人画の中から抜け出してきたようだと評された。果たして夢二がお葉を描いていたのか、お葉がその身体を夢二の美人画に合わせていったのか。

しかし相手には潔癖である事を強要する癖に、自分は浮気を繰り返す夢二に対し、彼女は苦しみ、やがて精神を病むようになる。夢二の理想像である「お葉」という人形にはなれないと感じた彼女は、自殺未遂や浮気による出奔を繰り返し、二人の心はやがて離れてゆく。このままでは彼女は駄目になると案じた藤島武二が身柄を預かるものの、この二人は離れきれない複雑な思いがあったようで、藤島の目を盗んでは逢瀬を重ねた。長らく付かず離れずの関係が続いた末に、夢二はお互いにもう自由になるべきだ

映す鏡のような存在だったのでは

★佐々木カ子ヨ（写真：竹久夢二）

★竹久夢二「黒船屋」1919年

と別れを切り出す。こうして六年に及ぶ同棲生活は終わりを告げた。

　夢二との破局の末、藤島は傷心のカ子ヨを匿いながら、二人の作家による一方的な愛情に振り回された彼女が、もはや天真爛漫な一二歳の少女ではなく、深い苦悩と憔悴を経て、陰影と憂いを帯びた女性に変貌していることに気づく。その様相は自分の求める装飾的かつ泰然とした画風にこそ相応しいと彼の目には映った。行き過ぎた愛情によって歪まされた彼女こそが、藤島の求めるモチーフだったというのは皮肉な結果である。

　そうして藤島はまるでそれが失われるのを恐れるかのように性急に根を詰めて描き始める。『女の横顔』『婦人半裸像』、そして赤い中国服に白い花を手にした静謐な横顔の『芳蕙』は大変な反響を呼んだ。

　しかし二二歳となったカ子ヨはこれ以降モデルを務めることはなく、精神病院の担当医との結婚とともに絵の世界から身を引いた。その後は一切世間に出ることはなかったが、晩年に藤島武二の回顧展に夫婦で訪れ、静かに微笑みながら当時の思い出を話したという。

　佐々木カ子ヨとはなんだったのか。

　文豪・川端康成をして「その姿が全く夢二氏の絵そのままなので、私は自分の目を疑った」（随筆『末期の眼』）と言わしめ、小説や映画などにおいてもその謎めいた魅力は創作意欲をかき立てた。晴雨は晩年まで酒に酔うたびに「あんないい女は無かった、あんな性悪の女は無かった」と執着し続けたという。

　彼女を前にすると、男たちはそれぞれが思い描く「美」をそこに見出し、誰もが彼女を我がものとしようと追い求めた。しかしそのいずれかが彼女の本質だったのだろうか。いや、そうは思えない。

　彼女はいわば画家の理想を映す鏡のような存在だったのではないだろうか。男たちが描き残した絵には、倒錯した官能の責め絵にも、清純な抒情画にも、悠揚とした装飾画にも、そこに確かに彼女がいるのだ。

　永遠に。

佐々木カ子ヨは、画家の理想を

★藤島武二「芳蕙」1926年

◉参考文献
伊藤晴雨『美人乱舞』（弓立社・一九九七年）
団鬼六『外道の群れ』（朝日ソノラマ・一九九六年）
竹久夢二『出帆』（作品社・二〇二一年）
金森敦子『お葉というモデルがいた』（晶文社・一九九六年）

歪に整う人造の偶像
——身体装飾・身体変工の美

◉文＝阿澄森羅（小説家・シナリオライター）

1

先日、趣味と実益（仕事用の資料探し）を兼ねて古書市を訪れた際、ドギツくカラフルな一角に遭遇した。何事かと確認すると、昭和後期に発行されたものを中心とした、古いエロ本の山だ。パラパラと捲ってみれば、扇情的なポーズをキメた女性の裸体が、次から次へと現れる。モデルの容姿は概ね整っているので、紛うことなく「美女のヌード」であるはずなのだが、何とも言えず滑稽な印象を与えてくる。太い眉、ケバい化粧、変なパーマ、ダサい下着——そんな「古臭さ」が迸る要素によって、どうやら私の脳はこれをポルノではなく、悪趣味な面白画像と認識してしまったらしい。

昭和生まれの私ですらこうなのだから、現在10代や20代の人間の反応は言わずもがなだろう。「美しい」という概念は、曖昧な上に移ろい易い。更に時代を遡ったり、別の国に目を向けたりすると、現代における『美』の基準から大幅に逸脱し、理解不能に陥っているものが数多ある。中でも、女性に苦痛を強いているとしか思えない、人体を束縛・改造するタイプとなると、困惑の度合いはより一層悪化する。

2

移ろい易いと断言した直後に何だが、東アジアや欧米では「肌の白さ」が長年尊ばれていた。「色の白いは七難隠す」と諺にあるように、色白は古来より美人の条件だった。とはいえ、生来の肌色の濃淡はどうにもならず、普通に生活すれば日焼けは避けられない。そこで用いられたのが白粉《おしろい》だ。その歴史は古く、メソポタミア文明時代の遺跡からも出土し、古代のギリシアやローマでも使われていた。3世紀末の『魏志倭人伝』では「以朱丹塗其身體 如中國用粉也（中国で白粉を使うように、赤い顔料を体に塗る）」との記述があった日本も、いつしか白粉を中国から輸入して使い始め、『日本書紀』によれば7世紀の末には国産白粉が作られていたという。

★「職人尽歌合」（1657年）より白粉売り

世界各地で歴史を重ねた白粉だが、この化粧品は重大な問題を抱えていた。白粉の製法は何種類かあるが、安価で肌への乗りが良いため、鉛白を主原料としたものが広く使われていた。この鉛の毒性が、人体に多大な悪影響を及ぼす。鉛白粉の継続的な使用によって慢性鉛中毒になると、疲労・不眠・便秘などの症状から始まり、やがて腹痛・神経痛・貧血などが重篤化、更に悪化すると脳に機能障害を起こす場合もある。また鉛の毒性は幼いほど強く作用するので、母親を経由した胎児や乳幼児の中毒死が相次いだ。

一方、肌の白さではなく装飾に『美』を見出す文化も存在する。刺青はそれを代表するものだが、アフリカやオセアニアなど褐色や黒色の肌を持つ人々の集団では、皮膚を切り刻んだり焼いたりして文様を描くスカリフィケーション（瘢痕文身）が採用されることも多い。傷口に石灰や軟泥を塗り込んで炎症を起こし、治癒を遅らせて傷痕を鮮明に残すような工夫も行われる。痛みを伴うので、ある程度の年齢になってから行われる場合が殆どだが、トーゴのタンベルマ族では女性が幼い頃から施術を始め、成人までに5回の瘢痕を刻んで文様を完成させ、これによって結婚の準備が整ったと判断したという。

耳飾りや鼻飾りはポピュラーな身体変工だが、唇を変形させ皿のようなものを装着する珍しいタイプもある。有名なのはエチオピアに住むムルシ族で、十代半ばになると女性が下唇に穴を開け、そこに木製や陶製の円盤を嵌めて、徐々にサイズを大きくしていく。ムルシ族の基準では、円盤がデカければデカいほど美しいとされる。中々に難解なセンスだが、元々は奴隷貿易が盛んだった時代、容姿を醜くして奴隷商人に拉致されるのを避けるのが目的だった、との説もある。もしそれが真実ならば、どういう経緯で美醜の逆転が発生したのかが気になるところだ。

★ムルシ族の若い女性（Wikipediaより。写真：Oscar Wagenmans、2002年）

より劇的な肉体改造が美人の条件となる文化が、やはりアフリカやオセアニア、それと中東に散見される。太っていればいるほど賞賛される、肥満体が理想とされる価値観だ。モーリタニアやアフガニスタンなど、国土の大部分が砂漠や山岳である厳しい環境では、そうなった理由が実にわかりやすい。

こうした地域では、女性の自発的な行動ではなく、周囲が強引に肥満化させるケースも間々ある。スーダンやウガンダなどのナイル川上流地域では、結婚が決まった女性に数十日に渡って穀物や肉を入れた山羊乳を強制的に飲ませていた事例が記録されている。

3

肥満体の賛美に異様さを感じてしまうのは、近年の一般的な美の基準が痩身とされているからだろう。肥満が様々な病気の原因と名指しされたのもあり、女性に限らず男性でも太っていると忌避や揶揄の対象となりがちだ。恋愛でハンデになるだけでなく、自己管理ができない怠惰な人間と判断され、仕事の評価に悪影響が出る傾向すらある。

更には、スリムでありながら不健康には見えない、絶妙なバランスを保持するのが求められ、女性であれば乳と尻は豊かだが胴は細い体型が人気となる。これが美しいとされる理由は不明瞭だが、直接の影響を与えたのは恐らく、コルセットによって作り上げられた女性のシルエットだろう。

コルセットは進化の過程で様々に機能を変えていったが、ウエストを極端に細くするスタイルは、16世紀フランスの王妃カトリーヌ・ド・メディシスと、彼女に影響を受けたエリザベス一世の宮廷から欧州に広まり、スタンダードとなっていく。18世紀になると、ギチギチに腰を絞りながら、胸をせり上

★ジョン・コレット「タイト・レーシング 或いは快適さよりオシャレ」（1770-75年）

げてバストを強調するスタイルが流行。やがて19世紀になると、女性ファッションの変化や、医師による健康被害への警告などもあって、コルセットの利用は廃れていく。しかし、コルセットが作り上げていた不自然な体型は、今日に至るもナイスバディと評価され続けている。

痩身が美しいとされていても、乳房だけは豊満なのが歓迎されがちだ。男性が何故に巨乳に惹かれるのかは、諸説あり過ぎて紹介しきれない。人気のバロメーターの例としてアダルト漫画のランキング（22年12月4日・FANZA）を100位までチェックしてみると、表紙にメインで描かれたキャラが無乳や貧乳なのは9冊、普通サイズが5冊、残りは全て巨乳か爆乳だ。次元を一つ上げても、グラビアアイドルやAV女優のように、性的な目を向けられる職業では、やはり巨乳である方が人気を獲得しやすい傾向が否めない。

事程左様に巨乳が尊ばれていることで、世間の女性たちも自身のサイズを大きくする、或いは大きく見せる方向での努力を余儀なくされている。その手段には多種多様なものがあるが、どんな方法よりも確実なものが存在している。豊胸手術だ。

手術自体は19世紀末から行われていたが、パラフィンを注入する初期の豊胸法は定着率の低さや発ガン性の高さなど問題が多く、1920年代からは患者自身の脂肪組織を胸部に移植する手術が行われるようになる。この方法だと拒絶反応が避けられたものの、脂肪が吸収されて形が崩れる、脂肪を切り取った部位に傷が残る、といった問題が発生。様々な試行錯誤の末、50年代からはアイヴァロン（医療用スポンジ）を乳房に埋め込む手法が流行する。これは一時期好評を得るが、やがてスポンジが硬化・縮小して乳房が萎む事例が多発して下火に。そんな中で注目されるようになった素材が、お馴染みのシリコンだ。

シリコンを注入する手術は以前からあったが、安全性が疑問視されていたためにまともな医師は行わなかった。それが技術の進歩によってリスクが軽減され、60年代からは欧米を中心に流行が始まって現在に至る。半世紀前とは比較にならない高レベルの施術がされているはずなのだが、未だにトラブルは消えず医師や医療メーカー相手の訴訟も後を絶たない。それでも手術を受ける女性は増え続け、国際美容外科学会の調査によれば、18年に世界で行われた豊胸手術の件数は186万件（ちなみに日本は1万1486件）を超えている。

4

巨乳が正義の現状からは想像しづらいが、1920～30年代の欧米では大きな乳房が障害のように扱われ、悩んだ女性が縮小手術を受けることもあった。当時の医師にも手術推奨派は多く、美容整形医で心理学者のマクスウェル・マルツは、36年の著書『New Faces, New Futures』の中で「大きな乳房は肉体的な苦痛となり、成長期の少女にとって精神的な重荷となる。自分の体が異常なのではと不安になり、人との付き合いで不利になると感じさせる。これが社会不適応や情緒不安定の原因となる（大意）」と述べている。

控えめな乳が正しく、美しいとされる流行は、過去にも何度か発生している。16～17世紀のスペインでは、第二次性徴前の少女の胸を鉛の板で覆って発育を阻害。ドイツのバイエルンやヴュルテンベルクでも、少女期から板状の装具で胸部を圧迫し、胸を平らなままにするのが推奨された。当然ながら、こうした行為は乳腺の発達も阻害し、出産後にまともな授乳ができずに乳児が死亡する事態が頻発した、と記録されている。

貧乳を尊ぶ風潮は中国にもあった。そもそも宋代以降の中国では、下着（内衣）で胸を抑え付けて胸部をなだらかにするのが一般的だった。清朝末期になると、小馬甲と呼ばれる小さなベストを着用し、胸を極端に平坦にする『束胸』が女学生や都市部の若い女性の間で流行する。男性側からは概ね不評だったのを考えると、束胸は社会が要求する昔ながらの女らしさを否定し、社会進出を果たそうとする意志の反映だったように思える。

そんな束胸へのアンチとして、自然な状態の乳房

強要された『美』から、自身の感性に従う『美』へ

を奨励する『天乳運動』が起こるが、この命名のベースにあるのは『天足運動』だろう。こちらは不自然に歪められた足である纏足を批判し廃絶しようとする動きで、19世紀末から本格化したものだ。元々、清朝政府は禁止令を何度も出したのだが効果がなく、天足運動と海外からの批判、そして辛亥革命後の罰則強化によって、纏足は20世紀初頭にようやく廃れつつあった。

　纏足は中国独特の風習で、幼児期から女性の足を布できつく緊縛して成長を妨げ、小さなサイズのまま保つものだ。岡本隆三『纏足物語』から、四段階で進められる纏足の施術を紹介しよう。まずは親指以外の四本の指を足裏に折り曲げた形で固定する「試纏」。これを数日に一度解いて、魚の目だらけになった足の消毒と治療を行って再び元に戻し、緊縛の度を強めるのを半年ほど繰り返す「試緊」。足指の関節を更に足裏下方へ捻じ曲げ、サイズをより縮める作業を半年続ける「緊纏」。足裏が丸まって大きな窪みが生じ、足全体がハイヒールめいたフォルムになるよう調整して縛る「裏彎」。こうして纏足が完成するまでは順調に進展しても二年を要し、その後は死ぬまで足の緊縛と数日に一度のメンテを続けねばならない。

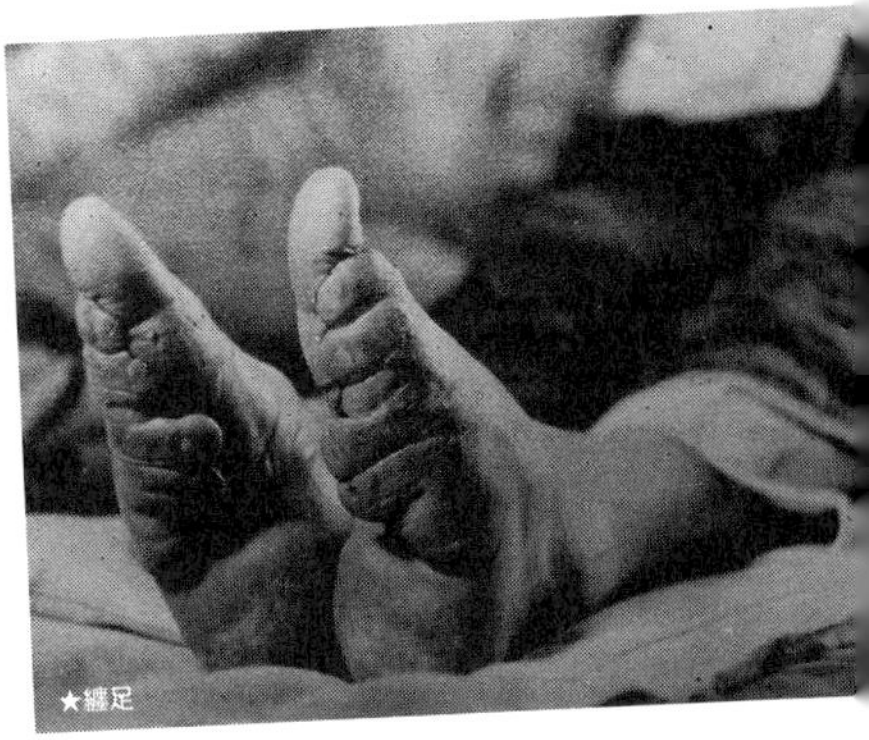

★纏足

　纏足の起源は定かではなく、唐末期から宋（北宋）初期あたりに始まったと推測されている。伝説としては、五代十国時代の南唐最後の皇帝・李煜が、舞の得意な宮女・窅娘の足を細く小さくなるよう縛り、黄金で作った蓮花の中で躍らせたのが最初、というのがある。これは後世の創作にしても、纏足のルーツに窮屈な舞踏用の靴があったのでは、と前掲書で岡本は語っている。小足が美しいとされた理由については、前漢の成帝の皇后・趙飛燕と唐の玄宗の寵姫・楊貴妃という高名な美女が、非常に小さな足だったのが影響しているのではないか、などの説もあるがやはりハッキリしない。

　歩き方が特殊になるので性交時に具合が良くなる筋肉の付き方になる、変形させた足を用いての特殊なプレイが可能になる、といった下世話な情報も伝えられているが、これらも纏足の副産物でしかなく「何故に足を小さくしたのか」の答えになっていない。この纏足の不可解さは、『美』というものが如何に謎めいた基準で形作られ、共通認識となっているのかを象徴していると言えそうだ。

5

ここまでに紹介してきた『美』は、大部分が社会的か宗教的な総意か、さもなければ男性の欲望によって「美しい」と規定され強要されてきた、過剰であり異形であり不自然なものばかりが並んでいる。しかし、自然の状態にある人間こそが美しいか、となるとそれもまた疑問だ。時折、『美』を維持する手間や苦痛を拒絶する意思表示として「何もしない」を選ぶ運動が盛り上がることがあるが、大抵は息苦しさが横溢する空回りに堕している。歪んだ美しさを否定するために逆張りをしても、別の歪みが生じるだけだ。

　緩やかな変化ではあるが、ここ数十年で大幅な自由を獲得した女性たちは、これまでのように他者に阿《おもね》るのではなく、自身の感性に従って身体装飾・身体変工の『美』を作り出しつつある。日本の場合は、ガングロやネイルアートや地雷メイクなど、かつての束胸のように男性人気の低さを無視しているのが特徴的だ。女性の評する「カワイイ」が理解できない、みたいな男性のボヤキも定番化して久しいが、そもそも理解されようと思っていない可能性が高い。この潮流が今後どう発展していくのかは気になるが、いずれ突然変異を起こして明後日の方向に暴走する予感もある。男女間で『美』の概念が決定的に乖離した時、果たしてどんな騒動が勃発するのか、不安でもあり楽しみでもある。

身体は恋をする
——5人の作家が描く身体と性と心

◎文=本橋牛乳（物書き）

美しさに恋をする。そうだよな、と思う。人はしばしば、どうしようもなく美しいものに恋してしまう。いや、そこまで美しくないとしても、例えばアイドルに対する疑似的な恋愛ってそういうものだろうけど。でも、それは、ある一線を超えてしまうこともある。美しさの向こうには、人格などどうでもいいというくらいに。

江戸川乱歩がそうした作品をいくつも書いていることを思い出す。「妻に失恋した男」「押絵と旅する男」「虫」「白昼夢」などなどの短篇。

恋する相手は、人形でも死体でもいい。そう、人形に恋をする。ぼく自身、オリエント工業のラブドールは魅力的だと思う。そこには、人間であることのウェットなところが欠落した、魅惑的な姿がある。ラブドールとの二人暮らしというのも、悪くないかもしれない、と思うこともあるけれど、そんなことを考える人は他にもいる。フェルディナンド・フォン・シーラッハの短篇「リュディア」は、ラブドールとの幸せな暮らしをしていた男の話だ。その幸せは、他の誰かの幸せと同様に、守られるべきものだ。

でも、そうした美しさに対する恋の話はここでおしまい。身体という、別の定義での美しさに、恋をする。

1　ジャネット・ウィンターソン

『フランキスシュタイン』はぼくとしては2022年のベスト1だと思う。久しぶりに翻訳されたウィンターソンの作品だけれども、長く翻訳が途絶えていたわりには、けっこう日本でもファンは多いのではないか。でも、そうした中で、わりと評価が低いのが、『恋をする躰』だ。って、何となく、アマゾンの評価をもとにしているのだけど。おそらく、他の小説と比較すると、幻想文学的な要素がほとんどないからだと思うのだけど、どうなのだろう。といっても、ウィンターソンの作品の半分以上は訳されていないし、そこはよくわからないな。

『恋をする躰』は、恋人を失う話だ。前半は、主人公とパートナーのルイーズのことが中心に描かれる。とりわけセックスのこと。途中でいろいろなエピソードがはさまれる。主人公の昔の恋人との出来事など。それから、ルイーズの夫のエルギンのこと。原題は『Written in the body』、躰に書かれたことだ。それは、主人公にとって、広い意味でのセックスを通じて躰に書きこまれていったことなのだろう。

エルギンはただ自分が男性である夫という理由だけで、ルイーズを取り戻そうとする。そうした中、決定的だったのは、エルギンが主人公に、ルイーズが白血病であり、余命百カ月であることを伝えたことだ。歯科医であるエルギンは、自分であればルイーズに医療を提供することができるが、そのためにはルイーズが主人公と別れ、スイスに療養に行く必要があると告げる。主人公はルイーズの命

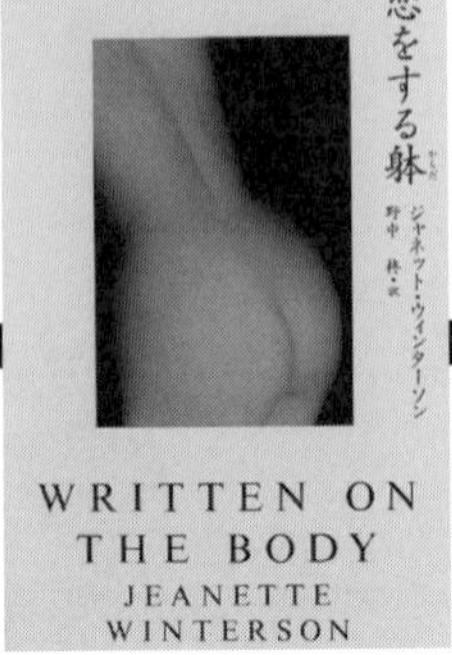

★ジャネット・ウィンターソン「恋をする躰」（講談社）

を優先させるために別れることにする。
このあと、本書で唯一といっていい、ウィンターソンらしいマジックリアリズム的な場面が少しだけ展開する。それは、人の感覚器官や臓器、組織などについて、ひとつずつ書いていくところだ。それぞれが、どのような組織なのか、どのように愛し合ったことが記憶されているのか、そしてどのようにして病に侵されようとしているのか。鎖骨のカーブ、果実の味わい、脳の奥にしまわれたもの、内側を守る皮膚、内側で守る白血球。躰の記憶であり、その記憶が躰と共に壊されようとしているという、その苦悩の中にあるということ。

これに対し、主人公を助け、さらに自分の恋人にしたいと考えている中年女性のゲイルは、主人公に対し、ルイーズを手放すべきではなかったと言う。ルイーズの立場で考えれば、愛するパートナーと一緒にいることの方が、はるかに重要だということだ。けれども、ルイーズはもう戻ってこない。

なんだか、「あなたの躰が忘れられない」みたいな話だ。もちろん、愛し合う関係がセックスだけの関係などではないにせよ、それでもセックスは、手触りがあり、快感を分け与えてくれる時間でもある。という意味では、何よりもリアルなものとしての躰があり、躰で愛し合う記憶そのものが、語るべきものとしてそこに残っているということだ。

恋がどこかで性欲と結びついているものであれば、それはいわゆる「清純」なものなどではありようがない。躰があるから恋をする、そういうことではないか。

そのことを明確に語っているのが、ゲイルの存在だ。ごついおばさんという感じのゲイルは、どこか『オレンジだけが果物じゃない』に登場する母親、あるいは『さくらんぼの性は』の大女を思わせなくもない。レズビアンの彼女は、主人公とセックスしようとするが、なかなかうまくいかない。彼女は、こんな中年女性でも性欲があってどうしようもない、と話す。

訳者の野中柊は、主人公の性別が明確に描かれていないとしている。でも、どうしても主人公はレズビアン女性であるように読めてしまう。それに、ゲイルとの関係には、シスターフッドが感じられるということもある。いや、そもそもウィンターソンがそうだから、という思い込みなのだろうか。

その後、『フランキスシュタイン』では、トランスジェンダーだけど、女性器の手術はしていない主人公の男性とのセックスが描かれる。それは、さまざまな形の愛し合う躰のひとつの形として、そこに描きだされたものだ。

ウィンターソンは若い時に女性と恋に落ちたことで、レズビアンであることを自覚する。それは、育ての親が熱心なクリスチャンであったことに反することでもあった。けれども、ウィンターソンの性欲がそこに向かうのであれば、躰がそこに向かうのであれば、ウィンターソンにとってはそれが正しいというものだ。なのに、『恋をする躰』では、間違った選択をして後悔する主人公を描く。そこに、あらためて躰に対するポジティブな意思を取り戻そうというメッセージがあるのではないか。

けれども、『恋をする躰』が書かれるおよそ20年前に、モニック・ウィティッグが『レズビアンの躰』という作品を書いている。

2 モニック・ウィティッグ

70年代に活躍したフランスのフェミニズム思想家・作家といえば、リュス・イリガライやエレーヌ・シクスーがいるし、ジュリア・クリスティヴァはフェミニズムにはおさまりきらないけれども、その方面の仕事も残している。そうした中の1人が、モニック・ウィティッグだ。

日本では3冊の翻訳がある。1作目の『子供の領分』は、ヌーヴォーロマンっぽい作品で、人の死が子どもの視点で語られている。残酷

恋がどこかで性欲と結びついているなら、
躰があるから恋をするということではないか

な現実に対し、大人の感情が排除されている。日本では2回ほど新装版で出されているので、一番知られている作品だと思う。といっても、たかがしれているのだけど。ただ、この作品にはフェミニズム的要素はまるでない。いや、それは言いすぎだな。主人公の少女と大人の男性との距離がそこには示されているのだろうけれども、でもそれは後の作品からわかることだ。

2作目の『女ゲリラたち』は、ヌーヴォーロマンから遠く離れた、ウーマンリブを思わせるようなテキストとなっている。さまざまな女性の観念的な戦う場面が描かれる一方で、ときおり左ページに多くの女性の名前、あるいは女性器を表す大きな○が描かれている。それは、女性を男性から取り戻すといえばいいだろうか。

訳者の小佐井伸二はあとがきで、「(ウィティッグは)女性週刊誌『エル』について、あれは女がどうすれば男の気に入られるかを女にたたきこむ雑誌であると嫌悪と憎悪をもって語った」と書いているが、このことが『女ゲリラたち』で書かれたことに底通している。ついでに、小佐井はさらにウィティッグとの対話で日本の女性週刊誌にふれた際に、その雑誌のモデルが西洋の女であることに衝撃を受けたという。それは『エル』の植民地版である、と。

男性嫌悪がそのままレズビアニズムにつながるとは思わないけれども。でも『女ゲリラたち』はあくまで女性器を持つ人たちの解放を求める戦いの本だった。そして、女性の身体を男性から取り戻したテキストとして、『レズビアンの躰』が書かれたのだと思う。

エレイン・シューウォーターが編集した『新フェミニズム批評』に収録された、A・R・ジョウンズの「肉体を書く—エクリチュール・フェミニンの理解に向けて—」が、ある理解を与えてくれる。これは、クリステイヴァ、イリガライ、シクスー、ウィティッグの4人を論じたものだけれども、そこには「男性中心的思考に対する挑戦としてのフェミニテ(女性性)志向」が共通しているという。ジョウンズは4人を批判的に論じており、結果としてファルス(男根)中心主義の形式を踏襲しているのではないかとしている。そのことはぼくとしては同意できないけれども、挑戦ということでならば、イリガライが『ひとつではない女の性』で精神分析の視点から性を定義しなおしたし、シクスーもまた劇作家として『ドラの肖像』でフロイトと患者であるドラとの関係を描きなおした。

『レズビアンの躰』はジョウンズの「肉体を書く」という意味では、もっともストレートな作品だ。内容はといえば、こい人とのセックスがずっと描かれている、というものだ。とはいえ、セックスは抽象的でファンタジックなものでもある。女性器や乳首で快楽を分け合うだけではなく、互いに内臓まで入り込み、骨格すら愛する。痛みを与え、あるいは受け取る。糞尿にまみれることもある。男性的なポルノグラフィを否定し、肉体の内部まで入りこもうとする。あるいは、神話の世界に入り込み、こい人は彫像のような形にもなる。同時に日常的なこい人といることそのものが、セックスとして描かれる。

エクリチュール・フェミニンとして、男性によって定義されることのないレズビアンの躰が描かれる。どうしようもなく、互いを求めるレズビアンの躰について描かれる。ある部分はスカトロに、別の部分ではスプラッターに描かれるとしても、それは躰の隅々まで相手を求め、相手に差し出される、そういったポルノグラフィであり、ファルス中心主義から遠く離れようとしたテキストでもある。

『女ゲリラたち』が女性たちについて語ったものであるとすれば、『レズビアンの躰』は

モニック・ヴィティッグ
レズビアンの躰
中安ちか子訳
論議沸騰の問題作
講談社刊 定価1190円
原始の健康と輝きと、野放図な愛と憎悪とを、鮮烈なイメージを積み重ねて描き、表現の極限に迫る。フランス文壇で最も前衛的で戦闘的な女流の会心作。

★モニック・ヴィティッグ「レズビアンの躰」(講談社)

たった二人について語ったものだ。戦いではなく性愛であり、取り戻すものではなく求めるものだ。どうしようもなく躰を求めるラブストーリーである。そして、躰を通したファンタジーの豊かさを示してくれる。そうした躰があるからこそ、恋をする。躰を通していろいろな愛の姿を想像し、恋をする。

だが同時に、そこには痛みもある。男性中心的思考と強制的異性愛にあふれた社会においては、レズビアンの場所を探すことは難しい。『レズビアンの躰』で描かれた痛みは、そうした疎外されたもの同士の恋によって癒される痛みでもある。それは、二人の女ゲリラの恋だともいえるだろう。

ウィティッグは映画監督のサンド・ジークを公私ともにするパートナーとして、共著で『Le Brouillon d'un Dictionnaire des Amantes』を書く。その後、米国に移住し、『Virgile, non（フランス語版タイトル）/Across the Acheron（英語版タイトル）』（未訳）を書く。この作品は、レズビアンのカップルが、非情な世界を超えていくという内容だ。レズビアンが現代社会においていかに困難な場所に置かれているのかが、幻想的な世界として描かれている。そうして二人はフランスから離れ、どこまでも遠くに行こうとした。

3 アニー・エルノー

『シンプルな情熱』を読んだとき、とても美しいテキストだと思った。それがたとえ、ポルノ映画のセックスシーン、性器のアップの画像から始まったとしても。

エルノーの作品は、ものの解説によると、フィクションとノンフィクションの間にあるとか、オートフィクションだとか、そんな言葉で紹介されている。自身の妻子ある年下男性とのわずかな期間の恋愛について書かれた作品は、それが自身の経験に基づくゆえにスキャンダラスでもあっただろうし、それでもシンプルで鋭利な文章は説得力を持って、人の内部に入っていくものだったのだろうと思う。

何だか回りくどいな。『シンプルな情熱』はこういう内容だ。主人公は47歳の女性教師。現在、頭の中を占めているのは、10歳下の恋人のこと。東欧の外交官で、いつかは本国に帰らなきゃならない。彼がいない時間はつねに彼を待ちわびている。昼下がりのセックスがすべて。膣の中に残る彼の精液をいとおしむ。その恋がすべてに優先する生活である。

確かに、シンプルである。あまりにシンプルすぎて、俗っぽく読んでしまうと、「東欧のでかいちんこにとりつかれた熟年女性の手記」みたいなものになってしまう。というのが、そこには恋人についての描写はあまりない。たくましい身体と東欧人らしい酒量の多さ、そしてペニス。恋人が何を考えているのかは、描かれていない。

ということでいえば、同じエルノーの『嫉妬』もまた、主人公が元恋人の大きなペニスをにぎりながら眠るシーンが描かれている。『嫉妬』の原題は占拠を意味する言葉だ。主人公が嫉妬という感情に心だけではなく身体も占拠された経験が描かれているということだ）。彼は今、別の女性にペニスを握られている。そうしたことを想像し、嫉妬にかられる。彼はなんだか、ペニスだけの存在みたいだ。

確かに、恋人なり元恋人が何を考えているのかは、わからない。でも、それは主人公にとって、重要ではないのだろう。いや、考えていることはあるのだけれども、それはそれとして、というぐらいのものだろうか。ただ、恋人もまた自分を愛してくれている、それで十分だし、それを前提として同じ時間を一緒に過ごしている、ということが大切、というべきか。

★アニー エルノー「シンプルな情熱」（ハヤカワepi文庫）

では、主人公は恋人のどこが好きなのか。好みの集積であり、何より自分が手にいれたものである、ということなのではないか。確かに、例えばフランソワーズ・サガンにおける恋愛のコンテクストは、どちらが相手を手に入れるのか、という戦いであったし、『乱れたベッド』はその頂点だった。だからそういった意味で『シンプルな情熱』においては、手に入れたものに対するシンプルな情熱が描かれている、という言い方だってできる。

恋愛というのは、愛すべきものを手に入れる、という行為、少なくともそうした側面があるのだろう。冒頭の江戸川乱歩の例に戻ってみれば、「虫」も「白昼夢」も相手が死ぬことによって手に入れるという話だ。死んでしまった相手には内面も何もない。だとしたら、相手の内面まで含めて恋をするというのは、それのみを正当化してしまうのは、きれいごとすぎるのではないか。美しさに恋をするということは、そのきれいごとではないところにあり、けれどもそれは人の情熱として本質的なことではないのか。

『シンプルな情熱』が描いているのは、シンプルな本質なのではないか。どうしようもなく、性欲を抱えて生きている人の、それでもその性欲がもたらす豊かさは、『シンプルな情熱』の冒頭で描かれるポルノ映画の、男性器が女性器に挿入される、ただそれだけの豊かさなのではないか。そして、それは多くの人にとっては、ある部分で本質なのだろう。そのことを、エルノーはただ記述していく。多くの人が、そのことに共感するからこそ、この作品が読者を得ている。

ところで、エルノーは2022年のノーベル文学賞を受賞した。もちろん、そのことが彼女の作品を読むきっかけになったというのはその通りだ。授賞理由はいろいろあるだろうけれども、その1つは、『あのこと』というタイトルで映画化された『事件』のような作品にあるのだろう。この作品は、エルノーが20代で経験した妊娠中絶を題材とした作品だ。当時フランスでは妊娠中絶手術は禁止されており、闇の堕胎医を探さなければいけなかった。そうして実際に中絶する、壮絶な体験が隠すことなく描かれているように読める。けれどもそこで描かれているのは、中絶ということ以上に、中絶を禁止することが富裕層の論理であり、とりわけ富裕な男性の論理であること。その社会の構造に対する体験が語られているといっていい。

ノーベル文学賞は文学的評価以上に政治的なものだ。文学賞の発表は、米国の中間選挙前だったが、その占拠での争点のひとつが妊娠中絶だった。というか、そのことに象徴される、いわゆる民主主義の危機、あるいはトランプ的なものに対する抵抗だった。米国の中間選挙が世界にどれほどの影響を与えるものかという視点から、スウェーデンが米国に送ったメッセージが、アニー・エルノーのノーベル文学賞だったのではないか、ぼくはそんなふうに見ているのだけど、どうなのだろうか。

そして、『事件』と『シンプルな情熱』や『嫉妬』との間で共通するのは、自分自身の身体について、それは快感も含めて自分のものであるというメッセージなのだと思う。言うまでもなく、妊娠中絶の禁止は、富裕層男性による身体の支配の、そのひとつの姿だ。

4 ジャン・フィリップ・トゥーサン

ジャン・フィリップ・トゥーサンの『浴室』が日本でベストセラーになったのは、30年以上前のことだと思う。浴室にこもる男性の話だったけれど、映画化もされた。続く『ムッシュー』と『カメラ』も映画化されているけど、ぼくとしては小説としても映画としても『カメラ』が好きだな。『カメラ』のヒロインを演じたのはミレイユ・ペリエ。『アイスリンク』にも出演している。ペリエはレオス・カラックスの最初の監督作品である『ボーイ・ミーツ・ガール』のヒロインも演じている。でも、カラック

美しさに恋をするということは、人の情熱として本質的なことではないのか

スの映像に必要だったのはジュリエット・ビノシェだった。そしてミレイユ・ペリエを必要としていた監督がジャン・フィリップ・トゥーサンだということになる。ペリエの本質は、若くないし、ちょっとずれたところのあるコメディエンヌだ。それは、トゥーサンの小説において、主人公もずれた内省さを持っていて、それに対応する女性、ということになる。当たり前のことなんて何一つなくって、とりあえず立ち止まって考えてみる。結果、立ち止まったまま踏み出せない。

トゥーサンの内省的なコメディは、その後小説としては『ためらい』と『テレビジョン』、映画としては『アイスリンク』で一区切りつく。その間、日本にファンが多いということもあって、来日しているし、そのときのことを書いたエッセイもある。

でも、ここでトゥーサンを取り上げるのは、それ以降の作品だ。『愛しあう』から始まる4部作のことである。それは、恋する身体に向き合えない話だからだ。

『愛しあう』の舞台は日本だ。主人公の〝ぼく〟は7年前、涙を流すマリーの美しさに恋に落ちた。けれども、マリーと離れていると愛を感じるのに、一緒にいると喧嘩ばかりしている。その結果、二人は別れることに決めて、そのかわり一緒に日本に行くことにした。日本ではデザイナーであるマリーの個展が開催される。〝ぼく〟はそれに同行する。

こんな場面がある。マリーは〝ぼく〟に「どうしてキスしてくれないの?」とたずねるけど、〝ぼく〟は答えようがない。キスしたいわけじゃないけど、キスしたくないわけでもない。そうした気持ちがマリーに理解されないもどかしさがある。どんなに好きだったとしても、24時間一緒にいたいわけじゃないし、そうだとしても結局は相手が必要になる。

『愛しあう』の原題はもっとストレートで、セックスそのものを意味することば、英語版では〝Making Love〟となっている。小説の中では、〝ぼく〟がマリーと愛しあうことも語られるけれども、でもそれは続かない。日本滞在中に、主人公は京都に逃げる。でも、結局、心は逃げることができなかった。

そして、結局〝ぼく〟はマリーの個展会場に帰ってくる。別れから始まるラブストーリーは、さらに先へ続く。

『逃げる』では、主人公は中国に滞在する。マリーのことを考えつつも、逃げるようにして中国に来た主人公は、事件に巻き込まれる。中国人女性ともいい雰囲気にはなるけれど、そんなに都合よくはことは運ばない。

そんな折、地中海に浮かぶイタリアのエルバ島に住むマリーの父親が亡くなった事を知る。エルバ島で葬儀が行われるが、そこはマリーにとっては誰も知る人のいない土地でもある。〝ぼく〟はその葬儀に参加するために、エルバ島に向かうが、それは葬儀というよりも、悲しみの中にいる孤独なマリーに沿いたいからだ。

葬儀のあと、〝ぼく〟とマリーは海に向かう。そこでマリーは着ているものをすべて脱いで泳ぎ始める。マリーはそのまま沖まで泳いでいく。〝ぼく〟は岬をまわりこみ、マリーが泳ぎつくであろう場所で彼女を待つ。裸のマリーは主人公のもとまで泳ぎ、抱きしめられる。主人公は泣くマリーの涙をなめ、キスをする。

裸のマリーは遠くに行ってしまうけれども、でも戻ってくるし、戻ってくるところはそこしかなかった。逃げたところでどうしようもない。

『マリーについての本当の話』は、セックスから始まる。〝ぼく〟とマリーは同じ時間にそれぞれ別の相手とセックスしていた。それは〝ぼく〟の中で、一緒に愛しあえない帰結として記される。ではなぜマリーが同じ時刻にセックスをしていたことを知るのか。それはマリーがセックスし

★ジャン=フィリップ・トゥーサン「マリーについての本当の話」（講談社）

ていた相手の容体が急変したからだ。そんなのときに頼りになるのは、〝ぼく〟しかいない。

相手の男性は救急車で運ばれるものの、結局は亡くなるわけだが、妻子ある男性ゆえに、マリーは看取ることもできなかった。

相手の男性の名前はジャン＝クリストフ、とはいえ、これは〝ぼく〟がまちがっておぼえた名前だけれども、マリーの元愛人の名前なんて訂正なんかしてあげたりはしない。そして〝ぼく〟は、マリーとジャン＝クリストフについて想像を含めてその関係を知る。ジャン＝クリストフは馬主として、自分の馬ザーヒルがジャパンカップに出走するためにマリーとともに日本を訪れる。日本では、マリーと〝ぼく〟ではない男性とのことが進んでいた。けれども、この移動はザーヒルにとっては耐えがたいものだった。

〝ぼく〟とマリーはもうずっと前から恋人同士ではないけれども、そばにいてくれるのは結局のところお互いでしかない。〝ぼく〟とマリーは1年前に父親の葬儀を行ったエルバ島に行き、父親が住んでいた家に滞在する。海で、二人は裸になって泳ぐ。もう恋人ではないけれど、裸でいたい関係なのだ。

夜、近くの馬小屋で火事があり、二人は避難する。火事はどうにか食い止められたものの、何頭かの馬は犠牲になった。どうにか無事だった家にもどった二人は、火の匂いがこもったまま、愛しあう。

ここまでずっと描かれているのは、自分自身であることと愛しあうこととの距離だ。何だか、スモーキー・ロビンソンの曲でビートルズもカバーした〝You've really got a hold on me〟の歌詞みたいだなあ、などと思ってしまうのだが、それはそれとして。お互いを必要としているのに、キスをしてほしいマリーと、キスしたいわけではないけれどもキスしたくないわけでもない〝ぼく〟とは、どうすれば理解しあえるのだろうか。理解しないからこそ、喧嘩になってしまうのだけれども。そして、そのことを理解しあうためには、4冊分の時間と経験が必要ということなのだろうか。

それは、恋をする心は理解していても、恋をする身体との折り合いがつけられない関係、とでもいえばいいのだろうか。

4部作と書いたけれども、4作目となる『Nue』は邦訳されていない。タイトルの意味は「裸の人」ということで、英語版は『Naked』とのこと。この原稿を書くために、フランス語版は無理だけれど、英語に訳されたものならどうにか読めそうなので、アマゾンで注文したのに、1カ月半以上たっても届かない。まあ、海運業は船不足ということは聞いているけど。ということで、恋する身体がどのように裸になっているのかは、ぼくはまだ知らない。でも、少なくともマリーは恋する身体を抱えていたからこそ、裸になって海で泳いでいたのではなかったか。

『Naked』は、届いたら読むので、そのことは別の機会に。

5　レベッカ・ブラウン

そうしてぼくは、恋する身体をいとおしいと思う。どうしたって、身体あっての恋なのだから。

そうした目で、レベッカ・ブラウンの『体の贈り物』について考えると、贈り物の意味が見えてくるような気がする。

ぼくの中では、どうしてもレベッカ・ブラウンとジャネット・ウィンターソンのイメージが重なってしまうところがある。確かにどちらもレズビアンだし、幻想的な小説も書く。世代も近い。レベッカ・ブラウンの短編集『私たちがやったこと』の表題作は、『恋する躰』と同じく野中柊が「お馬鹿さんなふたり」というタイトルで別個に訳している。そんなことも関係しているのかもしれない。でも、ウィンターソンは英国、ブラウンは米国の作家。同じ言語圏ではあるけれど。こうして書いてい

恋をする心は理解していても、
恋をする身体との折り合いがつけられない

て、一周まわってこの作家に着地した、ということなのかもしれない。

　ところで、野中はどちらの作品も登場人物の性別が不明なように訳している。でも、柴田元幸は男女の話として訳しているし、野中の訳を、やっぱりぼくは男女の話として読んでしまった。でも、確かに「私たちがやったこと／お馬鹿さんなふたり」を同性愛者の話として読んだとき、それはウィティッグが『レズビアンの躰』や『Across the Acheron』で描いた、社会から孤立し、ふたりだけの世界の中に入っていく、そうした話だと読めなくもない。いや、別に男女だってふたりだけの世界に閉じこもってもいいのだけれども、外部は違ってくる。

　「私たちがやったこと」というのは、こういう話だ。恋人同士の二人は、音楽家と画家だ。互いに愛しあい、自分たちの世界の中で、互いだけを支えあって生きる、そう決めたとき、音楽家であるあなたは画家である私の耳を焼き、私はあなたの眼をえぐりだした。そのことが二人を離れられないものにするように。けれども、そのことが残酷な結末を迎える。

　普通の恋人同士だったら、そんなお馬鹿なことはしない。超現実的で印象深い短篇だ。それに対し、『体の贈り物』に収録された作品は、逆にリアルな出来事が描かれている。

　『体の贈り物』は、エイズ（後天性免疫不全症候群）の患者と彼らを支えるボランティアをめぐる連作短編集だ。この作品が書かれた当時は、エイズは不治の病だった。免疫力がなくなり、さまざまな感染症や癌にかかって亡くなる。死につつある患者を、それでも自分らしく生きてもらうために、ボランティアが活動する。患者はわがままだけれども、それは患者にとって当然の権利だし、そのことは誰もが了解している。ボランティアといっても、それは責任を伴った活動だし、患者の死などでメンタルがついていけないメンバーは外される。

　最初に読んだときには、日米のボランティアの文化の違いとか、支えられる側の権利とか、そんなことを感じた。同時に、患者とボランティアスタッフとの間における「贈り物」ということについても考える。

　エイズの原因となるのは、HIVというウイルスだ。このウイルスは一般的に性行為を通じて感染する。ほとんどの患者は、愛しあう過程で感染したことになる。でも、愛しあったことが問題なのではない。それは、交通事故にあった歩行者に対し、歩いていたことが問題だった、とは誰も思わないのと同じことだ。だから、そこにあるのは、不幸にしてHIVに感染してしまったけれども、でも誰かと愛しあった体だということになる。そのいとおしい体が与えてくれるものが、贈り物として、この連作短編集で描かれている。それは、ボランティアが報酬として、お金ではないものとして得ている、などという美談ではない。むしろ、贈り物の主体は患者とボランティアが、それぞれ自分らしく生きる、その姿でしかない。それぞれの短篇が、「汗の贈り物」からはじまって、「死の贈り物」や「肌の贈り物」などというタイトルで、多くのエイズ患者の生と死、ボランティアの関わりを描いたとして、全体としては、体の物語だ。物語そのものが、贈り物の生と死である。贈り物はその証拠として存在する。

　身体は恋をする。多くの人が、恋する身体を抱えて生きている。たぶん、身体がなかったら、恋はしないだろう。けれども、だからといって身体と心の折り合いが簡単につくわけでもない。そして、折り合いが付かないからこそ、いとおしいと思う。いとおしく、身体は恋をする。

★レベッカ・ブラウン「体の贈り物」（新潮文庫）

★ジョン・ウィリアム・ウォーターハウス「アドニスの目覚め」(1899)

TH FLEA MARKET

カノウナ・メ

——可能な限り、この眼で探求いたします

第50回 謎映画 スピンオフ

加納星也

グリーン・ナイト【王物語　スピンオフ】

映画『グリーン・ナイト』(2021)は、デヴィッド・ロウリー監督作品。

原作となるのは『ガヴェン卿と緑の騎士』。1300年代のイングランドで、韻文で書かれたとされている。作者は不詳のため、ガヴェン詩人とか、もう一つの代表作とされる『Pearl』から「パール詩人」とも呼ばれる。

中世ヨーロッパでは「神の前では人間は全て平等」という世界観が支配しており、人気作家であろうと名前を公にすることは慎む風潮が支配的。同時代では『カンタベリー物語』で有名なジェフリー・チョーサーがいるが、彼は宮廷に出仕したせいもあり、かなり特別な例であるらしい。

内容といえば、当時の王道物語である「アーサー王物語」のいわばスピンオフ。主人公はアーサー王の甥であるが、まだ騎士になれないし、どうにも出世欲にも忠誠心にも乏しい騎士見習い。王の宮殿で行われているクリスマスの宴（原作では新年）にも、飲んだくれて泊まっていた売春宿から美しい母親のもとに帰り、宴に駆けつける。

騎士たちが王を囲み参集する中、突如、乱入する緑の騎士。彼は髪から衣服、さらに乗っている馬まですべて緑色に包まれている。

彼はそこで、クリスマスの余興として騎士たちに「首切りゲーム」を持ちかける。王のためにこのゲームに参加しろということだ。つまり、緑の騎士の首を掻き切ってみろ。その代わり、一年後のクリスマスの日に指定する地の礼拝堂にその騎士が赴き、緑の騎士の大鉈でそれ相応の報いを受けろと。

王は、緑の騎士の首を今斬ってしまえば、一年後は生者ではないので問題はないといって、主人公に耳打ちする。そして見事、緑の騎士の首を斬りおとすが、次の瞬間、騎士は自分の首を抱えて馬に乗り、何事もなかったように立ち去ってしまう。一年後の約束を覚えていろ！という捨て台詞を残して。やがて一年はあっという間に過ぎ、いやいやながら緑の騎士との約束を果たすべく主人公は故郷を旅立つが——。

という展開で、ここから様々な人々とのやり取りの中、目的地に赴くのだが、これが何ともアーサー王物語スピンオフとしては極めて現代的な展開。つまり原作にあるエピソードを一見丁寧になぞっているようで、現代ならではの読み直しが行われている。

まず主人公の俳優からして、インド系の血を引く男優。ダメダメな王の甥役を見事に演じ切っている。おなじみジェームス・ボンドにコンプレックスを抱く甥のジミー・ボンドを演じた『007／カジノ・ロワイヤル』(1967)のウディ・アレンほどの爆笑には届かないが、王族との違和感が随所に現れるニュアンスが興味深い。また、当時の貴族たちの不倫事情だのLGBTQを匂わす騎士間のやりとりなどをさりげなく盛り込んでいる。

このデヴィッド・ロウリー監督は、この作品以前に『ア・ゴースト・ストーリー』(2017)という、自動車事故で死んだ男が死体にかけられた白いシーツのまま幽霊として自身の妻に会いに行くという、男優が白いシーツのお化け姿でただ見守り続けるという、なんとも不可思議な映画を撮っている。

本作においても、緑の騎士は原作に書かれている通り、苔むす植物に包まれて全身緑色だし、エクスカリバーの剣を振り下ろすと、兜ごと首は斬り落とされる。この描写は冷徹なリアリズムだが、この質感はつまり、あれ（イッツ）です。

インタビューをみると、監督は本作を撮るにあたってロベール・ブレッソンの『湖のランスロ』(1974)とテリー・ギリアムとテリー・ジョーンズの『モンティ・パイソン・アンド・ホリーグレイル』(1975)をみて、刺激を受けたと語っている。そういえば、『ア・ゴースト・ストーリー』(2017)も『グリーン・ナイト』(2021)もA２４制作。A２４が、ここ数年効いた作家映画を発表し、シネフィル達の琴線を微妙に震わす理由は、この70年代テイストの継承があるのかもしれない。まあ、『ヘレディタリー／継承』(2018)は、日本でも大ヒットしたA２４制作の『ミッドサマー』(2019)のアリ・アスター監督のタイトルだが、こちらのホラー系列の継承問題についてはまた別の機会に。

◎２０２２年11月25日から全国上映

【映画史 スピンオフ】
シャンタル・アケルマン

かねてから名前を知っていて作品の評論を読んでいたが、それを実は見ていなかったという経験がある。最近は、こうした伝説的な作家の幻の作品がデジタルマスター版として、やっと日の目を見ることが多い。若いころに日本語字幕もついていない原語版で聞き耳を立て、難解な解説書を思い出しながら、しかも質の荒いフィルムに目を凝らしながらシネマテイクに通っていた時代がある。

その代表格ともいわれるのが、この人、シャンタル・アケルマン。

かつては、シャンタル・アッカーマンと日本では間違った読み方で紹介され、マンというので、男性の監督だと勘違いしていた人もいるはず。実は彼女は映画に革命を起こしたといわれる女性監督の代表。彼女の作品は、トッド・ヘインズやガス・ヴァン・サント、サリー・ポッター、ミヒャエル・ハネケとざっと並べるだけで名だたる映像作家たちに影響を与えている。

彼女の人生を辿ると、１９５０年６月６日、ベルギーのブリュッセルに生まれ、両親は二人ともユダヤ人で母方の祖父母はポーランドの強制収容所で死去するが、母親は生き残った。ユダヤ人でありバイセクシャルでもあったアケルマンは、15歳の時にジャン＝リュック・ゴダールの『気狂いピエロ』を観たことをきっかけに映画の道を志し、18歳の時に自ら主演した短編『街をぶっ飛ばせ』(1968)を初監督。その後ニューヨークにわたり、『部屋』(1972)や初長編『ホテル・モンタレー』(1972)などを手掛ける。

ベルギーに戻り『私、あなた、彼、彼女』(1974)は批評家の間で高い評価。25歳のときに平凡な主婦の日常を描いた、3時間を超える『ブリュッセル１０８０、コメルス河畔通り23番地ジャンヌ・ディエルマン』を発表。その後もミュージカル・コメディ『ゴールデン・エイティーズ』(1986)や『囚われの女』(1999)、『オルメイヤーの阿房宮』(2011)などの文芸作、『東から』(1993)、『南』(1999)、『向こう側から』(2002)等のドキュメンタリーと、ジャンル、形式にこだわらず数々の意欲作を世に放つ。母親との対話を中心としたドキュメンタリー『No Home Movie』(2015)を編集中に母が逝去。同作完成後の２０１５年10月、パリで自ら命を絶った。

と、生涯を駆け足で追うだけで、その作品の全貌はなかなか語りつくせない。

彼女の作品については、一本一本語ると誌面が尽きてしまうので、敢えてここでは触れないが、今回の日本では一

般初公開のものが多い。この名前だけは憶えていて損はない。

とにかくここでは、今まで彼女の作品を実は殆ど見ていなかったことを告白し、新たに出会い、発見したことを付け加えておく。これもまた、映画史からスピンアウトしていたお宝ともいえるのかも。

特に『オルメイヤーの阿房宮』(2011)は、東南アジア奥地の河畔にある小屋で暮らす白人の男が主人公。彼は現地の女性との間に生まれた娘を溺愛し外国人学校に入れるが、娘は父親に反発するように放浪を重ねていくという狂気と破滅の物語。『地獄の黙示録』(1979)の元ネタ「闇の奥」で知られるイギリスの作家ジョゼフ・コンラッドの処女小説を脚色したもので、時代も場所も特定されない抽象化された状況。原作の実存主義と家父長制という重いテーマを孕みながらも、冒頭からヒロインの娘の美しい瞳に引き込まれ、一気に圧倒的な映像に魅了される。

◎「シャンタル・アケルマン映画祭」として2022年全国で上映。

ピエール・エテックス 【ジャック・タチ スピンオフ】

ピエール・エテックスと聞いて、すぐさま彼が何者か答えられる人は日本では稀だろう。実は、彼は映画監督、俳優、イラストレーター、道化師など、数え尽くせぬ顔をもつフランスのマルチアーティスト。

イラストレーターとして活躍していた20代半ばにジャック・タチと運命的な出会いを果たし、有名な『ぼくの伯父さん』(1958)の助監督として映画界に参入。そして、あのユロ氏のポスターイラストを描いた。そして、のちにルイス・ブニュエル作品で著名な脚本家となるジャン＝クロード・カリエールと共に映画制作を開始。短編二作目『幸福な結婚記念日』(1962)でアカデミー賞最優秀短編実写映画賞を受賞し、長編作品に取りかかる。緻密な構想と見事な演出、そして無声喜劇へオマージュした作品群を世に送り出した。俳優としても、ロベール・ブレッソン『スリ』(1959)、ルイ・マル『パリの大泥棒』(1967)、オタール・イオセリアーニ『皆さま、ごきげんよう』(2015)など数多くの作品に出演する。

だが、彼の作品自体は権利問題が理由で長く劇場で上映できず、ソフト化もされていなかった。そののち、ジャン＝リュック・ゴダールやレオス・カラックス、ミシェル・ゴンドリー、デヴィッド・リンチなどの映画人ら5万人以上の署名活動で、2010年に監督作品の上映権が復活。エテックス自身の監修のもとデジタル修復を施された作品は、世界各国で再び上映することが可能になり、この10年でエテックスの再評価は急上昇した。

特にトリュフォーが絶賛し、ゴダールがその年のベストテンに選出した代表作『ヨーヨー』(1965)は隠れた傑作。5歳のとき観に行ったサーカスで道化師に魅せられ、本人も

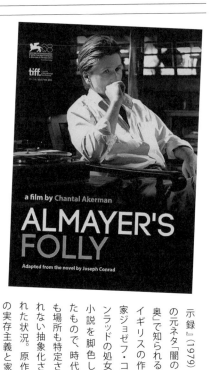

ミュージック・ホールやキャバレーで道化師として働いた経験を元にした物語。ヨーヨーと呼ばれる主人公と息子を監督自身が演じ、二代にわたるドラマをオーソン・ウェルズ『市民ケーン』(1941)並みのスケールで描いた。

ただ、こちらの大富豪ヨーヨーは大恐慌でメディア王になるどころか、逆に財産を失い、惚れたサーカス団の女曲芸師と6歳の息子と共に地方巡業サーカスで暮らしを立てる。そして、やがてサーカス界で大成功した息子は、かつて父が暮らした大邸宅再建を目指すが……。

サイレント喜劇やサーカスの暖かいオマージュに満ちた、チャップリンとキートンを程よくミックスしたような傑作であった。

日本では師匠のタチでさえ、まだ評価が不十分であるのに、その向こう側にこんな才能が人知れず控えていたとは。さて、2016年に87年の人生を閉じたエテックスにとって、この映画邸宅の再建とは、どれだけ〈薔薇のつぼみ〉であったのだろうか。

◎『ピエール・エテックス レトロスペクティブ』としてシアター・イメージフォーラムほか全国上映中。

イルマ・ヴェップ

【映画からシリーズ スピンオフ】

まず映画『イルマ・ヴェップ』(1996)は、当時、香港を代表する女優でもあるマギー・チャンがフランスに進出した作品。映画の撮影過程を描いたもので、マギー・チャンは本人役で、新作映画『イルマ・ヴェップ』の撮影のために単身パリへやって来る。しかも、トリフォーの『アメリカの夜』(1973)の後日談のように、ジャン＝ピエール・レオ

が演じる監督はノイローゼで失踪し、撮影は難航につぐ難航。マギーの方も現地スタッフと折り合いがうまくいかず、唯一スタッフのゾエだけが親しくしてくれるが……という話。

ちなみに、マギー・チャンはこの作品がきっかけで、この映画の監督であるフランスの鬼才オリビア・アサイヤスと結婚したが、残念ながら、後に離婚してしまっている。

この謎のタイトル《イルマ・ヴェップ Irma Vep》とはフランスの連続活劇のゴーモンフィルム『レ・ヴァンピール 吸血ギャング団』(1915-16)に登場する女盗賊のことで、《vampire》の文字を並び替えたアナグラム。劇中でマギーはこの女盗賊を演じ、キャットウーマンを想起させる黒いピタピタのスーツを着て、パリの夜を屋根伝いでキャットウォークする。極めつけはラストで完成した試写の映像で、これがトンでもない。つまり悪い意味での実験フィルム。これをを見て著者はひっくり返りそうになった記憶がある。

そして、HBOがアメリカの映画会社A24とタッグを組んで、ドラマ版『イルマ・ヴェップ』(2021)が作られる。『夏時間の庭』(2008)、『アクトレス～女たちの舞台～』(2014)『パーソナル・ショッパー』(2016)など、最近では比較的手堅いドラマが定着してきたアサイヤス自身が監督。ドラマ版ではマギー・チャンに代わりアリシア・ヴィキャンデル、監督役にはヴァンサン・マケーニュらフランスを始め国際色豊かな俳優が集結している。

日本でスクリーン上映された際には、シリーズで414分に及ぶ作品を前後半で2回にわけて上映。それぞれ本編の冒頭で、アサイヤス監督自身が「これは連続ドラマで8つのエピソードに分かれているが、実は全体でひとつの映画だ」と語った通り、毎回エピソードの前にキッチュなアニメが登場し、趣向を凝らしたワンエピソードで一応の小さな物語は完結するものの、全体としても大きな映画としての醍醐味が感じられた。

◎第35回東京国際映画祭2022でスクリーン上映。またU－NEXTで配信中。

よりぬき［中国語圏］映画日記

小林美恵子

コロナ禍を描く
――『武漢、わたしはここにいる』から『ホテル』まで

例によって映画祭の秋、十月の「中国・東京映画週間」を皮切りに国内だけでも様々な映画祭や特集上映が目白押しで、せっせと通って観た中国語圏映画（というか、中国語を主な使用言語として作られた映画――中には日本やアメリカの作品も）は、十一月末までで新旧取り混ぜ三一本！ 上映された全作品を観たわけではもちろんないが、我ながら頑張った！ そして、日本に入ってくる中国語（圏）映画の多種多様の隆盛ぶりも頼もしく感じられた。印象に残る作品はいろいろあるが、その中で今回は、三年近くになる「コロナ禍」に題材をとったドキュメンタリーや劇映画を拾ってみる。

★「武漢、わたしはここにいる」

★武漢、わたしはここにいる／二〇二一／監督＝蘭波

二〇年一月二三日、コロナの発生・蔓延により武漢は封鎖。監督・蘭波は映画の撮影で武漢に滞在していたが、このため撮影は中止に。市外に出ることもかなわず足止めされることになる。この状況を逆手にとって、封鎖された町で暮らす人々、特にコロナ患者の増加によって閉め出され医療が受けられないがん患者やその家族とか、地域で孤立してしまった高齢者やその施設に向けて物資を届ける民間団体のボランティアなどを中心に、映画関係者自身も医療が受けられない人に関わりながらボランティアに同行して、封鎖解除の四月まで撮影を続けたという、一五三分の作品である。

この映画に出てくるボランティアのIT関係者や塾講師、軍人、そして自営の「経営者」たち。ある意味この街の「勝ち組」で若々しくて風采も立派、女性たちは一様に今風の目パッチリメイクのかわいい系で、まあ撮影隊の周辺なのでそういう人々が登場したということかもしれないのだが、彼らが単にお金を出すのではなく、感染が蔓延している町に自ら出て奉仕活動をする姿は尊い。しかも中国的エネルギー？で終始怒号と言ってもいいほどの大声が飛び交い、通行証を出さない役所への若い女性経営者の抗議の叫び・怒鳴りのすさまじさにも驚かされる（すばらしいというべきなんだろう）。

で、この映画では、そういう活動に対して非常に官僚的な態度で妨害とも言えるような干渉をする地区委員会や、外出許可証を求めるボランティア団体の人々をたらいまわしにする役所とか、また病人が地域の枠を超えて入院することを末端の交通機関や公安が許さないとか、さまざまな人的・政治的困難をも当事者のつらさとして描いているのである。感染が分かった当初、そのことをSNSで広め警告した医師たちを当局が訓告処分にし、感染の隠ぺいをはかった「武漢問題」の一端にも通じるような公の在り方をも余さず描いた骨のあるドキュメンタリーだ。二一年秋にオンラインで行われた山形国際ドキュメンタリー映画祭上映作品を「ドキュメンタリードリームショー山形in東京二〇二二」と銘打った特集上映で観た一作で、さすがの見ごたえだった。

★穿过寒冬拥抱你／二〇二一／監督＝薛晓路

題名は「寒い冬の間ずっとあなたを抱きしめる」という感じだろうか。航空機内で偶然見たこの映画は、武漢封鎖

の二〇年冬から春、ある病院を舞台に、ボランティアで働く人々、医師やその家族などの奮闘と人間関係を描く群像劇だ。ボランティアに打ち込み家族そっちのけで妻の顰蹙を買う男（黄渤）の息子への愛、娘とギクシャクしながら自身は病院に医薬品を届けるボランティアをする女性（賈玲）とコロナ死する若い看護師（周冬雨。賈玲と渡り合って上手い）との交流。同じくこの女性を励ましながら、自らは作曲しつつオンラインで子どもたちにピアノを教える音楽家。こちらもギクシャクしつつ、ともに医療に打ち込む医師夫婦——彼らには妻の妊娠という慶事がめぐってくる。娘を失って娘婿と孫と暮す老産科医（呉彦姝。きりりと恰好いい。彼女もコロナにかかり死の淵をさまようが、生還するという役どころ）などが登場し様々な悲喜劇的エピソードで話が進む。

要はあの厳しかった武漢封鎖のコロナ禍、良き市民たちは自らの生活の悩みを抱えつつも誠実にコロナに立ち向かい、自ら倒れたりすることもありながらコロナを撲滅したのですという話だ。そこでは「武漢問題」が語られることも、ボランティア活動への当局の干渉や介入が語られることもなく、中国政府や国民たちの意識の高さというかすばらしさが称揚され、そこに武漢の美しく近代的な景観があたかも観光案内のように織り込まれる。見ていてわかりやすいし、役者たちはみな魅力的で力のある人たちなので思わずフーンと見せられてしまうが、ちょっとうさん臭さも感じずにはいられない映画ではある。竜のマークの付く劇映画として描くとこうなるのか、と『武漢、わたしはここにいる』と対比すると面白い。

★アウトブレイク～武漢・奇跡の物語／二〇二二／監督＝劉偉強

書いているうちに思い出したのが、二一年の中国・東京映画週間で見たこの映画。原題は『中国医生』で、一九年末の謎の感染症発生から二〇年の撲滅！（まだ撲滅されていないけど）までの武漢の医師たちの献身的・英雄的・犠牲的な医師たちの戦いぶりを、院長の難病にも絡めて描く。ここでも「武漢問題」に触れることはもちろんなく、医師よりもむしろコロナ撲滅を導いた政治中枢が称揚されているという感は禁じ得なかった。

周知のとおり、中国はその後ゼロ・コロナ政策を敢行したが、経済の冷え込みから国民の批判が高まったこともあり、急遽方向転換、昨年末には習近平主席が「コロナ勝利宣言」を出し対策を終了した。その結果またまたコロナ罹患が爆発的に増加しているようだが、政府は情報を明らかにせず、国民は翻弄されながら自己判断で動いている感じ。そこには献身や犠牲もあり、美談も生まれるのかもしれないが、何にしても気の毒だなと思えてしまう。そしてそんな中ででも頑張る映画人たちだが、今後は中国国内ではどんなコロナ映画ができていくのかなという思いにもかられる。

以上は、コロナとの「戦い」を描いた作品だが、コロナ禍の下、閉鎖的な環境で生きざるを得ない人々の内面や不安定に鋭く切り込んだ作品群も忘れることはできない。山形のドキュメンタリーでは『ルオルオの恐怖』（二〇年／監督＝洛洛（羅紫月））、台湾にも『瀑布』（二一年／鐘孟宏）など印象に残る作品があった。さらに、年末の香港映画祭でも『コロナ変奏曲』（邦題）として、四本の短編からなるオムニバス映画が公開された。コロナが日常となった中での生活や人間心理への切り込みが描かれるインディーズ作品である。そんな中で心に残った一作をあげておこう。

★ホテル／二〇二二／監督＝王小帥

この映画の舞台が中国国内ではなく、封鎖された中国に帰れない人々の滞在するタイのリゾートホテルというのは意味深い設定に思われる。暮らしが大きく規制されている国内では、人々の心さえもロックダウンされてしまうのかもしれない。

コロナ禍の下、チェンマイのホテルに足止めされ滞在する三組のペアの、そのうちの一人若い女性が繋ぐような形で、互いに顔も知らぬまま絡み合う関係がアーティスティックな場面・心理描写によって描かれる。モノクロの閉塞的ではあるがのんびりしたプールサイドの光景から、後半には驚くべき劇的展開もある。コロナが直接描かれているわけではないが、平時にない環境設定によってコロナ禍を見事に利用して人間に迫ったといえる映画かもしれない。主演の一人は作家・野夫で、脚本にも参加し映画の厚みを増している。東京フィルメックス招待作品として鑑賞した。

DANCE

ダンス評［2022年9月〜12月］

志賀信夫

身体の在処《ありか》 ブラレヤン・パガラファ カタジナ・パストゥシャク ナタリア・ヒリンスカ

劇場一杯に広がる声、声、声。舞台奥、二階席、背後など、あちこちから男性の歌声が響き、舞台を包み込み、観客はその声に取り巻かれ、やがて不思議な感動を味わっている。

　こんな冒頭から『LUNA』は始まる。歌声は四音階だけ。シンプルだからこそ美しく、聖なる響きのように思える。あたかもジャングルの奥地で味わっているかのような感じで、そこから一種の声のオーケストラが立ち上がるのだ。

　それらの声とともに小さい光が闇の中でうごめく。さらに会場の後ろからも、声を発しながらダンサーたちが舞台に集まってくる。彼らが小さいヘッドライトをつけ、その抑えた光も美しい。背景には、変形した月のような光の円が映し出され、次第に形を変えていく。なんとも神秘的な夜の姿、森の中を想わせる情景だ。

　やがて身体が動き、踊り始める。暗い光の中、小さい布に裸の男たち。這うように、四つん這いなど低い姿勢から動き出し、バラバラかと思うとユニゾンになり、次々と変化していく。その間も声が響き、歌らしきものになり変化するが、シンプルで心に響く。月のようだった光は、山並みのようになり、変化していく。光の明暗が抽象的な形を示し、それが投影の動きとともにゆっくり変化するという自然を感じさせるシンプルなもので、美しく効果的だ。

　そのなかで、次第にダンスが際だってくる。争いのような動きや、超人的なジャンプなども含めて個性が見えてくる。バレエやコンテンポラリー、舞踏ではなく、「行為」的でもなく、アフリカなどの部族を連想させるものでもない。プリミティヴかつ、フォーメーションや変化が緻密につくられ、まさに「ダンス作品」。それがきわめて高い身体能力の九人によって踊られ、声・歌も彼ら自身で、一部は録音もあるが、ほとんど生で演じられる。

　下手で二人の男性が議論し、反対で他のメンバーたちが踊る、一人ひとりソロを披露するなど、バレエのディヴェルティスモン、ソウルトレイン的な部分も、自然の中のように示される。観客には予め歌詞が渡されていて言葉の内容はわかるが、現前するパフォーマンスにどっぷり浸りきる類のない時間で、見たことのない優れた舞台だった。

　この作品の振付家ブラレヤン・パガラファは、台湾のクラウドゲイト・カンパニーをへて、マーサ・グラハムカンパニーでも学び、台湾でブラレヤン・ダンスカンパニーを結成した。台湾の少数民族パガワン族の出身で、少数民族の表現とコンテンポラリーダンスを融合させた作品を生み出している。台湾には一六の少数民族がいるが、今回の作品は高地のブヌン族の歌唱にブラレヤンが衝撃を受けたことがきっかけだ。ブヌン族が高地に住んでいるのは、日本が植民地時代に追いやったかららしい。台湾の少数民族は固有の言語を失ったが、それも日本と中国の支配によるという。

　ブヌン族の歌は儀式や狩猟のときに歌われるものなので、ブラレヤンはその対話などを、ダンサーの個人の人生に重ねた。ヘッドライトも実際の狩りでブヌン族が使うもの。それらのリアリティが、台湾のさまざまな民族混淆のダンサーたちの訓練された身体と声によって表現され、この世のものとは思えないような作品を生み出すことになった。

　この作品は、演劇、ダンスなどの実演芸術に関わる人の集うプラットフォーム

「YPAM2022（横浜国際舞台芸術ミーティング）」で、一二月三日に、KAAT（神奈川芸術劇場）で上演された。

二日後の一二月五日には、ポーランドのカタジナ・パストゥシャクとナタリア・ヒリンスカの二人によって、きわめて個性的な『二階の解剖学』が上演された。横浜黄金町近くの古い店を改装した小劇場「似て非works末吉町」は、アート展示なども行われている。近年、黄金町はアート活動が盛んだが、各所に以前の歓楽街の面影も残る。

その二階は、畳を中心とした二十畳ほどの空間を中心に台所などがあるが、広間に真鍮板が置かれ、その上に裸身短髪の女性二人が、背中を見せて正座し、何本ものスタンドがマイクを向ける。「二階の解剖学」は、この古い家屋の「二階」ゆえだろう。

全裸で並ぶ二人の後ろ姿は美しく、それがゆっくり動きだし、崩れていき、個々の動きから絡んでいく。斜めに重なった二人は短く言葉を交わし合い、その後、口を重ねるようにして、音を発する。その音が互いの口内に響き、独特の和声、不協和音を生じさせるところもおもしろい。

★「LUNA」Photo by Hideto Maezawa

立ち上がり、つなぎを着込んで、マイクを吊されたガムテープの前に置く。背景には、道路に書かれた白い表示にガムテープを貼るパフォーマンス映像が映し出され、二人は英語で、場所、身体などの言葉を発してパフォーマンスをする。

それらを片づけ、一人は吊したガムテープを持ちキッチンで作業。一人は、服を脱ぎ上手手前の床の間にあがり、吊された白に赤のつなぎとともにパフォーマンス。キッチンの女性が、椀に入れた調理ずみのガムテープを持ってくると、二人で向かい合ってそれを食べる。次に真鍮板を吊して土を置き、一人が上手奥に座ると風景映像が流れ、もう一人が上手壁側に座り、終わっていく。

冒頭の二つの裸身のインパクトと、パフォーマンス的、行為的な動きが特徴の作品だが、身体をどう追求するのかを意識した作品といえる。

カタジナ・パストゥシャクはアマレヤシアターを主宰し、『ノマディック・ウーマン』など少数民族をテーマにした作品を発表、日本では北海道のアイヌとともに作品をつくり、東京公演も行ってきた。今回は、この横浜黄金町周辺のサイトスペシフィック（地域特質型）作品で、竹重伸一・有代麻里絵による「Nyx」主宰プログラム「私たちに身体はあるのか？」の一つだ。竹重らはカタジナの過去作品の制作にも関わってきた。今回も、この公演以外にもソロダンス、トークと映像上映など、総合的なプログラムを制作している。

この作品はYPAM2022の「フリンジ」といわれる提携作品でもある。そして、二人の振付家がそれぞれ少数民族に関わっているという点も興味深い。欧州北方のポーランド出身のカタジナ・パストゥシャクはユーラシアからアイヌへと北方民族を求め、台湾のブラレヤン・パガラファは、東南アジアの少数民族のアイデンティティを追求している。日本は相変わらず単一民族幻想に支配されているが、遣唐使以前から大陸と文化のみならず民族も混淆してきた歴史、北海道と沖縄には異なる民族がいる現実を正しく理解すべきだろう。そして彼らの文化が優れた芸術表現につながるということも、ぜひとも体験してほしい。

「コミック・アニメ・ゲーム」×ステージ評

東京ラブストーリー 美女と野獣、イケメン戦国 イヴの時間

高　浩　美

年末年始はCS衛星劇場でビッグタイトルの2・5次元舞台の放送があり、また時代劇チャンネルではミュージカル『薄桜鬼』の放映があったりと、劇場へ行ったことがなくても、2・5次元舞台に触れる機会は格段に増えている。日本初の長編テレビアニメ『鉄腕アトム』が放送されたのは1963年のこと。当時生まれた人はこの2023年で還暦、つまりこれをリアルタイムで視聴し、ある程度作品の中身を覚えている年齢となると現在、70歳近い。日本国民のほとんどがアニメ世代、ということになる。よって、シニア世代にアピールする2・5次元作品はこれから増加していくものと思われる。

柴門ふみの傑作『東京ラブストーリー』、略して『東ラブ』、1991年には織田裕二と鈴木保奈美でフジテレビの「月9ドラマ」としてテレビドラマ化、最終回平均視聴率が32・3%を記録する大ヒットとなった。2020年には配信ドラマとして29年ぶりにリメイク。そして2022年、ミュージカル化された。キャッチコピーは「東京では誰もがラブストーリーの主人公になれる」。ミュージカル化に際して、原作の設定をいくつか変えている。時代設定はバブル期からコロナ前の2018年頃に。また、完治が働いている会社も広告代理店からタオルメーカーに、上司の和賀夏樹は男性から女性に変更されている。とはいえ、主要キャラクターの性格は原作そのまま。完治はリカに振り回され、友達の三上健一はモテ男、幼馴染の関口さとみは保育士という設定は変わらない。リカの有名な台詞「ねえ、セックスしよう」も飛び出し、完治は困惑する。このように原作の根本は変わらず、テレビドラマをリアルタイムで視聴していた世代には新鮮で、そして懐かしい舞台だったのでは、と想像する。上演するタイミングや時代の空気に合わせて変更できるところは変更する、というやり方は今後の2・5次元舞台の指標になるかもしれない。

★ミュージカル『東京ラブストーリー』
撮影:田中亜紀

★ミュージカル『美女と野獣』
©Disney 撮影:下坂敦俊

また初演時に大きな話題となった『美女と野獣』は、現在、舞浜アンフィシアターにて好評上演中だ。JR舞浜駅下車、当然のことながら東京ディズニーリゾート®内の劇

場なので、駅に着いたらすでにディズニーな気分。東京ディズニーリゾート®を満喫できるプランも用意されているので、丸々1日、ディズニーの世界観が楽しめる、という趣向。ミュージカルの方は、初演より上演時間が短くなり、コンパクトになっているものの名場面はしっかり、十分に楽しめるし、劇場の特性を生かして、没入感も感じられる。ロングランしており、ミュージカル初心者にはうってつけの公演だ。

　また、人気シリーズの『イケメン戦国』、こちらはゲーム原作だが今回は猿飛佐助にフィーチャーした内容。彼は実は現代人、他の武将たちとはそこが大きく異なる点。ヒロインの舞は現代からタイムスリップしてきたという設定なので、佐助と舞には「現代からやってきた」という大きな共通項がある。よって舞にとって佐助は頼れる存在であり、そこから恋愛感情が生まれるのは、自然な流れ。

★『イケメン戦国 THE STAGE～猿飛佐助編～』
©CYBIRD / イケメン戦国THE STAGE製作委員会

　また2022年の年末に舞台『イヴの時間』が上演。2008年にインターネットで公開されたショートアニメーションで、2010年に完全版として映画『イヴの時間 劇場版』が公開され、東京国際アニメフェア2010・第9回東京アニメアワード優秀賞OVA部門を受賞し、第14回文化庁メディア芸術祭アニメーション部門審査員推薦作品となったアンドロイドを題材にした名作が原作。演出はミュージカル『王家の紋章』やミュージカル『アルジャーノンに花束を』などで知られる荻田浩一。

　不思議な喫茶店「イヴの時間」、そこに掲げられた言葉「人間とアンドロイドを区別しない」。何人かの客がいるが、アンドロイドなのか人間なのか、ぱっと見はわからない。そこにやってきたリクオと友人・マサキ。2人は学生であり人間。ここで2人はさまざまな体験をし、内面の何かが変わっていく。人間のように見えるアンドロイドをあくまでも〝家電〟とカテゴライズしようとする人間。ロボットはロボットのままでいて欲しいという意識がそうさせる。マサキの父は倫理委員会に所属し、大のロボット嫌いで差別的な態度と発言をする。そうした人が抱える不安、未知なるものへの恐れ、過去のトラウマ、状況は簡単には変わらない。人間とアンドロイドの共存、人工知能の発達、遠くない未来のことかもしれない。様々なことを考えさせられるSFファンタジーだ。

★舞台『イヴの時間』
©Yasuhiro YOSHIURA / DIRECTIONS, Inc.
©舞台「イヴの時間」製作委員会

イーロン・マスクのツイッター買収の真相！——ディストピア・アメリカと情報の自由の戦い

ケロッピー前田

2020年にパンデミックが騒がれ始めてからすでに3年目に差し掛かろうとしている。それでもいまだコロナが収束したとはいえず、昨年2月に勃発したウクライナ戦争も終わりが見えない状況が続いている。もはやまったく未来が見通せないまま、感染症の恐怖と経済格差、人類全体が低迷した窒息状態に閉じ込められ、世の中も活力も大きく削がれてしまっている。では、どうすれば？

ここではイーロン・マスクのツイッター買収の真相を読み解くカギとして、3つの未来予想をカウンターカルチャーの視点から見ておきたい。

まずひとつ目の未来は「ディストピア・アメリカ」である。イーロン・マスクは、2022年12月28日、自身のツイッターで有名なディストピアSF小説『1984』『すばらしい新世界』『華氏451度』の3つのベン図の重なりあったところに「YOU ARE HERE（あなたはここ）」と文字が書かれた画像を投稿した。

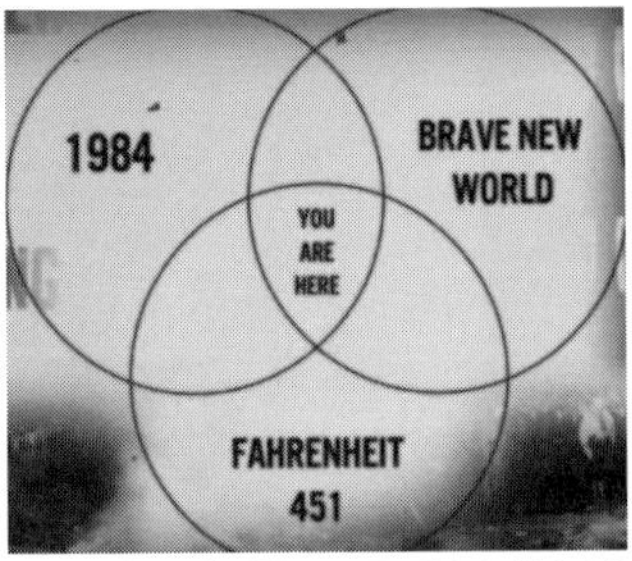

★3つのディストピア小説のベン図の重なりに「あなたはここ」とツイートしたイーロンの意図は？

ちなみに『1984』は、ジョージ・オーウェルが1949年に刊行したもので、1984年に訪れるかもしれない高度管理社会を予見した。『すばらしい新世界』は、オルダス・ハクスリーが1932年に発表、機械文明によって繁栄した人間が自らの尊厳を見失っていくアンチ・ユートピア小説である。『華氏451度』は、レイ・ブラッドベリが1953年に発表したもので、すべての書物が禁止された未来を描き、1966年にフランソワ・トリュフォー監督によって『華氏451』として映画化された。

さらに説明するなら、ここに登場するイーロン・マスクとは、電気自動車メーカーのテスラ、民間ロケットのスペースXなどの先端テクノロジー事業で昨年には長者番付世界一に昇り詰めた天才的な経営者にしてエンジニアである。そんな彼がツイッターに買収を提案したのは2022年4月頃、自身も世界第2位のフォロワー数を誇るツイッターのヘビーユーザーで、ツイートひとつで株価を大きく変動させるほどの影響力を持っていた。それだけに買収の件は一般メディアでも大きく報道された。その後、昨年10月末に総額440億ドル（約6兆5000億円）でツイッター買収を完了すると、最初の一週間で世界の従業員数半数にあたる約4000人に解雇を通達したという。一般メディアの報道では、長年に渡って赤字経営に苦しんでいたツイッターを救済するにはまずは人員削減だろうと説明された。

確かにそれは事実だが、ディストピア小説の3つのベン図を思い出して欲しい。イーロンはツイッター買収に当たって、自分がCEOになれば、投稿監視についての「アルゴリズム」を公開すると約束していた。そして、買収完了とともに真っ先に解雇したのはツイッターの重役たちであり、彼らが先導していたSNSの情報操作の実態を暴くことこそが、ワンマン社長となったイーロンの最初の仕事となった。ツイッターの従業員が多かった理由は、数々の検閲や情報操作、アルゴリズムと言われてきた投稿監視が、実は膨大な人員を動員して行われていたためだった。改めて、3つのベン図に戻るなら、SNS上における3つの検閲とは、ツイッター、メタ（フェイスブック）、グーグルに（YouTube）のことであろう。すでにアメリカ人がSNSというディストピアに幽閉されて情報の監視&検閲が行われていたことをイーロン自らがCEOとなることで内部から暴いてみせたのだ。

2つ目は、情報の自由についての未来だ。イーロン・マスクは、ツイッターの内部情報を「ツイッターファイル」として12月3日から順次公開している。一般メディアはほとんど報道しないし、いわんや日本のメディアは全くと言っていいほど取り扱わないので、ツイッターファイルがいったい何のことかわからない人も多いだろう。

現在公開されているファイルはいまのところ14件あり、複数の信頼できるジャーナリストに委託して、彼らが連投ツイートすることでその内容をツイッター上で公開している。12月3日に公開された第1弾はハンター・バイデン汚職記事の拡散阻止、第2弾は秘密のブラックリストとシャドウバン、第3弾と第4弾はトランプ元大統領のアカウント凍結などのプロセスが報告された。その後も政府諜報機関がツイッター社に検閲を命じるとともに資金援助をしていたことも暴かれた。コロナやワクチン、さらにアンソニー・ファウチについてなどでツイッター上の情報工作があったことがわかっている。

★（上）「洗い流すぜ」と言わんばかりに、イーロンは「流し台」を抱えて、ツイッター本社に現れた。（下）電気自動車テスラと民間ロケット事業スペースXでイーロンは本気で火星を目指す！

★「ウサギに続け！」とイーロンが呟くと、風刺画家ベン・ギャリソンがツイッターの闇を図解した。

ところでイーロン・マスクはツイッター買収に際して、自分のテスラの持ち株を大量に売却したことから、その株価を暴落させている。テスラ株はその後も下がり続けていることからイーロン自身の個人資産も大幅に下落している。この件について、イーロンは最も短期間に大量の財産を失った億万長者としてギネス記録になるとさえ言われている。それでも彼が立ち上がらなければ、情報の自由の戦いに挑める者は他にはいなかっただろう。

3つ目の未来は、人類は火星に行くのか、あるいは人類はついに核戦争を始めてしまうのかということである。これこそが筆者が考えるイーロン・マスクのツイッター買収の理由だ。イーロン・マスクにとって最も重要なことは民間ロケットのスペースXの技術力で人類を火星に送ることである。その先には人類の火星移住計画も見据えている。それが実現可能かどうかはわからないが、少なくとも火星に人類を送るための巨大ロケット「スターシップ」は完成している。去年の段階で打ち上げテストを行うはずだったが、ウクライナ戦争が勃発してその予定は遅れている。もしロシアが核を使うことになれば、イーロンが生きているうちに人類を火星に送ることはできなくなるかもしれない。いま思えば、ロシアがウクライナに侵攻したばかりのとき、ウクライナ軍にスペースXの衛星インターネット「スターリンク」を提供していたのもイーロンなりに戦争の短期決着を願ってのことだったろう。

とにかく、人類がかなり危うい岐路に立たされていることは真実である。絶対にディストピアに甘んじてはならない。イーロンが仕掛けた〝ウサギの冒険〟は人類の希望であると思うのだ。

「天才は狂気なり」という学説を唱え
犯罪人類学を創始した奇矯な精神病理学者

チェーザレ・ロンブローゾの思想とその系譜〈47〉

村上裕徳

LOMBROSO

ギトー

　次にロンブローゾが取り上げるのは、以前に注釈者の村上がジョン・ハンフリー・ノイズの処で付論として採りあげたチャールズ・ジュリウス・ギトー（一八四一〜八二）についてである（連載三六回参照）。ギトーはノイズのコミューンに在籍したが、そこで排斥されて放浪し、後にアメリカ大統領ジェームズ・ガーフィールドを暗殺した犯人である。このことでロンブローゾがノイズとギトーの関係を熟知の上で論説していることがわかる。

　ロンブローゾはギトーに、前項のパッサナンテと同様の政治的テロに至る狂気を感じ、次のように論じ始める。

　ギトーについても（パッサナンテと）同様のことが言えるのである。彼にはほとんど無数の（多様な精神の）変質的特徴が現れていたのである。彼の書く物には、ほとんど「半狂者」と違わぬものが無い。そのうえ彼は、過去に精神病者と「熱狂者」を多く輩出した家系に生まれたのである。（彼は）弁護士にもなり、神学者にもなり、政治家にもなり、詐欺師にもなり、およそあらゆる職業を試してみた（定職として持続せず、何ひとつ上手くいかなかったという意味）。そしてキリスト降誕に関して大発見をしたと公言した。また彼は、無駄に紙を浪費して一つ二つの雑誌を発行し、そのうえ「地獄の存在」や「真理」などという妙な著述をした。また彼は、神が彼の奇矯なる説教の報酬として、彼の借財を払ってくれると考えた。彼が大統領選挙に関してガーフィールドを暗殺したのは神命に従ったからだと言ったが、その実際の理由はこうである。彼はガーフィールドの大統領選挙に関して非常に尽力（ほとんど何もしていないが、自分で過大に評価）したにもかかわらず、その代償にオーストリアの大使やリバプールの領事に成りたい希望を受け入れてくれないのは、ガーフィールドが恩知らずなためで、そのために復讐したというのに過ぎなかったのである。

　ロンブローゾのギトー評は、これで終わっている。前にも記したようにギトーの芝居じみた各種の精神病的症状には興味深いものがあるが、多様であっても自己顕示欲の強い誇大妄想であり、躁と鬱の繰り返しや自傷などのアンビバレンツな衝動を持つ複雑な精神病ではない。自己肯定的で、狂気であっても行為に一貫性があり、矛盾する行為を含まず、単純に割り切れるものである。そのためロンブローゾのギトー評は、症状の浅薄さから天才的評価は低く、やや侮蔑的な「復讐したというのに過ぎなかった」という記述になったのであろう。こうした端々にも、それぞれの対象者に対するロンブローゾの拘りの違いが現れている。

南アメリカ人

　ロンブローゾは続けて言う。

　アルゼンチン共和国における多くの人々は、そのすべてが大脳の障害を受けているということは、この問題に関してメジア（おそらくドミニカの革命家で軍人のメージヤのこと。辞書などでは「メラ」とあり、解説ではメラに統一）が著作を出している事でもわかる。この本は新世界において最も珍しく、かつ価値の高い書物である。

　メジアによれば、リヴァデユラ（スペイン系の名だが不詳）は「憂鬱病」にかかって頭脳が「軟弱になって」死んだということだ。マニエル・ガルシア（おそらくスペインのオペラ歌手マヌエル・ガルシア）も「憂鬱病」にかかって、ついに「脳病」で死んだ。（また）ブラウン提督（アルゼンチン海軍の提督）は、誰かに迫害を受けているという妄想に取りつかれていた。ヴァレラ（一九世紀にキューバをスペインから独立させようとしたカトリック神父のフェリックス・ヴァレラのこと）は「癲癇症」だった。フランシア（パラグアイの初代元首）はメランコリーに取りつかれローザス（アルゼンチンの政治家で軍人。辞書などに従い解説では「ロサス」と表記）は「冒涜狂者」、モンテギュド（不詳）はヒステリー患者だった。

　このようにロンブローゾの記述は唐突に終わっている。しかも、この場所は本来なら前の論述を総括すべき「政治上および宗教上の狂者と半狂者」の章の末尾であり、なぜ「南アメリカ人」の項目が突然に出てくるのか理解できない。ロンブローゾの記述に情報の少ない南米人への偏見があるにしても、また、執着がないための素っ気ない記述であるにしても、記述の細部に問題や異常さがあるわけではない。しかし、この場所に書かれる項目としては、どう考えても場違いである。このロンブローゾの著作『天才論』の章としてなら以前の章、第二編「天才の起因」の一章「気象の天才に及ぼす影響」か二章「風土の天才に及ぼす影響」のどちらかの部分としてあるなら、何の矛盾もないのだが、この章末にあるのは、どう考えても変である。内容に興味なく読み飛ばす読者でない限り、論旨の展開として違和感以外の何ものでもない。あるいは「南アメリカ人」という項目が、翻訳者の辻潤による整理であり、ロンブローゾの原文では、そうした項目が無く個々の名前はギトーと同様に、同格の者として併記されているとも考えられる。おそらく、ロンブローゾが衆知の者として記している日本人に馴染みの少ない個々の人々を、やや詳細に探ることで、何かの答えが見えてくるかもしれない。

革命家メラ

　マティアス・ラモン・メラ（一八一六〜六四）はドミニカの革命家であり、軍人として将軍。また政治家だった。彼は教養のある愛国者のファン・パブロ・ドゥアルテ（一八一三〜七六）とフランシスコ・デル・ロサリオ・サンチョス（一八一七〜六一）と共に一八三八年から秘密結社「三位一体（ラ・トリニタニア）」による抵抗運動を始める。この運動はドミニカ共和国を自由で主権のある独立国にするための闘争であり、また新たに解放された共和国を外国の侵略から守るためのものだった。そして一八四四年にドミニカを支配していたハイチからの独立運動で活躍し前記二人と共に「ドミニカ共和国建国の父」とされ国民的英雄だった。この三人の肖像を使用した紙幣の他に、三人の名を連名で刻んだ名誉勲章さえある。サンチョスは弁護士で政治家、ドゥアルテは軍事指導者の政治家で、教授であり作家でもあった。三人の墓は「祖国の祭壇」に安置されている。

マヌエル・ガルシア

　マヌエル・ガルシア（一七七五〜一八三二）はスペインの有名なテノール歌手で作曲家。モーツアルトのオペラのアメリカでの完全上演は、最初がガルシアの主演によるものである。妻や息子や娘たちもオペラ歌手として有名であり、パリやニューヨークで大成功する。メキシコでも公演するがヴェラクルス近くの道路で強盗に遭い、所持金の全部を失う。そうしてガルシアは一時メキシコに定住することを考えるが、何かの政治的問題があり、一八二九年にふたたびパリに戻らなければならずフランスに帰る。こうした不運のガルシアをフランスの大衆は暖かく迎え入れたという。しかし、彼の声は年齢と疲労により損なわれており、作曲は続けたが舞台に立つことは少なく、一八三二年の舞台を最後に翌年に亡くなった。ロンブローゾが指摘するのは、メキシコを含めた中南米を巡業中のことであろうか。

★チェーザレ・ロンブローゾ

ブラウン提督

　ウイリアム・ブラウン（一七七七〜一八五七）はアイルランド生まれでイギリス海軍派遣のアルゼンチン海軍の提督。歴戦の勇将であり、アルゼンチン海軍の父として国民的英雄。ブラウンの戦歴は背景になる国の事情や、その時々の戦況が数々に入り乱れ、また登場人物も多く、簡単に記すことは困難だが、海洋冒険小説の主人公のように百戦錬磨で波乱万丈の経歴である。まさに軍人になるために生まれたような大提督だった。例えばアルゼンチン・ブラジル戦争では、ブラウンの指揮するのは七艘の船と八艘の砲艦（正規の戦艦ではない）による間に合わせの艦隊だったが、一七艘からなるブラジル艦隊の正規軍を全滅させたうえ、敵の司令官を捕虜にしている。また一八二七年のロス・ポソスの決戦では、アルゼンチン軍一一艘に対しブラジル軍三一艘であったが、数分でブラジル艦隊を総崩れにし敗走させている。これらは具体的に説明しやすい戦歴の、ほんの一端にすぎない。

　ブラウンの戦歴の中で、イタリア統一運動に関心の強いロンブローゾが注目しそうなエピソードが一ヶ所、登場する。ブラウンは事情は複雑すぎて説明しづらいが、隣国ウルグアイ国内の派閥抗争に巻き込まれ、ウルグアイとの戦争になる。一八四二年にブラウンは、後にイタリア統一運動の英雄となるジョゼッペ・ガリバルディ（一八〇七～八二、ヨーロッパと南米での功績から「二つの世界の英雄」と呼ばれた「イタリア統一運動の三傑」の一人）に指揮されたウルグアイの河川艦隊を撃破した。このときガリバルディを含めた捕虜に対してブラウンの部下の一部が優越感のために増長し、私的な復讐のために捕虜の一人を去勢してしまった。

　これを聞いたブラウンは烈火のように怒り、部下の卑劣さに容赦なくガントレットという体罰を与えた。これは並んだ兵士の間を通過するよう強制され、両側の兵士が棍棒や鞭で殴る体罰である。なかには列の途中で絶命する者もいたという。ブラウンは部下によってなされた軍規に外れる不名誉のため、この戦いの勝利を受け入れることを拒み、処刑の裁定を待つばかりとなっていたガリバルディを釈放させることに全力を費やした。こうした敵であっても捕虜の名誉と権利を守る国際法の重視は、ブラウンにとって自分の名誉にかかわることだった。こうした事でガリバルディは命を救われ、後にイタリア独立運動の中心人物となるのである。ガリバルディは、その返礼として、数年後に生まれた孫の一人にブラウンにちなみ「ウイリアム」と名付けている。

ヴァレラ神父

　フェリックス・ヴァレラ（一七八八～一八五三）はキューバのハバナで生まれた。父はハバナの固定連隊の隊長であり、祖父はそこの将校だった。三歳の時に母が亡くなり、二人の姉とヴァレラは、父の無能力のために祖父と二人の叔母たちに育てられる。この三歳の頃から祖父は、現在もスペイン人居住区であるフロリダ州のサン・アグスティン・デ・フロリダに転勤となり、叔母たちと一緒にヴァレラもアメリカ大陸に連れてくる。そしてヴァレラはその頃からラテン語、文法、ヴァイオリンを学び始める。中等教育を始める時期が来た頃、ヴァレラはハバナに戻る。父は亡くなり、祖父は一族の伝統からヴァレラが軍人になることを期待していた。彼が一四歳の時、祖父は彼に陸軍士官学校入学を勧めたが、ヴァレラは神学校に入ることを求める。そしてキューバで唯一の神学校であるアンブロジオ神学校に入学する。また同時にハバナ大学でも学んでいる。これは神学校では教授資格の単位が取得できないからだった。そして二三歳の時にハバナ大聖堂で叙階され司祭になる。叙階から一年以内に神学校の教員に加わり、哲学、物理学、化学を教える。その門下としてキューバの近代的科学全般の先駆けとなる俊英の科学者、政治家、哲学者、歴史家などが育っていく。また、ヴァレラ自身が音楽や演劇や文学全般に精通していたことから、こうした芸術全般の教育の基礎を作ったことでも評価される。

　ヴァレラに学んだ科学者で哲学者のホセ・デ・ラ・ルス・イ・カバレロ（一八〇〇～六二）は、自分たちはヴァレラに思考方法というものを学んだのだと端的に評価している。つまりヴァレラが教育で啓発する以前のキューバ人は「ものを考えるということ」に無自覚であり、そうした意味でヴァレラをキューバ人に「考えることを教えてくれた人」としている。つまりキューバの科学的で近代的思考の基礎は、このカトリックの司祭から総てが始まっているのである。

　ヴァレラの行った業績は数多く、書き尽くせないが、奴隷制に激しく反対したことが一番に重要だろう。一八二二年にヴァレラは「キューバ島における奴隷制度の廃止に関する政令草案」を発表するが、これがキューバを支配するスペイン王のフェルディナンド七世による圧制に遭い、死刑の宣告を受け、結果としてアメリカに逃亡する。この当時のキューバの黒人比率は非常に高く、黒人以外の移民も多いため白人比率は低かった。また黒人の民度は非常に高く、音楽や芸能を含めた芸術家のほとんどは黒人であり、その多くが芸術活動による収入で解放奴隷になっていた。ヴァレラのヒューマニズムのせいもあるが、こうした背景がありヴァレラの政令草案が生まれてくる。ヴァレラは黒人に限らず移民全体に協力的で、キューバをスペインの支配を離れた独立自尊の多民族による共和国にすることが、ヴァレラの理想だったと考えられる。ヴァレラがキューバの独立運動の嚆矢とされるのは、こうした点である。

ニューヨークに渡ってもヴァレラは数々のカトリックの要職に就くが、ここでも新しくアイルランド語を習得し、アイルランド移民の受け入れに貢献する。ヴァレラの名前はキューバの最高文化勲章にも冠せられ、アメリカでは切手になり、恒星にも、その名前が付けられている。

フランシア

ホセ・ガスパル・ロドリゲス・デ・フランシア（一七六六〜一八四〇）はパラグアイの初代元首で、独立運動を指導し、執政官となってからは強硬な独裁体制を敷き、近代化のための強引で先進的な政策を強行した人物である。

フランシアはブラジルから来たポルトガル人の父を持ち、真面目な性格だった。聖職者になるためにアルゼンチンのコルドバ大学で神学を学び、そこで取得した学位により終生「博士」を名乗った。その後スペインからの独立運動に参加し、高等教育を受けたものが少ないこともあって早くから政治家となり、やがてパラグアイの指導者になる。一八一四年に過度に権力の集中した執政官となるが、二年後には終身執政官となり、二〇年には暗殺計画もあったが未然に防ぎ、首謀者七三人を処刑して権力基盤を固めた。二四年には議会を解散させ、大臣も置かず、裁判所も無しに二六年間、三人の重臣だけを従えてパラグアイに独裁者として君臨した。

ただしフランシアの政策は一見ただの独裁による悪政のようだが、パラグアイの国家体制を根本から変える、いい意味での変革でもあった。フランシアは当時のイギリスだけが行っていた保護貿易政策をとることで、主に農業を中心とする国内産業の発展を促した。フランシアはパラグアイ国民に国内産の製品しか買うことが出来ないようにすることで、後の二〇世紀のヘンリー・フォード（自動車会社の創業者）が編み出した「労働者に彼らが作った製品を買うことが可能な給料を与える」という考えを実践する。この保護貿易政策によってフランシアは、統治国の搾取と製品の強制的販売地にすぎなかった未開社会パラグアイを、ラテン・アメリカにおける最初の「近世」的社会（「近代化」ではあるが農業中心のために、工業の発展の前段階、つまり「近代化」に至る前段階までが当時の南米の最先端だった）にまで引き上げる。フランシアの政策は移民と貿易の禁止であり、これにより植民地に付き物だった国債の増加を防ぐだけでなく、新国家パラグアイへの他国の干渉、特にヨーロッパからの干渉から逃れることに成功した。

また一方でフランシアは、対立者の追放と高等教育の廃止を行う反面、初等教育の充実は推進させた。また新聞や郵便の発展は阻害し、家庭裁判所を廃止し、代わりに秘密警察を創設した。こうした独裁的政治は、アルゼンチンなどのパラグアイの独立を認めない国々から国土を防衛する巨大な軍隊を作ることが、まず第一に必要とフランシアが考えたためだった。

またフランシアはカトリック教会の統制にも成功し、修道院を閉鎖してカトリック本庁のものだった財産を国有化した。そのうえでフランシアがパラグアイ教会の長についたことでローマ教皇から破門されたが、気にしなかった。以降の結婚式は、パラグアイ教会を統括するフランシアだけの独占によって行われ、聖職者の立会わない結婚を禁止した。この他にスペイン人地主の力を削《そ》ぐため、スペイン人同士の結婚を禁止する制限を設け、パラグアイで出生した者で、子供を持たずに死亡した者の総ての財産を国に没収すると法律で定めた。この政策により、先住民との混血化を国の法律として推し進めた。

もうひとつの意外なフランシアの一面にも触れておこう。フランシアは個人の過度の所有や祝祭（蓄財を散財するのが恒例だった）に反対だった。彼は蓄財をおこなわず、余った給料を国庫に返還していた。また最下層の国民に絶大なる人気があったという。よくいる独裁者と違い禁欲的で質素倹約型でもあったのである。

ロサス

ファン・マヌエル・デ・ロサス（一七九三〜一八七七）はアルゼンチンの政治家で軍人である。首都ブエノスアイレス出身で祖父の代にスペインから移住し、父は官僚でありながらブエノスアイレス南部の草原地帯で、守護隊として原住民との戦いに従事していた。そのため父の代にはロサスという姓は勇猛な人物として原住民にも知られていた。こうした環境のため、ロサスは幼少時から祖父の牧場で黒人の召使いを従えて乗馬や投げ縄を覚え、友好的な原住民から言葉を教わり、その地域に根付いていたスペインのアンダルシア風のギター奏法を習得する。一八〇六年にイギリス軍がブエノスアイレスに侵攻すると、少年のロサスも民兵に加わり戦った。

成人したロサスは事業を起こし、牧場や肉の塩漬け加工で財産家となり、その財産で私兵を雇い、また貧しい人々に施しを与えた。ロサスは財力と容貌、正直さ、州内で第一の馬術の才能などから、スペイン人でありながら「青い眼のガウチョ（スペイン人と先住民の混血）」と呼ばれ、ガウチョからも黒人からも尊敬される。

そして以降、ブエノスアイレスの地域特権を奪おうとする派閥と対立する保守的政治家となり、一八二九年にはブエノスアイレス州知事となった。当時のアルゼンチンは内戦状態だったが、ロサスは数々の地域の頭領と同盟を結び、ロサスが最大勢力となることで内戦は小康状態になった。三二年には州知事を退くと、私兵を率いて原住民を追い立てる軍事行動を起こし、州の領域から原住民をほぼ追い出す。この時、約六千人の原住民が殺害された。一八三五年には再び州知事になり、以降一七年間、独裁政治を行い反対派と自由主義者を弾圧した。政策は前記フランシアと同じ保護貿易だった。政権の最後には腹心の部下に裏切られ、イギリス船に乗り込み娘と一緒に亡命する。ロサスは海外資産を持たなかったため困窮の末、イギリスのサザンプトンで亡くなった。

ロサスの評価は長らく「独裁王」や「南米のネロ」とされてきたが、現在のアルゼンチンでは評価が二つに分かれている。ひとつは「血に染まった独裁者」であり、もう一つは「外国の干渉に耐えた愛国者」という評価だという。

このように、わかる範囲でロンブローゾが取り上げた人々を検証していくと、ロンブローゾが、ラテン・アメリカの熱気と湿度による風土的な狂気の発生を想定しているにしても、より以上に個的人物の個性に注目していることがわかる。

フランシアとヴァレラは聖職者であった。そのうえで政治家や科学的思想家でもあった。ここには一見、水と油のような対立するものが一人の人物に同居することへの、ロンブローゾの飽くなき興味が読み取れる。またそれぞれの人物の多くが独裁者と非難されながらも、新興国を独立自尊の国にするために戦った愛国者であった。そのため南米各国の支配者は、隣接国と旧支配国およびヨーロッパ各国の干渉と戦うために極端な独裁政治をおこなった。これは、ジャングルの未開社会からヨーロッパの植民地になり、やがて新興の独立国となってきた南米としては、不可避であったかもしれない。この中にはイタリア独立への愛国者としてのロンブローゾの願望と、ユダヤ人としての共和国への願望が読み取れる。

『天才論』における第三編「狂天才」の最終章「政治上および宗教上の狂者と半狂者」の章は、登場するのが数々の著名な芸術家と違って、日本人に馴染みのない人物が多いために、あまり読者に注目されない章である。しかし、詳細に読み込んでいくとロンブローゾの宗教観や国家観、あるいは民族意識が反映され、彼の思想を理解するうえで非常に興味深い章である。

サイトで内容のサンプルをご覧いただけます。
www.a-third.com

TH ART Series
好評発売中!!

発行＝アトリエサード 発売＝書苑新社

天衣無縫なガーリーアート！
渋谷PARCOなどでの個展や音楽等、
多彩な活動を続けている真珠子の
20年の軌跡を凝縮した記念作品集！

真珠子　作品集
「真珠子メモリアル～〝娘〟を育んだ20年」
B5判・カヴァー装・128頁・定価3200円(税別)

「Dolls～瞳の奥の静かな微笑み」に続く
田中流が写した魅惑の人形写真集！
可愛いものから前衛的なものまで
23人の作家の多彩な人形作品を掲載！

田中流 球体関節人形写真集
「DOLLS II ～瞳に映る永遠の記憶」
A5判・カヴァー装・96頁・定価2500円(税別)

「同じ夢」に続く、待望の椎木かなえ画集！
音、夢、空、部屋、人間と、5章に分けて
椎木ならではの、奇妙でシュールで、
だけどどこかユーモラスな世界を凝縮！

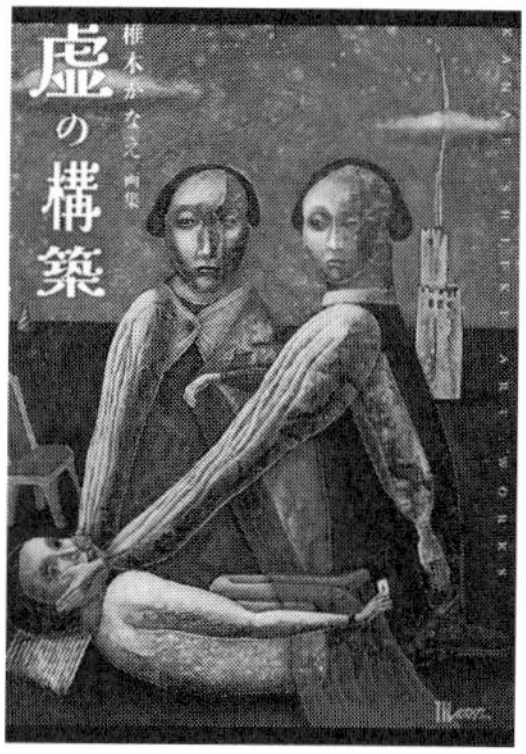

椎木かなえ　画集
「虚の構築」
A5判・ハードカヴァー・64頁・定価2700円(税別)

エアリエル、ゴブリン、ドワーフ、ニンフ……
約100の妖精の特徴・成り立ちを解説。
多くの画家のカラー図版を添えた
イマジネーションの宝庫！

井村君江
「Fairy handbook～妖精ヴィジュアル小辞典」
A5判・並製・112頁・定価1800円(税別)

サロメの魅力を、ビアズリーの挿画、
ワイルドとビアズリーの運命、
サロメを描いた絵画の変遷、
オマージュ作品などを通して俯瞰！

「サロメ幻想～ワイルド、ビアズリーから現代作家まで」
A5判・並製・112頁・定価1800円(税別)

村田兼一の原点、禁断の手彩色写真集！
エロスとタナトスが交錯する
13の秘密の夜。自身が見た夢などを
添えた濃密な魔術的世界。

村田兼一　写真集
「宵待姫　十三夜」
B5判・ハードカヴァー・96頁・定価3200円(税別)

好評発売中!! 書店店頭で見つからない場合は、書店にご注文下さい(通信販売やインターネット書店もご利用下さい)。

SCIENCE FICTION

岡和田晃

山野浩一とその時代(22) ピカートの「沈黙」と、ベルジャーエフの「夜」に学んだもの

「騒音」批判のための「内宇宙」

山野浩一は自他ともに認める、実存主義哲学を創作の根幹に据えた書き手であった。しかし、実存主義からの影響といっても、よって立つべき世界像の崩壊そのものを主題に据えてきたJ＝P・サルトルや、その影響の色濃い大江健三郎よりは、未来がすでに瓦解してしまったことを前提に、世界を残骸の風景《ランドスケープ》として眺めるアラン・ロブ＝グリエやJ・G・バラードといった作家に、資質としては近いものがあるといえよう。樺山三英の言を借りれば、「社会的な関係性に雁字搦めとなってしまい自由のない、自分の内宇宙に目を向ける余裕のない人たち」ではなく、「そうしたしがらみがないぶんだけ内側に目を向けることができる人たち」にシンパシーを感じていたようだ（「内宇宙からのゲリラ戦」、「図書新聞」二〇二二年四月二二日号）。これは関心の有無や世代間の差異というよりも、指向性の区分として考えられていたようで、実際に私は寺山修司や足立正生といった盟友すら、前者（「コンプレックス系」）に分類しているのを山野本人の口から耳にしたことがある。

松浪信三郎は、『実存主義』（岩波新書、一九六二年）において、サルトルの大著『存在と無』の数十万語のなかに「実存主義」という言葉は見当たらず、わずかに「実存哲学」という言葉が一箇所のみ出てくるのだとしたうえで、「実存主義はヒューマニズムである」というテーゼがあまりに急速に浸透したと述べつつ、サルトル自身が実存主義を無神論的実存主義と有神論的実存主義、二つの系譜に大別したことを紹介している。前者はサルトルやハイデガーらが該当し、後者はキェルケゴールやヤスパースといった思想家たちに相当するわけだが、山野は有神論的実存主義の方にこそ、より強い関心を向けていたようだ。つまり「実存主義はヒューマニズムである」という措定《テーゼ》は人間中心主義宣言であり、"意思決定＝決断"の主体は人間それ自体のうちに還元させるほかない。しかし、ハイデガーがナチスに加担してしまったように、主体的な決断と考えたものが、全体主義的な包摂の原理に付和雷同してしまう危険性は否めないだろう。

だからだろうか、山野がまずもって惹かれたのは『われわれ自身のなかのヒトラー』（一九四六年）の著者マックス・ピカートで、それこそ「NW−SF宣言」（「NW−SF」創刊号、一九七〇年七月）で名指しで言及されている。山野が親炙したピカートの本は、一九五三年から五八年の小著四冊を合本して翻訳した『騒音とアトム化の世界』（佐野利勝訳、創文社／みすず書房、一九五九年／七一年）だ。ここでは個々の人間が相対すべき対象を持たず、原子爆弾のような暴力装置からテレビのようなマスメディアに至るテクノロジーの暴走により、生物としての個人の存在が物理的に破壊されるのみならず、自分自身や世界についての内在的な連続性すら切断されてしまった「アトム化」という状況が語られる。すでに技術は「騒音」にすぎなくなっているというわけだ。

既存の技術中心主義的な「Science Fiction＝科学小説」は、「アポロ計画」や「万国博」、あるいは「未来学」といった形で、資本のプロパガンダと化すか権力と結託し、「未来」をも管理してみせようとする「騒音としてのSF」に成り下がっている。そうした「権力としての

SF」は、本来あるべき小説世界を疎外し「狂気」のレッテルを貼って済ませる。そうではなく、小説世界や「狂気」が本来的に有していた自由が恢復した世界こそをピカートは求めたのだ。それを「Speculative Fiction＝思弁小説」の目指すところの「内宇宙」概念と融合させたのが、山野のオリジナリティにほかならない。

当時の「SF文壇」は、プロパガンダに対する警戒心が稀薄だった。一九六六年、橋本登美三郎官房長官らの発案・政府主導で「明治百年」を記念する論文・小説等の作品募集が行われた。これに対し、「プランの立て方がイージーゴーイング」だが「やらないよりまし」だと、放談を交えつつ機会主義的に乗っかる様子が、安部公房・星新一・小松左京・福島正実・石川喬司の座談会「21世紀の日本」を考える」（「SFマガジン」一九六六年六月号）に記録されている。現在の状況に照らし合わせれば、これは日本の「SF文壇」の一部で喧伝され、"比較的高価なギャラが期待できる企業案件"の一種として普及が目論まれている「SFプロトタイピング」に近い発想と言えるだろう。

「SFプロトタイピング」はSF作家の主導で企業や政府・研究機関へのコンサルティングを行い、主として創作ワークショップ形式でブレーンストーミングと未来予測を兼ねさせるというものだ。サイエンス・コミュニケーションの要素もないではないが、「フィクション」を前提としているうえで、正確な科学考証やシミュレーションが目されているわけでなく、ともすれば誤解を喧伝する契機にすらなりうる。実際、作品としての完成度は重視されず、完成した作品は往々にして、読者を意識する視点を欠落させた代物に終わってしまう。何より、制度や資本、スポンサーへの原理的な批判が許容されていないという意味で、SFの核にある文明批評の精神が最初から棚上げされている。かような問題孕みのSFプロトタイピングだが、今や日本SF作家クラブの公式問い合わせフォームにすら、その方面の斡旋を想定したFAQが設けられている状況となっている（ただし、「日本SF作家クラブ全体として、特定の商品の宣伝は行いません」、「クラブ主体でSFプロトタイピングを実施したことはありません」とのエクスキューズは設けられているが）。

機会主義的な同質主義への加担の延長線上にあるのはファシズムである。だからこそ、ピカートは、戦後まもない一九四六年、『われわれ自身のなかのヒトラー』を江湖に問うた。ここで「騒音」に対置されるのは「沈黙」であり、一九四八年の『沈黙の世界』（佐野利勝訳、みすず書房、一九六四／二〇二二年）は、この「沈黙」を、静寂の内で個が「隠れたる神（Deus absconditus）」に向き合い、言葉によって真空に生ぜしめられる亀裂へ向き合うための必然として捉え返している。対する「騒音」は、言葉それ自体の有機的な生命を消失させ、個々の事件を平準化させるもの。ピカートが周到なのは、ウィーン体制を瓦解させた一八四八年革命のような事例を「騒音」として受け止めるのではなく、逆に独裁者が命令する言葉こそが「騒音」にあたるとしていることだ。その延長線上に、ファシズムやボルシェヴィズムが置かれている。これらに共通するのは、〈効用価値＝有用性〉が支配原理となった「機械」の世界である。かような「機械」の世界の支配原理として、ピカートはギリシア古典劇における「機械仕掛けの神（Deus ex machina）」――盤根錯節した物語に無理やり落ちをつけてしまう装置――に擬えることで、信仰に関する技術中心主義批判を文学の観点へと引き戻したのだった。

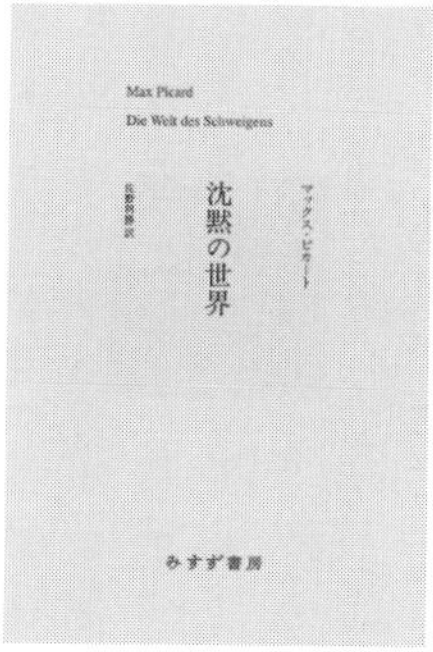

なお、本稿とは異なる解釈で『沈黙の世界』ほかピカート読解を進めている事例としては、前田龍之祐「山野浩一論 SF・文学・思想の観点から」（二〇一九年度日本大学芸術学部奨励賞受賞論文）の第三章を紹介しておきたい。

「アトム化」した世界において「騒音」から逃れるためには、受動的な姿勢では不十分で、決断を行うに足りる主体性の確保が必要不可欠である。それは独裁を回避し、「機械仕掛けの神」を退けるための決断でなければならない。『騒音とアトム化の世界』では、さらに踏み込み、決断と世界の秩序が一致した世界が求められている。

個々の人間に決断をくだす主体性があり、また決断をくだされ得るような明瞭な対象がある場合でも……それだけではまだ充分とは言えまい。更に一つの世界——そのなかでは決断の行為がその世界の秩序の一部、しかもそれの自明的な一部をなすような世界——がなければならないのである。たとえば個人の愛にさえだってすでに世界のなかに愛なるものがないとすれば人間は生きておれないように——（人間はみずから愛することが出来る以前に、愛されたのである）——もしも決断があらかじめ人間にあたえられていないとすれば、人間には決断の個々の行為をなす能力がないであろう。まことに、人間がみずから決断することが出来る前に、神が人間のために決断したのである。決断は世界の構造のなかに織り込まれているのだ。

山野浩一はこの「世界」こそが「内宇宙」だと考えたのだろう。しかし、ここで登場する「神」（「隠れたる神」でもあるもの）とは何なのか。ピカートはキェルケゴールに代表される弁証法神学を介した思弁の対象となる「神」がそれにあたると考えたようだが、それはつまり、措定《テーゼ》と反措定《アンチテーゼ》を止揚《アウフヘーベン》させて総合《ジンテーゼ》へ至るというヘーゲル哲学からはみ出た「孤独」——それこそヘルダーリンやカフカの文学を介して追究されるもの——にこそ、ピカートが着目したことをも意味する。アドルノの『否定弁証法』（一九六六年）を先取りしたかのようだ。山野の小説で、こうした「隠れたる神」の司る「内宇宙」がもっとも明示的に描かれるのは、唯一の長編『花と機械とゲシタルト』だろう。反精神病院を舞台とするこの小説では、多くの登場人物が〝我〟という等身大の人形に、文字通りに自我を仮託しているからだ。

ベルジャーエフとダルコ・スーヴィン

二〇二二年一二月、『花と機械とゲシタルト』（NW−SF社、一九八一年）は、私の手になる登場人物・用語一覧と原稿用紙換算で一二〇枚もの長編論考「山野浩一『花と機械とゲシタルト』論——解説にかえて」を付したうえで、小鳥遊書房から復刻された。同作では「進歩概念」としての〝現代＝男性的世界〟に対峙する「恒常的世界」としての〝中世＝女性的世界〟が扱われているが、こうした「中世」の位置づけは、山野も言及しているニコライ・ベルジャーエフの哲学を軸としている。以下、山野が読んでいた荒川龍彦「ベルジャーエフの人と思想」（ベルジャーエフ『現代の終末』解説、社会思想社現代教養文庫、一九五八年）を参考に、その思想的要点をまとめ直してみたい。

キーウ（キエフ）生まれのニコライ・ベルジャーエフは、西洋哲学を東方から逆照射する、いわば「夜」の思想家であった。この「夜」とは、合理主義の文脈からは非理性として退けられてきた、「新しい中世」（「あたらしき中世」）の支配する世界である。従来、中世は無秩序な「暗黒時代」と誤解されてきたが、ベルジャーエフに言わせれば「夜の時代」というのが正しい。「暗黒時代」と「夜の時代」は似て非なるものなのだ。中世においてスコラ哲学や神秘主義が織りなした高度の精神的緊張、内的な事象の追究は、キリスト教という秩序により照らし出された「夜」である。そして、「神が死んだ」（ニーチェ）とされる現代も、実のところ新たな中世の訪れにすぎない——かように歴史を反復的・遡行的なアナロジーとして、ベルジャーエフは捉え直したわけだ。

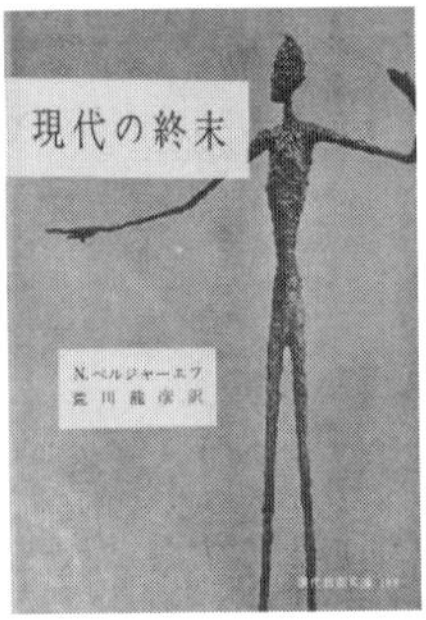

ベルジャーエフの思想は倫理の不在を嘆く知識人に厚く支持されたが、他方でグノーシス派のような異端の臭いを嗅ぎつける向きも少なくなかった。彼はソ連から亡命してベルリンやパリで文章を発表し続けたものの、ギリシア正教の思想をベースとしていたため、カトリック的な常識をしばしば逸脱したからである。ベルジャーエフは「人間は歴史のなかにあり、歴史は人

間のなかにある」と、常に歴史を現在的かつ内在的に捉えようとした。だからこそ、やがて訪れるはずの終末としての未来についても、歴史としての内的な意義を書いた旧来の終末論ブームとは、まるで異なるヴィジョンを抱いていた。こうしたベルジャーエフの思想を咀嚼していたからこそ、山野は東西の宗教を比較しながら「夜」の部分に深入りしない小松左京『未来の思想』（中公新書、一九六七年）とは異なる終末観を打ち出すことに成功したのである（『いかに終わるか　山野浩一発掘小説集』、小鳥遊書房、二〇二一年を参照）。

「夜」の視点から西洋のロゴス中心主義を相対化したベルジャーエフは、独自の神人思想を発展させたが、これはもちろん、ソ連・東欧SFの土台にあるロシア宇宙主義《コスミズム》の系譜に連なる。小松左京が「拝啓イワン・エフレーモフ様」（「SFマガジン」一九六三年一一月号）で、進歩史観と左右のイデオロギーという枠組みでしかソ連・東欧SFの可能性を捉えられなかったのとは対照的というほかないが、こうした山野の思想を捉えるうえで参考になるのは、ダルコ・スーヴィンのSF観ではなかろうか。

★ニコライ・ベルジャーエフ

ユーゴスラビア出身のスーヴィンはアメリカのランダムハウス社から一九七〇年に刊行したソ連・東欧SFのアンソロジー『遥かな世界　果しなき海』の序論（一九六八年）において――冷戦の真っ只中とは思えない――ソ連・東欧SFとアメリカSFをどちらも平等に価値があるものとする、驚くほど開かれた刺激的な議論を展開しているのである。まるでサンリオSF文庫のスタンスのようだ。

社会主義諸国のSFは、作家の個性、国籍、世代の明らかなちがいはあっても、優れた作品であれば、偉大な社会実験の勝利と挫折から生まれた洞察力をもって、社会主義的希望の伝統的な目標を描いている。新たな驚異と認識にみちた新鮮なSF小説にみられるこういった経験に基づいた描写はユニークなもので、**社会主義外の読者に隠しておくべきではない。この損失は相互に起っていることであるかもしれない。**ロンドンの「Times Literary Supplement（タイムズ文芸付録）」の評論家《レビューアー》でさえ最近のロシヤSFアンソロジイについてこう書いている。

「ロシヤ人の未来観は、それを現在の躍動的なインスピレーションとしてみるなら、西側のごてごてした産物の最良の部分よりはるかに新鮮であると言わざるをえない」

ソビエトSFに対して無知であるということはアメリカの市民であるアメリカ人に特に損失が大きい。アメリカという国自体が、社会主義諸国以前に、人類の偉大な実験であり希望であり、そして今なお実験的な態度に敬虔さを表明している国であり、かれらはその国の市民であるからだ。（太字引用者、深見弾訳、『遥かな世界　果しなき海』所収、ハヤカワSFのヴェルズ、一九七九年）

後にダルコ・スーヴィンは、山野浩一の「日本SFの原点と指向」（「SFマガジン」一九六九年六月号）を英訳して学術誌 Science Fiction Studies の #62 で発表するに至るのだが（本連載第一回、本誌№72所収、二〇一七年を参照）、それよりほぼ四半世紀も前に、山野とスーヴィンの相同性を確認することができるというわけである。

新連載

東京の流刑地 Vol.1

from IZU-OSHIMA

◉絵と文＝大黒堂ミロ

『美術評論家の意見なんか知ったこっちゃねえ』のコピーで２０２２年９月に『芸術ハードコア』というトークイベントを大阪で開催した。メインは日本画家・小妻要（小妻容子）の刺青×緊縛×美人画の世界を語るもの。

イベント特典として、性的マイノリティなどを捉えたドキュメンタリー映画『凍蝶圖鑑』（田中幸夫監督、2014）の未公開シーンも上映。海外の春画展に関わったキュレーター等が、小妻作品を現代の浮世絵・春画として発表したいと打診されたシーンだ。ちなみに日本で『春画展』が話題になったのが２０１５年で宣伝コピーが「世界が、先に驚いた。」だったが、それに対して自分の感想は「逆に日本の評価にガッカリ」。

世界が、先に驚いた。

小説『花と蛇』の主人公・静子夫人と、小妻さんの描く緊縛美女はそれぞれ作家にとってのミューズであり日本独自のフェティシズムを感じているってトークを展開したかったんだけど、そこにまで至りませんでした(笑)

ドキュメンタリー映画
『凍蝶圖鑑 ITECHO』
田中幸夫監督作品

緊縛撮影会

現在、海外ゲイ男性向けの
『緊縛写真集』を準備中です。
photo by Kaz

美術評論家の意見なんか知ったこっちゃねえ
芸術ハードコア

左から木佐貫真照（元組長）・志摩紫光（調教師）・
藤本修羅（彫師）・司会 大黒堂ミロ 敬称略

Photo by Youichi Sugimoto

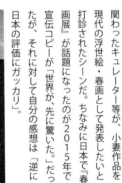

『芸術ハードコア』より以前に自分が企画したイベントの一つに『レッテルアーツ（LETTEr ARTS）』（2001）がある。現代の美術の中でレッテルを貼られ低く評価されている作品を一堂に集めて展示するものだった。それに伴い、自分なりにフェティッシュアートや変態について考える機会が増え、ゲストを招いての勉強会（異端抄）などもやっていた。

それが芸大や大学の美術史で学ぶ内容かどうかは知らないが、例えば『伝統的キリスト教思想の中では「人間のみが理性を有する唯一の動物」であり「純粋理性としての神のイメージ（似像）」とされてきた。

その上で人間の本質は「肉体的欲望と対立しコントロールする事で道徳が成立する。欲望から解放される事に真の人間的自由がある」ので『性』は抑圧すべき対象である』（カント）とされていることなどを議論した。

人間だけが理性（logos）をもつ根拠は、言葉（logos）を使うという事だ。例えば紙に印刷された「カネ」というものは実体を持たない記号であり、言葉そのものも（実体を指す）記号であって虚構に他ならない。その「虚構の世界」においては身体も生も性も

罪の文化

そして死すらも、記号化されたシンボルに他ならず、「生きる」という記号の中にさらに「生きる意味」という記号を求める人間のみが「死」にも意味を与えて、恐れたり欲望したり賛美すらし、「神話」をも生み出していく。

もともと宗教から生まれた「フェティシズム」という言葉は、心理学や精神分析で以下の文脈で理解されるようになる。『生殖能力と性欲を同時に獲得する動物とは違い、人間は生殖能力以前の「口唇期」と「肛門期」を経て性欲が発現し、言語能力としての理性（虚構）が獲得されていく。そこで性が向かうのは実体を伴わない記号であり、それは想像力の中で無限に増殖し、一人一人異なったセクシュアリティを獲得する（フロイト）』

余談になるがフロイトよりも半世紀早く生まれたマルクスによるとカネも性欲と同様にフェティシズムとして理解されている。

♩言うに言われぬ訳あって
夫殺しの咎人と、
死に恥さらす身の因果
不憫と思し一遍の
御回向願い上げまする♩

『恋娘昔八丈　鈴ヶ森の段』

恥の文化

アメリカの文化人類学者ベネディクトが『菊と刀』で明らかにしたのは、欧米の「罪の文化」に対する日本の「恥の文化」だ。それを踏まえ、緊縛や心中もののエロティシズムを描いた歌舞伎や人形浄瑠璃を娯楽にする庶民、女装や衆道を描いた浮世絵に熱狂する江戸の腐女子など、「世界が、先に驚いた。」とされるものの正体を更に研究していく必要があるのではないかと思う。

90年代にLGBTやSM愛好家、何でもアリの日本で唯一の店をやってたので勉強してました～

つづく

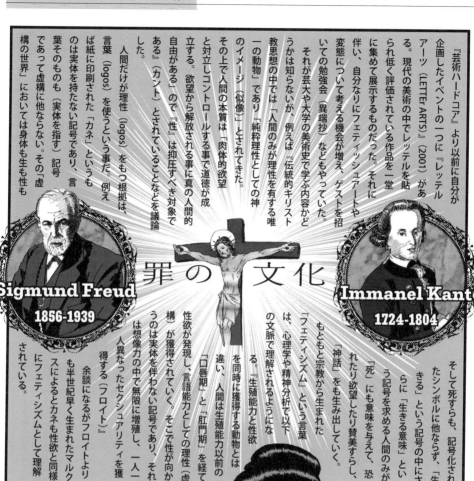

「イラストレビュー」◎絵と文＝三五千波
フィリップ・グラス「浜辺のアインシュタイン」
指揮・キハラ良尚　東京混声合唱団
演出・振付・平原慎太郎　翻訳・鴻巣友季子
神奈川県民ホール（10月8日観劇）
きりっと朗読 松雪泰子さんの メッセンジャー
日本ベルク協会の予習会で作品の背景などを勉強したつもりだったのに実際の舞台はただ不思議な言葉と踊りの断片繰り返す歌と響きに酔いしれるばかりであった
いつ終わるとも知れず訳が分からないものが好き それがポエジーと呼ばれるのかも
故入野義朗生誕100＋1周年記念コンサート
室内オペラ「曽根崎心中」（演奏会形式）
指揮・佐藤紀雄　演出・野澤美香
お初・工藤あかね　徳兵衛・大槻孝志
東京文化会館小ホール（11月24日）
まず「シュトレームング」アルト・サクソフォンと箏のための「協奏的二重奏曲」
休憩後に真言僧の声明が唱えられお初徳兵衛の物語が始まる 道行を先導する「鬼火」ダンサーや月明かりの照明が美しい
「秩父晩鐘」以上に曲調のせいか歌詞が聞き取りにくかったが字幕は無し
シュトックハウゼン「空を歩く」
（トーキョーコンサーツ・ラボ 12月4日夜）
前半はトイピアノを使ったケージ・クルタークと松平敬氏自作の遊び歌
「空を私は歩く」アメリカ先住民のテキストやヒッピー風衣装のせいか「アインシュタイン」に近い風景を感じた
川島素晴「インヴェンション」全曲演奏会
（たましんRISURUホール 12月28日）
楽な mp
命がけ ff
神田佳子さんの
瀕死の ppp
VI
日本語の音程やイントネーションを追求した作品群 締めは松平・工藤歌唱による痴話喧嘩作品

劇団ポラリス 旗揚げ公演
「オペラ ザ・スピーチ」
企画・演出・脚本・堀越信二 音楽・新倉一梓
客演主演・玉川太福 原作・小林吉弥
下北沢ザ・スズナリ（10月21日観劇）
越《えつ》山《ざんっ》
その後「ピーナッツ」と呼ばれる例の金銭の授受はここでは「オールドパー」
Grand Old Parr 12
劇団員コントの序幕から始まり浪曲とアリアと合唱で角栄の半生がうたわれる
フィナーレは首相任命を前に士気を上げる越山会コーラス
「田中角栄がオペラになった！」という文面をタイムラインで見て即予約
ピアノ・チェロ・パーカッションの「音組」生演奏に「歌組」声楽七人衆 これに浪曲語りの最強編成
ナレーション参加の木村多江さんの角栄母の言葉が沁みるが新潟弁の抑揚はさすがに微妙
金を貸した人の名は忘れても借りた人の名はぜって忘れんなて
絶対 るなよ
貯金
角栄の母フメ
日本銀行券のみ
座席番号を書いたカプセルを入場時に配る これに投げ銭を入れてアンコールタイムにステージに奉納
私はさらに原作本「田中角栄 心をつかむ3分間スピーチ」も購入
今年春には長岡公演と東京で再演の予定
オペラ彩 第39回定期公演
池辺晋一郎「秩父晩鐘」
指揮・神田慶一 演出・直井研二
埼玉県民オペラ アンサンブル彩
和光市民文化センター サンアゼリア
（12月18日観劇・Bキャスト）
ひゅううう
ひゅううう
野辺山までついて行くのはさすがにフィクションだが
秩父事件では女たちもナタや薙刀で官憲に応酬
連絡係として活躍していたという
余談だが翌週行われた現代音楽演奏コンクール「競楽XV」（本選12月25日）では…
31年ぶりの再演というがこれぞ今こそ上演すべき演目とは
字幕表示機があったのに場面の解説だけで残念 この痛ましい史劇には字幕が必要と思う
ぐぎぎ…
池辺作品で打楽器奏者が優勝してた
ケキョ！
島田菜摘さん「モノヴァランス」IVで第一位！

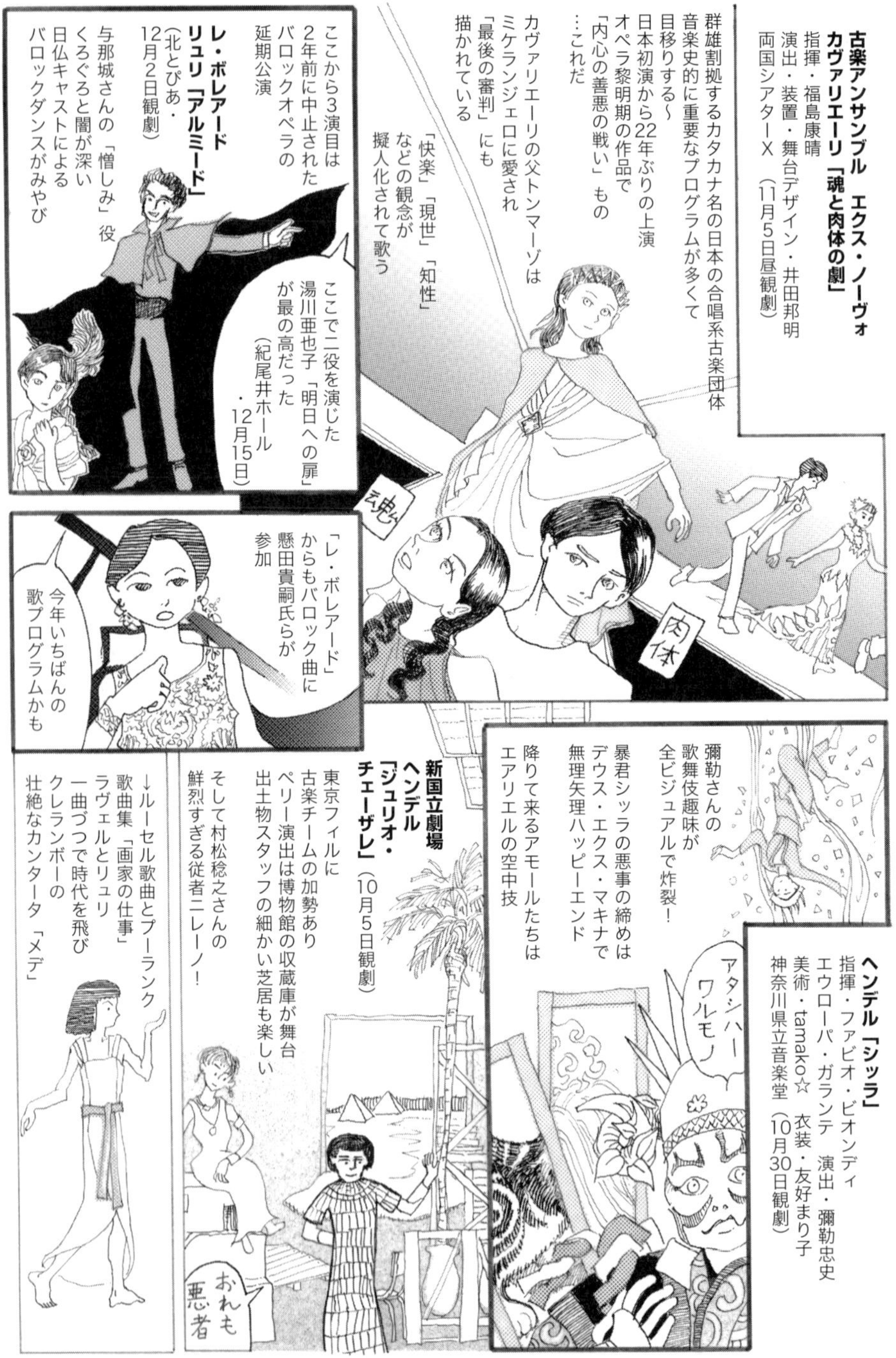
古楽アンサンブル　エクス・ノーヴォ
カヴァリエーリ「魂と肉体の劇」
指揮・福島康晴
演出・装置・舞台デザイン・井田邦明
両国シアターX（11月5日昼観劇）
群雄割拠するカタカナ名の日本の合唱系古楽団体
音楽史的に重要なプログラムが多くて
目移りする〜
日本初演から22年ぶりの上演
オペラ黎明期の作品で
「内心の善悪の戦い」もの
…これだ
カヴァリエーリの父トンマーゾは
ミケランジェロに愛され
「最後の審判」にも
描かれている
「快楽」「現世」「知性」
などの観念が
擬人化されて歌う
魂
肉体
ここから3演目は
2年前に中止された
バロックオペラの
延期公演
レ・ボレアード
リュリ「アルミード」
（北とぴあ・
12月2日観劇）
与那城さんの「憎しみ」役
くろぐろと闇が深い
日仏キャストによる
バロックダンスがみやび
ここで二役を演じた
湯川亜也子「明日への扉」
が最の高だった
（紀尾井ホール
・12月15日）
「レ・ボレアード」
からもバロック曲に
懸田貴嗣氏らが
参加
今年いちばんの
歌プログラムかも
ヘンデル「シッラ」
指揮・ファビオ・ビオンディ
エウローパ・ガランテ　演出・彌勒忠史
美術・tamako☆　衣装・友好まり子
神奈川県立音楽堂（10月30日観劇）
彌勒さんの
歌舞伎趣味が
全ビジュアルで炸裂！
暴君シッラの悪事の締めは
デウス・エクス・マキナで
無理矢理ハッピーエンド
降りて来るアモールたちは
エアリエルの空中技
アタシハー
ワルモノ
新国立劇場
ヘンデル
「ジュリオ・チェーザレ」（10月5日観劇）
東京フィルに
古楽チームの加勢あり
ペリー演出は博物館の収蔵庫が舞台
出土物スタッフの細かい芝居も楽しい
そして村松稔之さんの
鮮烈すぎる従者ニレーノ！
おれも
悪者
↓ルーセル歌曲とプーランク
歌曲集「画家の仕事」
ラヴェルとリュリ
一曲づつで時代を飛び
クレランボーの
壮絶なカンタータ「メデ」

オペラ「ショパン」（オレーフィチェ作曲）
指揮・園田隆一郎　演出・岩田達宗
編曲・山本清香　ピアノ・松本和将
ヴァイオリン・篠原悠那　チェロ・上村文乃
東京文化会館小ホール（12月17日）
ショパンのメロディを使った
パッチワーク手法による
ヴェリズモ時代のイタリアオペラ
「氷が悲鳴を上げている」
そんな繊細すぎるショパン像
天上の女性ステッラと
現世の女性フローラ
「サンド」とは違い
象徴的な存在なのだ
日本オペラ協会
「咲く〜もう一度、生まれ変わるために」
作曲・竹内一樹　台本・宇吹萌
指揮・平野桂子　演出・齊藤理恵子
SAKU室内オーケストラ
としま区民センター（11月25日夜・Bキャスト）
陸上部でのスランプや
家の桜をめぐる会話
現代の日常の言葉が
オペラだと新鮮
「走っていると
無心になれる」
マラソンランナーの
高揚感を歌う
アリアなど
ショパン役は
山本康寛さん
至近距離だと
すごい迫力
変わり者の陸上部員
タロー君
藤原のリリックテノール
黄木透さんが
ノンバイナリな魅力で
役にぴったりはまってた
空間創造Oto主催　Camerata Project
モノオペラ「いちとしいけるもの」
作曲・永井秀和　台本・演出・角直之
ソプラノ・嘉目真木子　コントラバス・本山耀佑
千葉県文化会館小ホール（12月10日ソワレ）
2018年度から
文化庁委託事業
「日本のオペラ作品を
つくる〜オペラ創作
人材人材育成事業」が
3年間実施された
4つのチームから
試演会によって
選ばれたのが
この作品「咲く」
つくられた
歌う黒ロリィタ人形と
つくられた
時計のようなベーシストとの
いのちの対話
モノオペラの神髄は
奏者との音を重なりが
対話となってドラマを作る
ことだと改めて実感
永井秀和氏はゲーム曲などの
オーケストラ
編曲の
ほか
バンド
「ゆうらん船」
ではピアノ担当
嘉目さん目当てで
予備知識なしで
千葉に来たけど…
これは広く推せる舞台

田中流
DOLLS II
～瞳に映る永遠の記憶

ヴァニラ画廊、22年10月19日～11月3日

★お人形さんみたいになりたい、と思ったことがある人間は少なくないのでは無いだろうか。僕は思ったことがある。透き通った肌、溶けてしまいそうな唇、惑星のような瞳、人形のその全てというものが私にとって憧れ、そして理想そのものだった。

　ヴァニラ画廊にはそんな麗しいという言葉では形容し得ない程に甘美で繊細な人形達がいた。そしてそんな「自分の理想」が詰まった展覧会で田中流氏と話す機会を頂けた。聡明でいて紳士的な彼からは人形たちを撮る際の哲学と撮影現場でのお話を伺った。彼曰く、人形作家たちは人形たちを自己の鏡のように扱うんだそうだ。故に作家自身が自分を大切にしないと人形たちを大切に扱うことが出来ない。そうでなくては目の角度ひとつで表情が変わる繊細な彼女たちに魂をこめることは不可能なのだろう。

TH特選品レビュー

（碧）碧井月蝕
（イ）イガラシ文章
（壱）壱岐津礼
（市）市川純
（岡）岡和田晃
（高）高浩美
（清）清水悠正
（シ）シン上田
（日）日原雄一
（並）並木誠
（穂）穂積宇理
（水）水波流
（村）村上裕徳
（M）本橋牛乳
（八）八本正幸
（吉）吉田悠樹彦

　田中氏の言葉からそう気づいたとき、私はどうなのだろうかと、私は私を大切にできているのかとふと疑問に思った。私は自分を大切にできていない。自殺未遂を図っては入院の繰り返しで、なんと凄惨なものか。それも小さい頃から抱いていた「お人形さんみたいになりたい」といったような〝理想〟と現実とのギャップによって引き起こされているような気がする。

　しかし田中氏に教えて頂いたように人形作家たちは自分を大切にした上で、人形たちを自分の鏡として制作している。人形のような〝理想〟になれないから死にたい私と、自分を大切にできるから命を宿せる作家たち、私たち両者は人形が好きという共通点以外は実は相反していた。そんなことにも気付かされた展覧会だった。（碧）

嵐山光三郎
超訳 芭蕉百句

ちくま新書

★そのモノスゴサは知っていた。嵐山光三郎の『悪党芭蕉』、だいすきな本の一冊だ。その嵐山氏の、軽うく愉快な文章で、芭蕉の俳句の超訳が読める。おもしろくないわけがない、と思って買ったら、果たしてそれ以上だった。

　衆道のお相手、杜国たち弟子との心はずむエピソード。芭蕉とともにする旅にあたり、謹慎中だった杜国は万菊丸と名乗る。「万菊丸とは、なんとも稚児まるだしの名で、菊花は衆道を暗示する。禁断の旅がはじまった」。そして見にいくのは、吉野の桜である。そこで詠んだのがこの歌だ。「よし野にて櫻見せうぞ檜の木笠」。

　私の妄想はさらにふくらむ。桜が実をなせばさくらんぼとなる。「気品のある美青年」である万菊丸の実はさくらんぼは、如何なるものであったのか。実に気になるところであります。

　芭蕉は体調のひどいなかでも、句会で「月澄や狐こはがる児の供」と詠んだ。「熱を出し死界へ一歩足を踏み入れている身で、死を予感している。腹痛と熱にうなされるなかで美少年への思いがつのった。これしきの衆道の句はお手のもの、というところだろう」。

　実際に芭蕉は、この半月後くらいに亡くなっている。その句について嵐山氏いわく、「月下を美少年が行く、その美少年が狐をこわがるという図画芭蕉の好みなのだろう」。そんなふうに芭蕉の性癖まで細かに分析された、やっぱり面白すぎ

る本だった。（日）

虚飾集団廻天百眼
万物教会

ザムザ阿佐谷、22年11月22日～28日

★2005年より活動している劇団、虚飾集団廻天百眼の最新劇場公演千秋楽。会場は梁や配管の剥き出しになった木造の階段桟敷で、飛び散る血糊から身を守るようにしてビニールを被った観客たちと、色とりどりの衣装を身に着けた演者の熱気が満ち溢れている。登場人物たちの出で立ちはイラストレーターのヨシジマシウが手がけており、その2・5次元的なデザインが『迫害を受けたヒトならざる者たちが集まる教会』という絢爛豪華で寓話的な世界観にリアリティとアニメチックな親しみやすさを与えてくれている。

物語は『それぞれの神格を保つために仲間を誰かひとり迫害しないといけない』という残酷なルールに縛られた異形の存在たちを中心に進んでいくが、家族を奪われ教会に流れ着いた純粋な少女の目を通して展開する教会での日々は、SM、百合、ナンセンスギャグ、そして品の良さすら感じてしまうハイセンスな下ネタのお陰で決して重苦しくはならないのが巧みだ。何よりそれらを発する登場人物（みな一様に美しく、セクシーで、クィア的で個性的である）が魅力的なので〝推し〟が見つかるという楽しみも。

軽快な物語の中に隠されているのは、僕たち人間が常にアイデンティティクライシスに悩まされていて、『わからない』ということへの恐怖から誰かを傷つけ続けているということ。血糊にまみれながらも不思議な高揚感で胸がいっぱいになる、アングラ演劇初挑戦にもお薦めの痛快な残酷劇だ。（イ）

遊戯空間
プロジェクト榮公演
サド侯爵夫人

鋏仙会能楽研修所、22年11月5日、6日

★1年前に同じ場所で同じ配役による同じ演目を観たが、では再演はどうなっているのだろうか。能舞台での芝居ということで、セットはほとんどないこと、そしてサド侯爵夫人であるルネを演じる役者のみが男性で能の仮面を付けて演じていること。シンプルな白一色の衣装。そこも変わらないわけだが。

結論を言うと、いろいろ進化があって、おもしろかった。再演というのも、悪くないな。

第1幕は性に奔放なサン・フォン伯爵夫人と保守的なシミアーヌ男爵夫人との掛け合いから始まる。サン・フォン伯爵夫人の本当に楽しそうな演技が舞台を支配していた。これは昨年よりもはるかに進化したところの1つ。逆に第1幕のシミアーヌ男爵夫人はふつうのおばさんになりきれていなくて、ちょっと物足りなかったかも。サン・フォン伯爵夫人の出番は第2幕の前半までなので、ほんとうにそこまで駆け抜けたような感じだった。そのことで、ルネの母親であるモントルイユ夫人の存在感がちょっと弱かったと感じるくらいだった。

第2幕はルネとモントルイユ夫人との掛け合いが物語を進めていく。この部分は、ずっと高いテンションで、たぶんこの芝居の一番の見せ場なんじゃないか。この日もこの部分をたっぷり楽しんだ。それから、ルネの妹のアンヌも良かった。昨年は妊娠中ということもあって、動きがあまりなかったが、今年は体が軽くなったようで、1人だけ能舞台ではない動きをしていた。というか、四角い舞台で四角く動くのではなく、自由に動いていたということなのだけれど、そのことが舞台に活力を与えていたと思う。前半でサン・フォン伯爵夫人が椅子の上にのり、十字架にかけられるような姿をするが、自由度の少ない照明であっても、それが第3幕で語られるサン・フォン伯爵夫人の行く末を暗示させる効果的なものだったと付け加えておく。

第3幕はフランス革命後、貴族が没落した時代。出家したシミアーヌ男爵夫人のふつうのおばさん感たっぷりの語りは第1幕よりもずっといい雰囲気を出していた。それから、出番が少ない家政婦のシャルロットだが、皮肉な笑いを浮かべるシーンがある。革命によって立場が変わったことを強く示している、一瞬だけれど強く印象に残るものだった。

モントルイユ夫人の安定した演技に対して、残念だったのがルネだった。昨年よりも表現力ある演技をしていたにもかかわらず、それが仇となったように感じた。ルネだけが男性で仮面をつけて演じているわけだが、そのことによって、ルネの言葉だけが浮かび上がる。ある意味、言葉で構成されている三島の戯曲にとって、それは一つのあり方としてあったと思う。だが、ルネが演技をしすぎることによって、かえって言葉が浮かび上がらなくなってしまったのではないか。表情のない能面が語るというものではなくなってしまったのだと思う。

　ということで、再演を観るというのも面白いと思うのであった。(M)

うずめ劇場

ベッドサイド

hall60、22年12月16日・17日

★「ベッドサイド」は林あまりの歌集。これを読むというか演じるというか。うずめ劇場第39回公演は、なかなかペーター・ゲスナーにとってチャレンジングなものだった。

　どういうことかというと、まずオーディションで30人を選ぶ。これを10人ずつの3つのチームに分け、3回の公演を1回ずつ行う。短歌をどのようにして読むのかは、出演者の能力やスタイルなどに合わせて決めていく。つまり、出演者あっての総合演出となる。

　ゲスナーは桐朋学園の教授でもあるのだけど、その卒業生をはじめ、ポールダンサーや塾の講師によるピン芸、20年ぶりに舞台に復帰する役者、実は舞台は初めてという俳優、いつもは女役ばかりやる男性、札幌の劇団からの参加もあり、ベテランから新人まで、いろいろな人が集まったということになる。内田春菊も出演し、ライブペインティングまで披露してくれた。

　「ベッドサイド」はセックスについてストレートに詠んだ歌集で、そこにはいろいろな想いもあるし、情景もある。それぞれのメンバーが、ときに軽く読み、あるいは繰り返し、迫力ある声を響かせる。舞台の中央にはベッドが置かれ、その上や周囲で女性たちがさまざまな時間を演じる。

　今回、16日と17日の昼の公演を観た。舞台はベッドの上の男女と背後に隠れる女性達から始まる。このストレートな最初の場面、観客を引き込むものだったのかもしれないけれど、男性があまりエロくなかったのが残念だ。着衣でからまり、腰を動かしもするけれど、ただ動かせばいいというものではないと思う。着衣でもプリンスは十分にエロかった。相手する女性は、最初と2番目の二人がいるのだけれど、17日の方が二人とも良かったな。腕のからませ方一つをとっても、ちょっと気持ちが動くようなものだった。唯一の男性の役者が、顔は整っていても、なんか物足りないんだよなあ。まあ、入り方を間違えていたんじゃないか、という気がしないでもないけど。

　16日の公演では途中でポールダンスが入った。一方、17日昼の公演では、学習塾の国語の講師が生徒に短歌の内容を解説するというシチュエーションのコントが入った。それだけでも、ずいぶんテイストの違う舞台になったな。ただ、コントの方が意外性があったな、と思う。

　また、17日はどうしてもフラットになりやすい短歌のリーディング(とあえて言う)に対し、ベテランの役者が張りのある声が舞台を引き締めていた。

　ゲスナーがやりたかったのは、初めて接する多様な役者やダンサーを集めて、サラダボウルというか幕の内弁当のような舞台がつくりたかったのではないだろうか。その化学変化がどうなるのか、ということだけれども、結果はといえば、ゲスナーはこのギャンブルに負けたのだろうと思う。初舞台という俳優を、それでも適切な位置に置くことができたし、いろいろな個性が混じっているようで混じっていないのも面白かった。けれども、17日昼の公演の方が出来は良かったが、何か事情があったのだろう、4人が降板してゲスナー自身がこれまで接してきた役者でその穴を埋めることになってしまったというのは、ゲスナーにとってくやしかったのではないだろうか。

　それでも、チャレンジングであったことそのものは評価したい。こうした交流と化学変化があって、次の新しいことができるのだと思うと、うずめ劇場の次の公演に期待してもいいのかもしれない。(M)

ビレッジマンズストア

KICK OUT JACK

東京キネマ倶楽部、22年10月21日

★ビートルズのマッシュルームカットやモッズスーツ、近頃なら覆面歌手のyama

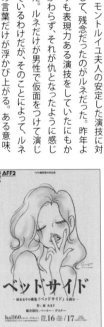

が身に付ける仮面やパーカなど、ミュージシャンにとってトレードマークといえるものは多彩であり、各々のパブリックイメージを作り上げるという意味において重要な要素だ。

この日は脱退を発表していた、バンド結成以来の最古参メンバーのひとりであるベーシストのジャックにとって最後の東京公演。かつてはダンスホールとして紳士淑女の社交場だった豪奢なステージの上に姿を現したビレッジマンズストアは、トレードマークとして10年以上身に着け続けてきた揃いの真っ赤なスーツ姿ではなく、各々デザインの全く異なるカジュアルな衣装を身に纏い、オーディエンスの度肝を抜かせた。

この時の衣装は、脱退するジャックがスタイリングを担当したものらしい。もともとデザインなどの分野に明るい彼に、最後の大仕事を任せようというバンド側の計らいだろう。そのためにそれまで貫いてきたヴィジュアルイメージを変えてしまうというのは、大衆に訴える仕事であるロックバンドとしてはエゴに走ったようにも見えるが、そもそもがカウンターカルチャーであり、タレント性よりも芸術家としての有り様を求められるのがロックバンドなのだから、彼ららしい、とも言えるかもしれない。

それに、彼らが掲げ続けてきた〝赤〟は新しい衣装にも残された。ジャックが残した血潮の色は、これからもビレッジマンズストアの音楽の中に流れ続ける。（イ）

劇団扉座
最後の伝令 菊谷栄物語 ―１９３７津軽～浅草―

神奈川・厚木市文化会館小ホール、22年12月10・11日／東京・紀伊國屋ホール、22年12月13日～18日／青森・リンクモア平安閣市民ホール（青森市民ホール）、22年12月23・24日

★「日本の喜劇王」と呼ばれたエノケン＝榎本健一の一座でレビュー作家として人気を博した菊谷栄（本名・菊谷栄蔵）を中心に、浅草と津軽の人々と当時の時代を描いた作品。

主人公の菊谷栄蔵は１９３２年、ピエル・ブリヤントの松竹座進出によりレビュー作者として登場。同年、エノケン劇団の旗揚げ公演にオペレッタ『リオ・リタ』を提供。菊田一夫を凌ぐと言われるほど才能を高く評価されていたが、37年9月に召集を受け、青森の陸軍歩兵第5連隊に入隊、11月9日午後1時に中華民国（当時）で戦死、34歳没。

再演なので、基本は変わらない。舞台のしつらえが、いかにも『昭和』な雰囲気、いきなりハプニングシーン、劇中劇、あたふたドタバタ、レトロかつ微笑ましい幕開き。レビューシーンは現代と違い、当時のテンポでの『スピード感』いっぱい。一生懸命に微笑み、踊るダンサー。当時ではきっと斬新だったに相違ない振り付けで、チャールストン（20年代にアメリカで生まれたダンス）などを多用。戦争の足音は聞こえてきているが、彼らにはまだまだ遠い感覚。のちに『敵国』となるアメリカの華やかなショースタイルを取り入れているあたり、そんな風にも見える。

出征する坊主頭の若者、「おめでとう」と酒を交わしたりもするが、どことなく空気は晴れ晴れとしない。昭和12年9月、浅草のレビュー小屋から突然姿を消した座付き作家・菊谷栄は、青森から満洲へ出兵しようとしていた。座員たちの最後のメッセージを届けようと、少女・北乃祭は故郷・青森へ。この時代はまだまだ『横文字』が使えていたし、いわゆる『西洋』風のショーや芝居も普通にやれていた。

菊谷栄やエノケンら、エンターテイメントに従事していた人々は、同じ方向を向いて同じ志を持っていた。だから彼らは上演中にもかかわらず品川駅に行き、観客もそれを温かく送り出す。無事に間に合うのだが、やはり切ない、そして菊谷の運命を知ってるだけに涙を誘う場面だ。「いい舞台を」、ただそれだけの言葉だが、そこには計り知れない思いが詰まっている。未来への言葉、観客はその言葉を噛み締める。何度観ても、色々な思いを感じる舞台。

　ちなみに、この舞台では描かれていないが、エノケンは彼の死を惜しみ、ジャズの形で劇団葬を行ったそうである。菊谷栄は死ぬ瞬間まで周囲を鼓舞し続けたと伝えられている。(高)

鈴本 喬太郎まつり 10周年総集編

上野鈴本演芸場、22年10月21日～30日

★十年。歳をとった。私も、柳家喬太郎師匠も。
　鈴本恒例、柳家喬太郎特別興行。今年は十周年で、この九年間をふりかえる企画。

　十年まえ。私は二十三歳だった。鈴本で喬太郎師匠の特別興行がやる、『喬太郎ダブル大盛り』ときいても、学生の身だ、行けなかった。

　そのうち「学生の身」ということをあんまり、気にしなくなって。二年目、『夏のR18』からは毎年でかけた。特別興行の十日間、十日かようなんてバカやったこともある。たしか『喬太郎ハイテンション高カロリー!』と『柳家喬太郎三題噺地獄』の年だ。

　十年めの今年。喬太郎師匠は釈台をまえに、あぐらをかく。ひざがかなりよくないそうで、さいきんのスタイルはもっぱらこれだ。

　それでも、「ペッパー警部」の出囃子で上がり。「お囃子さんのほうから、ペッパー警部でいいですかって言われて、そっちから?って。恩田えりさんなんですけどね」と、寄席の名物お囃子さんの名前をだし。

　「きのう、おとといとね。宮戸川の通しと、江戸川乱歩先生の原作だから。がんばったよ俺。そのぶん、きょうは自由にやるよ」と話したあとも、お決まりの『ペッパー警部』にまつわるマクラで爆笑させながら。ほんとうは地味に古典をやりたいといっていた、いつかの言葉が脳裏から離れないのは、私がけっこういま、ウツウツとしているからだろうか。喬太郎師匠の新作でも、とりわけにぎやかな演目のはずの『一日署長』。この日は、一日署長のアイドルさんのうた『東京ホテトル音頭』が、かなしく聴こえた。(日)

伊藤ゲン個展

伊藤ゲン展

GALLERY33 NORTH、22年12月8日～12日

★劇団『唐組』で俳優兼舞台美術として

活躍した伊藤ゲン。昨年から、コロナ以降に描きためたアクリル画をSNS上に精力的に発信。今回の初個展に関する情報もツイッターで知り得ることができた。さほど広くない縦長のギャラリーには40点近い作品が飾られていた。その大半は食べ物。コンビニやスーパーで手に入る食パン、肉まん、ショートケーキなど。

　「白いカベに食べ物だけの展示が並んだら面白いのでは」

　伊藤氏の狙い通り、言いようがない面白さがこみ上げてくる。

　食パンやミカンがビニール袋に包まれた状態で描かれているのだ。バーコード付の値下げシールもついたまま。食べ物を描く際、対象物である中身を袋から出さないのだ。なんともユニークである。描写の精度の高さにも驚かされた。東京芸大美術学部油画科で学んでいたので、当然だが。

　自宅玄関やトイレを描いた作品も味わい深い。リアリティー溢れる生活臭とノスタルジックな雰囲気が感じられ、心地よかった。(シ)

結城唯善 個展

瞬く夢

ギャラリーアルトン、22年10月28日～11月12日

★ああ、自分は結城氏の作品を見損なっていたなあと、しみじみ感じた個展だった。ここでの「見損なう」の用法は、立川談志がよくもちいたものです。結城氏がこんなに素敵な作品を描くひとだったことを、私はちゃんと認識できていなかった。
　とくに『夢』、『さざめき』、『雪畳』……。ふうわりとした幻想的な光のなかにきらめく陰鬱な美女。いいよォ……。すばらしく綺麗で、素敵な世界をみせてもらいました。

　小学校からの同級生で。中学校、高校、大学に進むなかで。数々の名のある美術の賞をとっていく結城君と友人づきあいするために、嫉妬とヨイショでその差を、私は自分のなかで埋めていた。「画伯」なんて呼んでいて、もうその呼称が定着しきっていて、いまさら「結城君」なんて呼

べる気もしないのです。

だから画伯と呼びますが。歳をかさねて、いろんなことがどうだってよくなっていくなかで、初めて画伯の作品としっかり向き合えた気がする。結城唯善の過去作品を、また見返したくなった。みかえせばいい、ホームページにあるのにそうしないのは、私のなかにまだ嫉妬があるからなのかな。(日)

没後50年 川端康成展 虹をつむぐ人

県立神奈川近代文学館、22年10月1日〜11月27日

★今年で没後50周年を迎えた川端康成は、日本的な美の世界を表し、ノーベル賞を受賞した正真正銘の文豪だ。今展覧会では、川端の人生を追いつつ、当時の著書や彼の所持品、当時の友人たちと交わした書簡などが多数収蔵されている。

その中で最も心惹かれたのは、僕が『伊豆の踊子』が大好きなだけなのだが、やはり若き日の彼の特集だ。彼は19歳の時に実際に踊り子と伊豆を旅した経験をもとにこの作品を描いている。彼は若くして父、母、姉を亡くし、祖父と生活を送ってきた。当時の生活には祖父の看護が付きまとい、子供らしさを思うままにできる日は少なかったという。展示されている当時の日記には、看護への苛立ち、衰弱する祖父への哀しみが染み出ている。

そして、最初期の作品『南方の火』がフィーチャーされる。そこでは、彼は恋した女との結婚を夢想しているが、その生活は、互いが子供にかえって遊び暮らすものである。若さに身を任せた性欲を彼は求めず、抑圧された子供心を思う存分発揮できる場所を求めたのだ。幼く純朴な踊り子によって心がすすがれる青年を描く『伊豆の踊子』は、そんな彼の、ある重たい現実の中で見出す小さな理想でもあったのかもしれない。

当時、ただ楽しく彼の著作を読んでいた僕のような人間にとって今展覧会は熱中できるだろう。川端康成と言う人間を知ることができれば、作品内でのいろいろな場面に彼の存在が満ちていることを再認識できるのだから。(清)

ミン・ジン・リー パチンコ〈上・下〉

池田真紀子訳、文藝春秋

★今年AppleTVの配信ドラマでこの小説が映像化され私の周囲で評判になっているが、原作は米国のベストセラー作品であるにも関わらず、日本人、韓国人を問わず通読した人の話を聞いたことがないし、余り話題にもなっていない。おかげで誰からも内容について詳しく聞くことなく、新鮮な気持ちでこの本を読むことができた。

この本は在米コリアンの著者が在日コリアンの三代にわたる物語を描いた、英語による小説である。韓国人キリスト教徒のコミュニティを中心に描いた小説であるため登場人物の多くがクリスチャンネームを名乗っているが、命名にはキリスト教的な寓意が込められており、聖書に親しみのある読者にはイメージの助けとなっている。著者は学生のころ日本で差別される同胞たちを知り、資料を集めながら30年以上テーマを温めていたのだとあとがきで述べている。その努力は巻末の参考文献のリストからもうかがわれる。

小説は三部構成で、それぞれ「Gohyang(故郷)1910-1933」「Motherland(母国)1939-1962」「Pachinko(パチンコ)1962-1989」というタイトルが付けられている。Gohyangは韓国語で故郷を意味する言葉のアルファベット表記である。それぞれの主役は、日本の統治下で苦労を重ねながら釜山沖の影島(ヨンド)で生きる女性「ソンジャ」、ソンジャが夫イサクと共に大阪へ移住してから生まれ、祖国の動乱と日本人から受ける差別の中でそれぞれパチンコを生業に選んだ「ノアとモザスの兄弟」、そしてモザスの息子として生まれ、高い水準の教育を受けて渡米し、投資会社の社員として在米コリアンの恋人フィービーと共に日本へ戻ってきた、在日三世の「ソロモン」である。

第一部はソンジャとその父母が植民地統治の貧しさの中で工夫を重ねて生きる姿が描かれているが、キリスト教徒のネットワークが朝鮮半島から日本、そして国外へつながっていくことに興味をそ

そられる。ソンジャはキリスト教徒のイサクと結婚したことにより、このネットワークを通じて日本へやってくる。

第二部では第二次大戦と祖国の分断に翻弄される在日コリアンの姿が描かれている。イサクは特高による拷問で命を落とし、イサクの兄ヨセプは長崎で被爆して長い間後遺症に苦しみ続ける。ソンジャの母ヤンジンは朝鮮戦争の混乱を避けて日本へ渡り、ソンジャとヨセプの妻キョンヒの雇い主だった焼肉店主のチャンホは祖国の北半部への「帰国」を選ぶ。Motherland という第二部のタイトルは、在日コリアンにとっての母国とは何か、という著者から読者への問いかけなのだろう。

第三部に登場するソロモンの恋人フィービーは、ソンジャやキョンヒたちが自分たちの伝統や食文化を頑なに守っていることに驚きを隠せない。在米コリアンの多くは韓国料理を店で食べるだけで作り方は知らないのだ、と。これは恐らく著者が在日コリアンと出会って感じた驚きであり、日本の中で外国人として生きる在日コリアンと、米国社会の一員として生きる在米コリアンの違いが対比される場面でもある。また、著者はノアを通じて職場や家族にまで出自を隠し日本人として生きる同胞の苦悩を描き、またヤクザの幹部であるハンスを通じて、日本の裏社会で生きる在日コリアンの姿を描いている。ノアが迎えた破滅には胸が痛むし、ハンスは衝動的だが知性と行動力に溢れた人物として描かれている。

この小説に出てくる日本人と在日コリアンは、差別する側と差別される側という単純な関係ではない。外国人に対して差別的に振るまう日本人もいれば、善意の塊のような日本人も描かれ、多様な関係性を描いている。日本社会の閉鎖性を非難するフィービーをなだめるのは、日本で育ち日本と日本人を知るソロモンである。その後ソロモンは勤め先から非情な仕打ちを受けて大きな挫折を味わうのだが、「パチンコ」というタイトルには資本主義経済の中で銀玉のように翻弄され続ける人々への暗喩も含まれているのだろう。

読んでいて疑問点も感じられた。第二部では戦前の大阪が描かれているが、鶴橋駅前に焼肉屋や韓国食品店が立ち並ぶなど、戦後の大阪を元にしたような描写が少なくなかった。また、ソンジャが自分の子どもと話す口調が丁寧なことにも違和感を感じた。彼女が裏社会の住民であるハンスに支援されていることをノアに詰問され、弁解する場面から引用する。「わたしを許して。お母さんが悪かったわ。とにかくあなたを大学に行かせたかったの」。訳者はソンジャを誠実で丁寧な人間であると考え、和訳する際にこのような口調にしたのだろうが、友人に確認した限りでは長幼の序を重んじる在日コリアンの大人が子どもに丁寧語で話すことは珍しい。いわゆる「在日コリアン文学」ならこうなるだろう。「許しておくれ。母さんが悪かった。どうしてもおまえを大学へ行かせたかったんだよ」。この他、本筋と関係のない日本の同性愛文化や、性に奔放な女子高校生の描写が多く見られ、日本人に対するステレオタイプ的な視線が無いとは言えなかった。こうした所が「読みにくさ」として感じられたのは残念である。

この作品と直接関係はないが、ヤン・ヨンヒ監督の映画「スープとイデオロギー」を先日ようやく鑑賞することができた。これは在日コリアンであるヤン監督の母が老人性健忘症の進行と共に、自らが若いころ済州島で体験した白色テロ「四・三事件」の恐ろしい記憶や、息子たちを帰国事業で「祖国」へ送り出したことへの悔恨を語り出す姿を記録したドキュメンタリーフィルムである。この作品に出てくる登場人物たちの語りの生々しさや、背景にある荒々しい現実の歴史と比べてしまうと、『パチンコ』はどうしても箱庭的で戯画的なものに思えてしまう。だが、ノンフィクションとフィクションを比べるのはフェアではないのだろう。ヤン監督が失われていく母の記憶をフィルムで伝えてくれた一方で、ミン・ジン・リーは小説という手法を使って在日コリアンの歴史を全世界に伝えてくれたのだから。（穂）

特別展アリス
—へんてこりん、へんてこりんな世界—

森アーツセンターギャラリー、22年7月16日〜10月10日

★私は鏡が嫌いだ。何枚も割ってきた。鏡に映る己の顔はそうまるで不思議の国のアリスに出てくる芋虫のように醜いから。私はアリス展に来ている。この展覧会へ来るのにはとても時間をかけた。私はファッションやヘアメイクが大好きでめちゃくちゃにメイクをして、めちゃく

ちゃに衣服を選んでやってきた。とても自信を持って。あれ、さっき自分は醜いなどと言っていたお前はどうした?

そう、私はこの矛盾の中で苦しんできた。自分の容姿をどうしても好きになれない。小中と虐められてきたこのアイデンティティは常に傷つけられ、痛めつけられ、叩き壊されてきた。そんな容姿とともに私は死にたい。しかし、私のファッションに対する感性までもは殺したくない。自らを着飾ることはとても好きだし、そんな着飾った自分には自信が持てる。そんな矛盾を抱えたままこの展覧会にやってきた。

そしてある1ページに私は惹きつけられた。醜い青い芋虫に不思議そうな顔を向けるアリスが描かれた有名なページだ。私の心はこの2人のように乖離している。醜い芋虫と美しいアリス。しかし2人には共通点がある。まだ幼く不完全であるということだ。私は17歳だ。まだ醜い芋虫だ。幼いアリスだ。不完全で未発達なだけで、醜い芋虫でもいずれは美しい蝶に生まれ変われる。たといあなたが芋虫のように醜くいと思っていたとしてもまだ死ぬには時尚早というものではないだろうか。(碧)

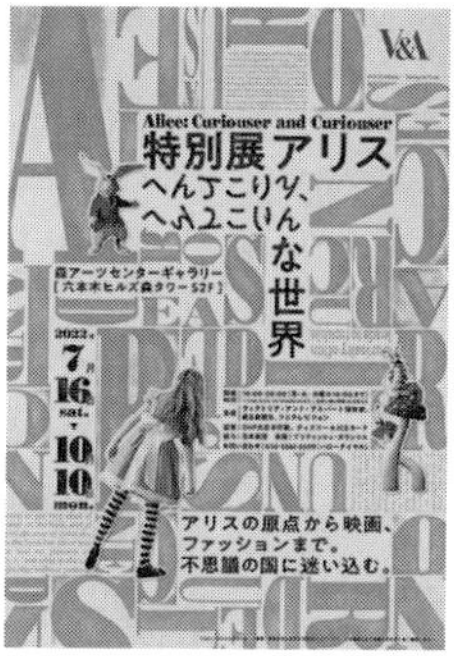

キタニタツヤ one-man tour "UNKNOT/REKNOT"

Zepp Diver City Tokyo、22年10月15日

★キタニタツヤの楽曲ほどライブで印象の変わるものはない。捻くれたシニカルな歌詞、マイナーなやさぐれた曲調が一転、人生賛歌に聴こえたりする。だから彼のパフォーマンスからは目が離せない。デビューから3年が経過した今年、ミュージシャンとしての自身の歩みを振り返るといった意味合いで"UNKNOT/REKNOT(解く/結び直す)"といった言葉を冠したライブツアーを行った彼は、MCで「おれ、明日が来るのがずっと怖いの」と希死念慮と強迫観念の入り交じったような心情を吐露していた。

長い手脚を誇示するように舞台の上で悪魔憑きの如き振る舞いを見せ、長い髪を振り乱して歌う彼の姿はまさにフロアを支配する扇動者として相応しいカリスマ性を持っているし、ボカロPとしての出自も至極スマートで現代的だ。しかし反面、MCでつんのめるように早口で、息切れも厭わず喋る彼の様子は呆気に取られるほど人間臭く、常に死の匂いをさせながら高速のビートで刻むロックを基調とした作風も、今時では珍しい(メジャー以降の作風は格段に広がってはいるが)。

これまで戦後の混沌や世紀末の中でロックが人々の反逆精神や病みに寄り添ったように、彼のこのある種の古臭さも、終末感を否めない2022年ではかえって現代的であるとも言えよう。音源だけではその天邪鬼な性質により覆い隠されてしまっている人間的な苦悩が、ライブでは白日のもとに晒され、大いなる人生賛歌として響くのだ。(イ)

ルーマニア国立ラドゥ・スタンカ劇場 スカーレット・プリンセス

東京芸術劇場プレイハウス、22年10月8日〜11日

★元ネタは歌舞伎の『桜姫東文章』、作者は四代目鶴屋南北。これをルーマニアの演出家シルヴィウ・プルカレーテという人が翻案した作品。とはいえ、舞台は日本のまま。美しい舞台美術、大胆で自由な演出、男女を逆転させた俳優たちの豊かな演技、などなど、見どころの多い舞台だった。

物語は若き僧侶の清玄が稚児の白菊丸と心中するところから始まる。清玄を女優が、白菊丸を男優が演じており、その身長のギャップを含め、ともすればコミカルに見えかねない、じたばたした迷いを感じさせながら、舞台に進んでいく。このときの、全身を白く塗った長身の白菊丸の妖しさは、観客を舞台にひきこんでいく。結果、白菊丸だけが死に、清玄は生き残る。

時は流れ、高僧となった清玄は、白菊丸の生まれ変わりである桜姫に出会う。桜姫と白菊丸は同じ役者が演じていることで、そのことが示される。清玄は僧侶であり、桜姫と契りを結ぶことなどできない。清玄は金色の衣をまとい、衣装の下は肩車されている状態で登場するが、背の高い人間にしか見えないといったあ

たりの演技力にも感心する。

　桜姫はというと、名家の娘だったが、盗賊に入られ、家宝の都鳥が奪われ、没落していく。このとき、盗賊の釣鐘権助に犯されるものの、桜姫は権助が忘れられない。この権助も、清玄と同じ役者が演じている。

　桜姫は権助の子どもを産み、清玄は寺を破門される。子どもとは生き別れとなった桜姫は、権助と再会し、契りを結ぼうとするが、その結果、桜姫は遊女となってしまう。

　とまあそんな話で、最後は桜姫が権助を殺し、親の仇をとり、権助の血を引く子どもも殺してしまう。こうして都鳥を取り戻し、めでたしめでたし、となる。

　白一色で盛り上がった桜姫の衣装、彼の性別を超えた演技は、裸になったときのエロチックさも含めて、魅せてくれるものだった。航空兵のような衣装で軽快に動き回る権助ともども、国籍不明の舞台をつくりあげていた。性別を混乱させる配役も、考えてみれば冒頭は男色の悲劇だし、高僧となっても自分の欲望で身を落とす清玄のどうしようもなさも、宗教の限界として伝わるものなのかもしれない。

　スペクタクルシーンもあり、本当に魅了される舞台だったと思う。アート作品としての舞台を堪能するものだった。

　そうなのだけれども、話そのものには、どうしても感情移入できないというか、入っていけないとも思った。多分、そこには、この『桜姫東文章』が書かれた時とは価値観が違っているということがあるんだろう。家宝で没落する家、男性に縛り付けられる桜姫、自分の子どもであっても簡単に殺してしまう論理、ひたすら因果がめぐるストーリー、そこにはどうしても共感できないし、ストーリーそのものが面白いかといわれると、そうでもないよな、と。本当に深く美しい舞台だったのだけれど、どうしてもその先のなさが、かえって心に残った。ルーマニアの人は、この話のどこを面白いって思ったのだろう。(M)

愛実
彼我の境

Y's 表参道、22年9月30日～10月18日(会期延長)

★軽妙な音楽、サラサラと砂の浚うような音をたて映像を映し出すパネルたち、そして外のガヤガヤとした人混みや車、つまり都会。そんな喧噪の最中、黒いカーテンに閉じ込められひっそりとした部屋で、俯き顔に影差す人形たち。ある人形は冷たい笑みを浮かびながら外を見つめ、ある人形は外に背を向け傷の中に沈む。寝転がりながら夢の幻想に浸る者、落ちゆく恐怖を顔に浮かべる者。空虚な顔をして、髪を乱し横たわる女を近くで見ると、その表情は苦悶に歪んでいて、ただその中に立ち上がる瞳も見えた。

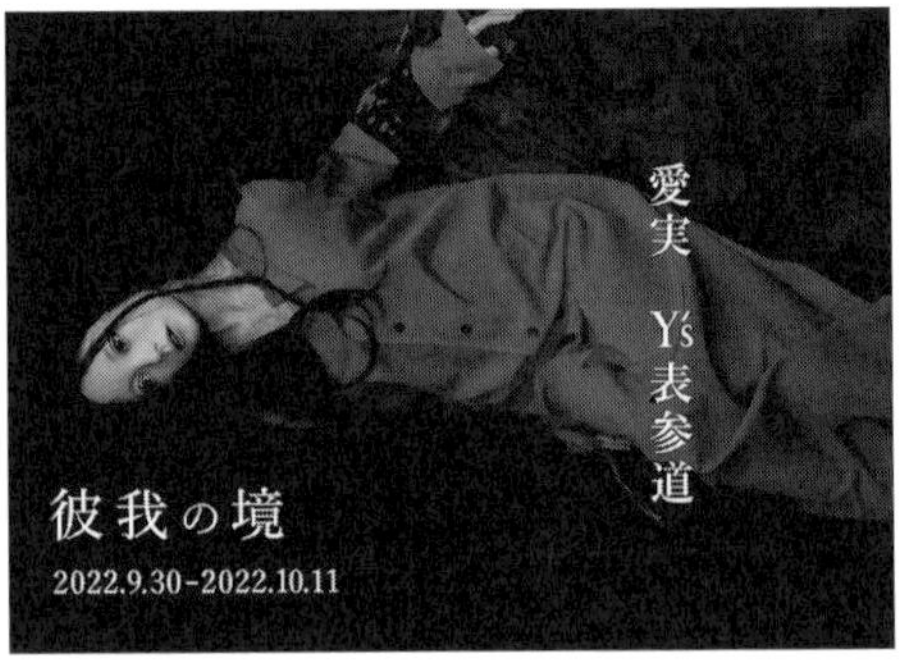

　Y's の服をまとった愛実の人形が並ぶ店内。Y'sといえば、無機質の中に立ち上がるなにかを感じさせるような、黒くそしてすらりとした服が特徴のように私は思っているが、それと愛実の人形は本来あるべき姿に戻ったと錯覚してしまうほど高い親和性をもっている。愛実は、自身の人形は心の在り方・肉体の存在・時間、それらの中で何かを失っていると言う。確かに人形の表情にはどこか虚無感のようなものが感じられる。しかしその瞳は黒々と闇を湛えながらも、死んだような生気のなさは感じさせない。人形は虚と生を行き来している。そんな「あちら側とこちら側の境界にいる」人形と、Y'sはそういったところで惹かれ合っているのかもしれない。(清)

死刑囚表現展2022

松本治一郎記念会館、22年10月14日～16日

★2005年の開始から、中断時期はあったものの定期的に行われている『死刑囚表現展』。今回は16人の死刑囚が手掛けた200点を超える作品が展示された。

　伝わってくるインパクトは強烈だ。死刑囚という先入観を抜きに鑑賞しても、

悲痛な声がしっかりと伝わってくる。

男性死刑囚の多くは、女性をモチーフにしていた。性欲の発散行為なのかもしれない。官能小説の表紙で見かけるようなタッチで女性を表現した堀慶末。色鉛筆でストレートにヌードを描いた加藤智大や原正志など。彼らを取り巻く環境が、そうさせるのだろうか。

独特な感性に満ち溢れた、絵心溢れる作者も目についた。植松聖が手掛けた『覚悟』というタイトル作は、グレイトフルデッドの一連のアートワークのよう。怒りと覚悟に満ちた人の表情が、サイケデリック調で丁寧に描かれている。

死と向き合う日々のなかで、湧き上がる苦悩を、重い色彩で表現した風間博子の作品も目を見張った。美術の心得はない風間だが、アイディアと画力の力強さは秀逸である。(シ)

「線と言葉・楠本まきの仕事」展

弥生美術館、22年10月1日〜12月25日

★『KISSxxxx』、『Kの葬列』、『致死量ドーリス』、『戀愛譚』、『赤白つるばみ』で知られる漫画家、楠本まきのタンビニストたる世界観を原画やエッチングや資料で肉薄する。ゲストキュレーターとして、写真評論家でキュレーターの実妹、楠本亜紀が参画。フィルムノワールのように沈静する耽美的世界。痛覚を刺激する繊細な描線の緊張感が深く美妙である。幻惑する狂気が、白昼夢に潜勢する白と黒の動的修辞法のワルツに興ずる。静かな独白のなかで開闢される、その存在論の黄昏を。楠本まきの凛然とした線と言葉が紡ぎ出すストイックな豊穣を堪能。(並)

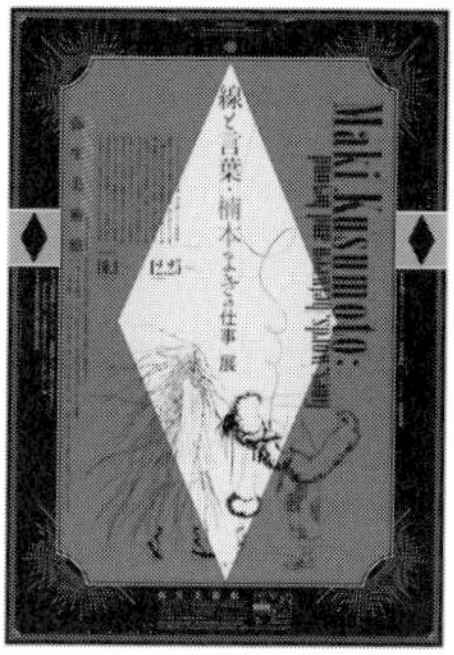

CEDAR×僕たち私たち
バースデイ・パーティ

新宿シアターモリエール、22年12月17日〜25日

★ピンターに興味があって観てきた。不条理劇というのは、ちょっとひかれるところがある。「バースディ・パーティ」はピンターの初期の作品とのこと。今回は、大鶴義丹や藤田朋子といった役者たちによる公演。

舞台は海辺の町の下宿。中高年夫婦のメグとピーティが経営している。といっても、下宿しているのは、この1年ほど滞在している元ピアニストのスタンリーのみ。

朝食の場面から始まるが、その内容はコーンフレークと揚げたパン。決して裕福ではない暮らしがわかる。ピーティは新聞を読み、メグは新聞に面白いことが書いていないかどうか、夫に尋ねる。スタンリーはメグに起こされて食堂に降りてくるが、不条理なくらい不機嫌。でもメグはスタンリーを息子のように接している。

この下宿に、ゴールドバーグとマッキャンという二人の紳士が宿泊に訪れる。スタンリーはこの紳士を追い返そうとするが、うまくいかず、引きこもる。帰ってきたメグは、今日がスタンリーの誕生日なので、パーティをしようと提案する。

ピーティだけはチェスの約束があるからといってパーティに参加せず、残りのメンバーでパーティをするが、主役のスタンリーだけはうかない様子。そもそも、スタンリーは自分の誕生日ではないと言うし。

ゴールドバーグとマッキャンはスタンリーを連れ戻しに来た様子。スタンリーは何かの組織を抜け出したのだろうか。

パーティで誰もがスコッチを飲む中、マッキャンだけはアイリッシュウイスキーを飲むあたりは、アイルランドのテロ組織なのかと思わないでもない。

パーティが終わった翌朝、精神が崩壊したようすのスタンリーはゴールドバーグとマッキャンに連れ去られる。ピーティはスタンリーが連れ去られないように抵抗するが、結局は連れ去られてしまう。買い物から帰ってきたメグはそのことを知らない。

とまあ、こうした話なのだけれど、この芝居の不条理さは、どこか不穏な気持ちにさせるずれが、恐怖を増幅するところにあるのかな。簡素な朝食、不機嫌なスタンリー、何も感じないままに明るくふるまうメグ。歯車がかみあわないけれど、それを誰も気付かない。

ゴールドバーグとマッキャンがスタンリーを問い詰めるシーンも、セリフは意味不明な言葉が続く。意味がわからない恐怖として演じられていくこの舞台は、その恐怖が意味不明な分だけ、65年後の現在でも、恐怖が伝わってくる。

それにしても、端正な芝居だった。夫との何気ない会話をするメグの動き、テーブルの下の脚の位置まで、計算された演技だったし、それは他の役者にも通じていた。スタンリーの崩れた雰囲気、ゴー

ルドバーグとマッキャンの何かを隠している、ときどき切れる感触、6人の役者が常にその場の緊張を持ってつくっていたと思う。（M）

LOGO Type
ハムレットマシーン
吉祥寺シアター、22年12月2日〜12月4日

★東ドイツの劇作家ハイナ・ミュラーの代表作。ミュラーについては、名前走っていたけど、というか多和田葉子とミュラーをめぐる本が手元にあるけど未読。1977年に発表されたミュラーの代表作であるこの戯曲は、45年後の現在、どのように演じられるのか、ということになるのだけど。いつもそうだけど、そういう予備知識なしで、観劇させてもらっている。

開演前の舞台で、すでに2人の役者が舞台に上がっている。何をしているのかといえば、一人が鏡、もう一人がライトを持ち、鏡を照らしながら移動している。反射する光がライトを持つ役者をとらえる。その間も、客席が埋まっていき、開演前の観客の会話が続く。

開演前の二人はいなくなり、暗転。黒のスーツを着た主人公のハムレット（女性）が舞台中央で激しい息遣いをさせな

がら独白をはじめる。基本的にはハムレットの独白が最後まで続き、間に黒いスーツの男女十数名のコロスによるミニマルな合唱やちょっとした劇が挿入されていく。あるいは、現代の世界の映像、または、自然の中の小動物の映像がはさまっていく。

舞台向かって左側（下手）には透明のボックスがあり、中に女性（オフィーリア？娼婦？）が一人で座っている。上からはずっと白いものが降り続けている。すっきりしたライティングを含め、とても美しい舞台となっている。

ハムレットというのは、もちろんシェイクスピアの戯曲の登場人物。話を知らなくても、やたらと苦悩する主人公だということは知られていると思う。

では、この舞台におけるハムレットは何について苦悩しているのか、正直なところ、そこがあまり伝わってこない。舞台の向かって右側に机とタイプライターが置かれ、ハムレットはそこでタイプを打つ。亡霊となったハムレットは、他の登場人物でもあり、シェイクスピアでもある。そうしたメタフィクションのような構造で、語っていくわけだし、そこにはかつての小劇場の演劇を思わせるアクチュアルさがある。というのはわかるのだけど、それは2022年に語るべきことなのかな、と思う。終盤、オフィーリア？が箱から出て、椅子に座って語りだすが、その内容もかつての「女性」が語っていたこと、女が産んできたということも、性がグラディエーションだと認識され、産むことそのものが別の見方がされていく中では、もはや古いのではないか、とも思う。

そうした中にあって、唯一リアルだったのは、ハムレット役の女性が「ちょっと演技をやめていいですか？」と言って、自分を語りだす場面。芝居が好きで役者としてここまで生きてきたことなどを、平常な姿で語る。そこには、少なくともそうやって2022年まで進んできた手応えがあった。

後で調べたのだけど、「ハムレットマシーン」のテキストそのものは極めて短いものらしく、その中にドストエフスキーやカフカなどのテキストが挿入されているという。だとしたら、現時点において挿入すべきテキストは、自由に差し替えられるべきはずだし、そこにこそ演じる意味があると思うのだけれども。だからこそ、挿入される映像の無意味な冗長さも気になったし。東ドイツはもう存在しないけれども、ウクライナ侵攻はグローバル化した世界を再び分断させている。

本当に舞台美術はとても良かったし、終幕後もハムレットとオフィーリア？は椅子に縛り付けられて挨拶することもなく置き去りにされる姿は強く印象に残った。終焉後、再び鏡とライトを持った二人が出てきて、ライトで鏡を照らす動作をしつつ、観客は退席していく、そうした見せ方も良かったと思う。（M）

スターダンサーズバレエ団
The Concert
東京芸術劇場、22年9月23日・24日

★1950年代のアメリカで制作された作品を取り上げている。日本初演となるロビンスの「The Concert」はコミカルな作品だ。ピアノコンサートをテーマに狂ったバレリーナ（マッド・バレリーナ）が音楽ファンや倦怠期の夫婦など観客を巻き込み楽しい世界が展開する。この役の渡辺恭子が活躍を見せた。ロビンス版の「牧神の午後」はスタジオという当時話題に

なった設定で知られる。喜入依里と林田翔平が幻想的な世界を描いた。バランシンの「スコッチ・シンフォニー」では池田武志と渡辺が新人たちとスコットランドの情景を綴った。アメリカバレエに焦点を絞ったトリプル・ビルが立ち上がる戦後アメリカに客席は沸いた。（吉）

佐野広実
シャドウワーク
講談社

★DV（ドメスティック・バイオレンス）被害者の女性たちをめぐるミステリで、主要な登場人物がほとんど女性であり、女性の視点から、男性の横暴さがあぶり出される。一部の男性には耳の痛い話かも知れないが、僕はすんなりと物語の中に入ることが出来た。

帯には「四日に一人妻が夫に殺される」とあるが、ネットで検索したら「三日に一人」とも言われていて、DV被害の深刻さが伝わって来る。

物語は、夫の暴力からのがれて同じ境遇の女性たちの住む隠れ家のような家で生活する女性と、自身もDV被害者で、水死体として発見された女性の背後関係を探る女性刑事が交互に描かれて行き、やがてひとつの物語に収斂して行く。

以下はネタバレになるかも知れないが、ここに登場する女性たちの隠れ家は、シェルターと呼ばれる公的な保護施設ではなく、村上春樹の『1Q84』に登場する「柳屋敷」を思い起こさせる。なので自然と『1Q84』と地続きの世界として読むことが出来た。それは作者の意図するところではないのかも知れないが、個人的には作品世界を奥行きの深いものに感じさせてくれた。

いわゆる本格ミステリのようなパズル的謎解きではなく、人と人との関係性の中にある謎に肉薄していく展開は、前作『誰かがこの町で』や乱歩賞受賞作『わたしが消える』と共通するテイストであり、ぐいぐいと作品世界に引き込まれる。

帯の惹句に「ソーシャル・ミステリーの旗手」とあるように、著者は島村匠名義で第六回松本清張賞を受賞しており、本作でも清張とは違ったアプローチで、法律では罰しきれない深い闇に切り込んでいる。（八）

ショーン・フェイ
トランスジェンダー問題
高井ゆと里訳、明石書店

★トランスジェンダー問題というのは、多くの人（マジョリティ）にとって、あまり身近ではないかもしれない。でも、表面的でかつ根深い問題。トランスジェンダーの人々の生は困難であり、実際に平均寿命が短くなっている。社会における居場所のなさ、社会において規範にあてはめようとする強制とトランスフォビアの広がり、そういったものが寿命を縮めている。

わかりやすい話とすれば、「女湯」問題があり、「女性用トイレ」問題がある。性別を身体的な特徴ではなく、性自認として法的なことも含めて定義してしまうと、男性の身体をもつが性自認だけ女性だという人が、女湯を利用し、女性用トイレを利用することが可能になる。それは、結果的には男性による女性の領域への侵略ではないか、ということだ。一部のシスジェンダーのフェミニストがこうした主張をしている。こうしたことが、より広くトランス差別となっている。こうした主張をする代表的な存在が、この本の解説で清水晶子が最初に取り上げている笙野頼子だ。

実際に、性自認については議論もされているし、スコットランドではつい最近、性別変更の手続きを簡略化する法案が成立している。

女湯や女性用トイレの問題に卑小化してしまうと、本質を見誤るけれども、トランスジェンダーにとって性別を自己決定することと法的な決定との間のギャップは、不当なほどに大きい。性別適合治療を受けるにあたっても、精神科医のカウンセリングが必要となる。ホルモン投与や乳房切除手術、性器再建手術など、一連の治療の多くは保険が適用されなかったり、あるいはそもそも医師が不足していたりする。こうした状況は、訳者によると、フェイの住む英国でも、日本でも、そう変わらないという。シスジェンダーにとってはあたりまえのことが、トランスジェンダーにとってはあたりまえではない、ということになる。

けれども、ではトランスジェンダーが自分のありうべき性になるときに、そもそも性別適合手術は必要なのか。日本では厳しい要件（年齢や子どもがいないなど）の上で、法的な性別変更が可能となる。しかし、自分の性が、ペニスのついた女性ではいけないのだろうか。まさに、ヴァギナを持った男性が『フランキスシュタイン』で描かれていたのではなかったか。

そんなことを書くと、女湯、女性用トイレはどうなんだと言われそうだけれど、女装をしたシスジェンダーの男性が女湯に入れば、排除されるだろうし、そのくらいの現場での対応は可能だと思う。まあ、困るような場面もあるだろうけど、その点では、新宿区の松本湯は、トランスジェンダー向けの入浴日を試行したケースがある。自認によって男湯と女湯に分かれ、違和感があったら移動してもいい、ということだった。まして、女性用トイレは基本は個室だし、盗撮などが問題なのであれば、それはシスジェンダーであっても同様だ。

トランスジェンダーが直面する問題はほかにもある。仕事もそのひとつだ。本書では、セックスワークについて、ネガティブな側面とポジティブな側面について語っている。一方で、なかなか就業できないトランスジェンダーにとっての仕事の受け皿であり、他方で同じトランスジェンダーと知り合い、経験を共有する機会を提供しているという。日本では、セックスワークに対して否定的な見方が強く、一部のフェミニストやリベラリストは禁止すべきだとしている、まるで出口をなくせば問題が解決するような言い方までしている。また、訳者も指摘しているが、性風俗産業はコロナ給付金の対象外ともなった。著者や訳者の考えの延長として、一方でトランスジェンダーが就業しやすい社会になる必要があるし、他方でケアサービスであることも含めたセックスワークについての再評価と、セックスワーカーにスティグマを与えないような、労働者として認められるということが必要ではないか。

トランスジェンダー問題は性別を強制する国家の問題でもあるし、社会の問題でもある。でも本書の最後の2章はフェミニズムの問題として論じている。

LGBTのTだけが遠い、という指摘。確かにLGBまではシスジェンダーだ。そして、例えばレズビアン・フェミニストがトランスジェンダーを排除しようとする。レズビアンの、シスターフッドの枠組みから追い出そうとする。でも、ウィティッグが『Across the Acheron』で描いたように、レズビアンもかつては同様の困難に直面していたのではなかったか。

フェイは本書で、トランスジェンダーがいかに困難な状況に直面しているのか、しかもそれが一部のフェミニストからもたらされる部分もある、ということを訴えている。

そうした中で、興味深いのは、問題の解決に向けて、ジュディス・バトラーではなく、ポルノやセックスワークを否定するキャサリン・マッキノンやアンドレア・ドウォーキンに寄って立とうしていることだ。もちろん、バトラーに立脚することも可能だけれど、そうではない第二波フェミニズムに遡るところで希望を見出そうとしている。社会的な性差別を訴えてきた第二波フェミニストにとって、そもそも規範の性別は無効化すべきものだった。現在のトランスジェンダー排除を訴える一部のフェミニストが、第二波フェミニズムの娘たちなのだとしたら、その戦略は有効なものなのかもしれない。

最後に、注意すべきこととして、トランスジェンダー問題を一般的な差別の問題として拡大しないこと。多くの人がさまざまな問題を抱えているとしても、それを普遍的な問題としてしまうと、マイノリティの問題は先延ばしにされてしまうから。そのことに注意しつつ、本書を通じてトランスジェンダー問題の全体をつかむことだ。（M）

佐東利穂子
告白の森
forest of confession
KARAS APPARATUS、22年10月21日～30日
★佐東利穂子の耽美的なソロ。玄冬の冥い、夜の森の深奥で紡がれる命のダンス。狂気に溢れた幽かな月光の下で踊られる妖美なる生命の源泉。ノワールで怜悧に

詩的な風情に深く耽溺していく。迷妄とファンタスマの鬼火に燃える生命の凛然とした、その強度の深み。冥府より立ち昇る力強さとその狂気の余韻が美妙に響く。(並)

マルカ・オールダー、フラン・ワイルド、ジャクリーン・コヤナギ、カーティス・C・チェン

九段下駅 或いはナイン・ステップ・ステーション

吉本かな・野上ゆい・立川由佳・工藤澄子 訳、竹書房

★舞台は2033年の日本。南海地震のあと、西日本は中国が侵略し、東側はアメリカの管轄下。そうした状況の中で、警視庁の女性警部補と警視庁に出向した平和維持軍の女性中尉のコンビによるSFミステリー。4人の作家による連作短編集。

楽しく読めたけど、頭の中でどうしてもアニメ『サイコパス』みたいな映像に変換されてしまう。きっと作者たちは『攻殻機動隊』なんだろうけど。

それにしても、九段下というのは絶妙な場所。靖国神社がある場所。そこが中国とアメリカの境とでもいうのかな。そして皇居にも近い。占領下の日本においてそれは空虚な場所としてあるのだけど。

舞台設定はよくできていて、中国は十分に謎の存在だけど、日本のやくざと通じているし、アメリカも善意で管轄しているわけではなく、だからこそ異なる組織を出自とするコンビが、周囲を信頼しすぎることもなく動くことができる。

短篇のひとつひとつも小気味よくできているし、40年前のサイバーパンクも今となっては見慣れた風景になってしまったと思いつつも、それをすんなりと楽しめることができる。日本はエキゾチックな国だと思われているのだろうけれど、それはいまだに変わっていないな。

確かに、2022年末の現在、米中の対立は多少は深刻になっているものの、実際に中国やアメリカが日本を支配するかというと、それほど単純ではないだろうなとは思う。そうなんだけれど、一方で防衛費増額にすんなりと納得してしまう人々は少なくないし、それはウクライナを後ろで支えようとしているアメリカの、その国に住んでいる人の感じているリアリティにも通じているんだろうと思う。日本に対しても、同様な想像ができるくらい。そんなところをついた作品なんだなあとも思うのであった。そう、実際に侵略されるかどうかではなく、そういった想像をしてしまう人々がいるリアリティ、なんだよな。(M)

牧阿佐美 お別れの会

新国立劇場 中劇場、22年9月6日

★牧阿佐美先生のお別れの会が行われた。世話人は牧阿佐美バレヱ団と新国立劇場運営財団、喪主は三谷恭三だ。コロナ禍の最中、バレエ界の関係者が多く集い、中には現代舞踊やフラメンコの長老たちの姿もあった。

三木谷春子、銭高眞美が挨拶し、お別れの言葉を遠山敦子と戸倉俊一が述べた。牧が日本のバレエ界の基をつくり後進を多く育てた事、橘秋子からバレエ団を引き継ぎ今日へ繋げた65年間、新国立劇場と新国立劇場バレエ団を立ち上げ軌道にのせたこと、バレエ芸術への深い愛情と生きたことが語られた。その結果として牧はバレエ界初の文化勲章の受賞の知らせを他界する前日に受けることになる。そしてこれが三谷と牧の最後の会話となったことが喪主から語られた。まさに天命を全うしたといえる生涯だった。

世界のバレエ界を繋がりながら日本のオリジナルなバレエを発信してきたことも重要なことだ。これは前週末に行われた追悼公演での「飛鳥 Asuka」の上演ともつながる。ロビーにはこの時の1stキャストの主役だった青山季可・菊地研が立っていた。牧バレヱ団や新国立劇場バレヱ団の名ダンサーたち、スタッフたちもいた。彼らも同窓会に近い状態だったが、観劇してきた側も走馬灯のように様々な名舞台を回顧することになった。そして献花の時には「くるみ割り人形」の雪の場面の音楽がかかっていた。

牧は芸のみならず、洗練された品の良い生活をおくることや、日本の文化を知ることを重視していた。バレエを通じて精神や品の向上を考えたこと、能・歌舞伎や小笠原礼法とバレエに共通点を見いだしていたことも語られた。これが牧が世界のどんな立場の人からも関心をもってもらえる存在と語られるようにせしめたベースだろう。

2021年という年は牧や山野博大らが旅立った。それは戦後という時代を回顧しながら新しい風を考える時でもある。個人的にも公演会場や青山の稽古場

で世話になることもあった。お会いするといつも「いらっしゃい」とあの口調でおっしゃてくださった。

音楽舞踊新聞から批評活動を開始した私はバレエについて現場で多くを学び、戦後の代表作家たちや牧や薄井憲二、松尾明美や慶応義塾バレエ研究会の先輩たち、そして久保正士ら20世紀舞踊の批評家たちから多くを学んだ。戦前〜戦中期の話も交えながら50年代・60年代の洋舞界のことも多く学んだ。これからのバレエ芸術を見守り育んでいきたい。

（吉）

誰もが天国に行きたい

下田ひかり、RODOLFO LOAIZA、RYOL

BOOKMARC、22年10月7日〜30日

★オーバードーズで自殺未遂をし、緊急搬送され退院したての平日、私は表参道へやってきた。下田ひかり氏の作品を見るために。「我想死」「WANNA DIE」そんな言葉がその中の作品には描いてあった。はあ、そう、私は死にたい。今日彼女の作品を生で見るのは初めてだったので色々と感極まるものがあった。
目に痛いほどの明るい色たちとなにか物言いたげにこちらを見つめる子供がそこにはいた。油絵の具だけでなくアクリル絵の具、金箔を用いて描かれた作品たちは皆、kawaiiだけでは無いなにかを訴えてくる。しかしそれ以上に、生で見なくてはわからないであろう、彼女の思いが込められた細部に私は圧倒された。

よく見ると華々しい色に隠されるように時事的な新聞記事がコラージュされている。招かれざる疫病に戦争、逃れられない自然災害などの記事だった。その作品一つ一つに込められた皮肉とも言える表現の数々が、グサグサと心を抉ってくる。この社会は本当に色々生きづらい。そんな社会を、こんな社会を作ったのは誰なんだよぅ。お前たち大人じゃあないのか。そしてこんなクソな社会を今後生きるのは私たちだ。今までの大人たちの尻拭いをするのは私たちだ、俺たちだ。あぁ本当に生きているのが苦痛でしかない。だがしかし、今この瞬間、彼女の作品を目にすることが出来たのなら無駄に伸ばされたと思っていた私の寿命には価値があったと言えるのかもしれない。（碧）

チェコアニメ上映会

BOOK CULTURE CLUB

武蔵野公会堂、22年10月23日

★優しく、かつ愉快なアニメにほっこりしたと思えばシュバンクマイエルのディープな世界に打ちのめされる、そんな一日。
まずはいきなり傑作選、チェコアニメの傑作と名高い短編アニメの部。これらの作品はひたすらに穏やかで、耐え難い悪に苛まれることなく、清く正しい主人公が幸せを手に入れる。明確な勧善懲悪というより、老夫婦とけしの実から生まれた子供（桃太郎みたい！）の生活、人気者の芋虫など、波立つことのない平和な世界が広がっている。第二次世界大戦中はドイツに支配され、冷戦時代はプラハの春を発端としてソ連の圧力を受けていたチェコ。そんな重たいバックグラウンドを持つチェコの繰り出す、穏やかで平和なファンタジーは、当時の国民が皆無意識化のうちに共有していた夢のようなものだったのかもしれない。表現規制の網から何とか逃れ、どうにか存続し続けたアニメはついに東のディズニーと呼ばれるまでに至ったが、それもチェコ国民たちの、まさしく生命によって作り出されたからこそだったのかもしれない。

そんな中でシュバンクマイエルの作品は異質だ。可愛らしいモルモットを挟んで殺し合いをする土臭い人形、軽快な音楽と共に顔をバターナイフでそぎ落とされていくサッカー選手など、その作品に穏やかさはなく、シュールとエネルギーで満ち満ちている。

これらを見ていると、チェコには伝統的美しさと、革新的凄まじさが奇妙な同居を遂げているのが分かる。（清）

箱入り皇女は至高の恋をお望みです！
〜理想の殿方を探す旅に出ます。ただし、美しい者以外認めません!?〜

じゅん麗香

KADOKAWA

★タイトルからわかるけど、なんだか、今回の特集テーマにそったような作品ですよね。
美しいものしか認めないという皇女さまが、結婚相手を求めて隣国まで出かけていくという話。もちろん本人も美しいのだけれど、人は美しくなれるというポジティブさももっていて、そのための化粧品や美容品などを自分で開発するという、そこまでする皇女である。もちろん仕える騎士も侍女も美しい。フレグランスにだってこだわる。というか、そこはこの作品の鍵にもなっているのだけれども、とにかく、美しい者は内面も美しいので、結婚相手も美しくなければいけない。

美しさは内面から、なのではなく、美しくなることで内面も美しくなる。内面

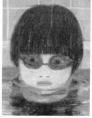

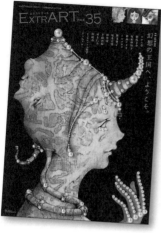

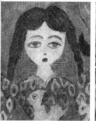

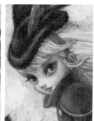

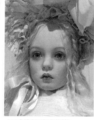

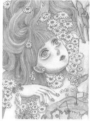

が美しくなければ、外見は美しくない。ということで、今回の特集にそっていえば、美しい相手に恋をすることは、内面も美しいはずなので、そのことが正当化されるはず、ということになる。美しくない女性の前には王子様は現れない。だから美しくなる努力くらいはした方がしいし、誰でもできること。とまあ、そういうアプローチになる。

たまーに、こうした自己肯定的な作品を読んだりすると、すごく平和な気持ちになれるよね。(M)

ケイタケイソロダンス LIGHT, Part54「39本の小径Ⅲ」、『樹影・根っこ』

シアターカイ、22年12月28日

★植物が庭の様な景を立ち上げている。顔を白く塗ったケイ・タケイがゆらりと踊りだす。両腕をゆっくり動かしながらアティチュードの表情を変化させたり、身体の表情を変化させる。易経の中にある天行健ではないが、大自然の中で生き学ぶ姿を、踊りの向こうに感じとる事ができる。

自然の中で踊るという意味では、佐多達枝「庭園」なども彷彿とさせるが、今でも観世流の岡庭善昭から能を学んだり、若き日に藤間喜与恵から日本舞踊をしっかり習得していることから「菊慈童」の様な邦舞の演目にも通じる味がある。藤間は現代舞踊の檜健次のパートナーで20世紀舞踊・邦千谷とも関係があった日本舞踊家だ。

後半に中村桂子(JT生命誌研究館名誉館長)が植物の生命力を語っていく傍らで演者が舞うという演出も盛り上げた。照明(清水義幸)が微細な表情を立ち上げ盛り上げていたことも見逃せない。(吉)

多様化された細密アート ―クオリティーの主張―

スパンアートギャラリー、22年10月15日〜25日

★私は緻密な絵が嫌いだ。一度、いや何度も志した道だからだ。

今回は、緻密を極めた者たちの作品が集う展覧会に足を運んだ。縦の線だけで描く土田圭介氏の作品は素晴らしかった。近くで見てみても本当に縦の線だけなのか疑問を抱くほどに繊細なその絵は私をわっと興奮させた。もの静かな世界の中でもその詳細はとても激しく、作者の根気はもちろん作品への愛をも感じることが出来た。また、渡邊光也氏の作品は初めて拝見したがそれもまた素晴らしかった。彼は在廊していて気さくに声をかけてくださった。談笑しているとあなたも絵をお描きになるんですか?と問われた。一瞬怯んだ。絵を描いていないと言えば嘘になる。しかしすんなりとはそうです、と答えられない自分がいた。

かつては私も絵を描いていた。緻密な線を用いて細かく細かく描いていた。しかし僕は自分に自信がない。細かく言えば自分の描く世界に自信が持てないでいる。自分には自分の描きたい世界を描けるほどの画力がない、そう思って手が進まなかった過去があった。……と軽くそんな話をしてしまうほどの魅力が彼にはあった。やはり魅力的な絵を描く作家さんというものは現実においても同じことが言えるようだ。すると彼は言った、「僕もかつては他人と比較しては落ち込んでいましたが、この緻密な世界に没頭すると他人なんてどうでも良くなるんですよね」。そう微笑んだ彼の顔に嘘はなかった。そうか、他人と比較することが苦しいんだなと気づいた。やはり緻密な絵は素敵だ、帰りに世界堂にでも寄ろう、と思いながら改めて彼の描いた作品に目をやる。そこに描かれていた天使は少し僕に微笑んだ気がした。(碧)

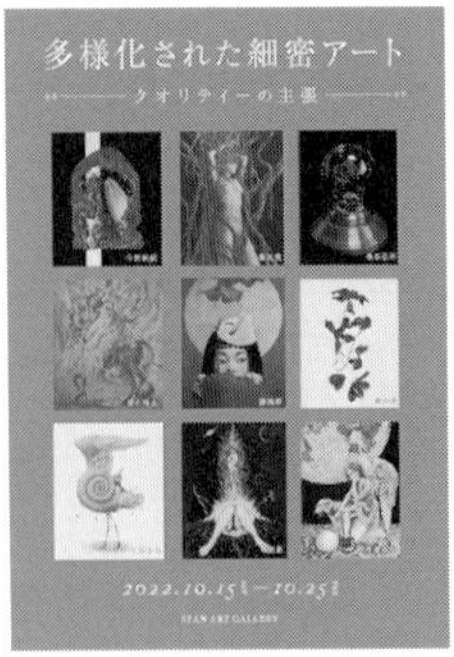

古谷三敏 BAR レモン・ハート

双葉社

★2021年12月に古谷三敏が亡くなった。最新の37巻はその遺作ということになる。月刊誌の連載で、ほぼ1年に1冊のペースで刊行されてきたので、およそ37年間もつづけてきたことになる。その間、ほんとうにいろいろなお酒が紹介されたし、そのごく一部は実際に飲んだりもした。ラムのレモン・ハートとか、ウォッカのスピリタスとか、山口県の五橋とか、サントリーモルツとか。

古谷の出世作『ダメおやじ』は好きになれなかったけど、でもお酒は生活の句読点としてあるし、たしかにいろいろなお酒が紹介されているけれど、ほんとうにささやかな物語の中でのアクセントであって、幻の名酒を飲むということはあまり目的化されていないっていうのも良かった。まあ、幻の名酒も登場するんだけど、結局はお酒って一期一会のものだしね。

とまあそんなわけで、「BAR レモン・ハート」とその作者には感謝しかないのである。（M）

小針侑起

浅草芸能とゲイの近代史

えにし書房

★反知性主義者であることをホコリにおもっていた。単に知識がないことだけではなくて、「知識人」・「文化人」という単語自体がきらいで、自分がそうでない方向をめざすようにしていた。

知識があるのと知性があるのとはもちろんちがう。けれども本書を読んで、知性だのなんだの言う前に自分に圧倒的に知識、知ってることがないことをものすごく痛く感じました。

二村定一の名前くらいは、エノケン映画・歌謡が好きだから、戦前のスタアだったのだろうというていどの認識だった。曲もYouTubeできいたことはあった気がする。けれども、日本初のカミングアウト者だとは知らなかったし、同時に作品もぜんぜん観てない、知識がないことに気づいた。

あの『ADONIS』については、僕にとっちゃあもうすこし、わかっているつもりだった。なのに、ビックリすることの連続。三島由紀夫の『愛の処刑』は、アドニス本誌掲載じゃなかったのか。別冊の『APOLLO』なのである。なんだその別冊。そして稲垣足穂も寄稿していたのか。

当時『人間探求』というカストリ雑誌もあって、八号目には『天国か地獄か　男子同性愛者の集い』という座談会が載っていて、伊藤晴雨と高橋鐵も参加してるのである。

この本の巻末には、著者と伏見憲明との対談もあって、自分の性的指向をグレーゾーンのように見せ、「ギリギリまで言わずにはおれない」のに、核心までは触れない。海外ではあまりないそうしたものを、伏見氏は「日本的カミングアウト」という。そして小針氏も「なんか鳥肌が立ってきました（笑）」とうなづく。

私も鳥肌を立てながら、この本を読んでいた。まだ立っている。三十路を過ぎた私はさいきんバイアグラをのむようになって、無理にそんな話に持ってかなくていいんだ。（日）

劇団印象 -indian elephant-

カレル・チャペック ～水の足音～

東京芸術劇場シアターウエスト、22年10月7日～10日

★最初に断っておくと、オンライン配信で視聴した。実は前々回の「エーリヒ・ケストナー～消された名前～」もオンライン配信での視聴だったので、それでレビューを書くのもどうかな、と思ったのだけれども。でも、考え直した。演じられたものの記録を、多少なりとも残しておくことには、意味があるのではないか、と。

カレル・チャペックといえば戯曲『R.U.R.』においてロボットという言葉を使ったことで知られているチェコの作家（兄のヨゼフがこの言葉を考案したとされている）。『山椒魚戦争』などの作品もある。作家であると同時にジャーナリストでもある。活躍したのは、ざっくりと第一次世界大戦後から第二次世界大戦までの間、チェコスロバキアという新しい国ができた時代だ。この国は今では、チェコとスロバキアに分かれている。

物語は、この戦争の間を描く。登場人物はチャペック兄弟の他にも、後にカレルと結婚するオルガ・シャインプフルゴヴァー、ふらっと現れる大統領のトーマシュ・マサリクなど。この時期、国内にてドイツ語を話す人々は差別を受けており、その差別を回避するために軍隊に入る友人もいた。そう、この物語の大きな流れとなっているのは、はプスブルグ帝国の解体で誕生したチェコスロバキアで、ドイツ語系住民と立場が逆転したと

いうこと、そしてドイツのヒトラー政権の誕生によって、その立場が再び逆転していくことがある。その一方で、政府も共産主義の弾圧を行っていく。

　こうした中、カレルはジャーナリストとして自由に書けないと同時に、国民的作家として新作を期待される。それはヨゼフも同様であり、カレル以上に書くことから離れようとする。実質的にドイツに併合された中にあっては、ペンで戦おうとする。

　人は容易に、言語／民族で分断されてしまう。そして、そのことで人は困難に陥れられるし、命すら奪われる。この作品は歴史劇として、そうした場面をストイックに描いていく。印象的な場面をつなぎつつも、大きな流れが進んでいく。それでも、ユーモラスなマサリク大統領、10年越しのオルガとのロマンス、これらのエピソードが、息苦しさを回避させている。

　80年前のチェコスロバキアの話と、現在の日本は、決して近くはないけれど、遠くもない。現在の日本において、この物語が舞台で演じられることには、意味があると思うし、だからこそ記録をしておいてもいいと思う。それに、オンライン配信の視聴では、役者の表情が見やすいというのは、メリットとしてあるかも。

　とは思うものの、「エーリヒ・ケストナー〜消された名前〜」よりは弱いかな、とも思った。ケストナーはやはり第二次世界大戦前から活躍しているドイツの作家。『飛ぶ教室』や『ふたりのロッテ』などが有名かも。この作品では、書くことで政治に抵抗しようとしていたケストナーと、ナチス政権に取り入ることで女性でも映画監督になれることを示したレニ・リーフェンシュタールの対比が描かれていく。そうして残したものが何だったのか、戦後まで時間を追って問いかけたこの作品と比較すると、ちょっと物足りない。

　それでも、劇団チョコレートケーキもそうなんだけれど、舞台の上に何かを残していくということは、それも現在という時間の中にあって、きちんと意味づけて残していくことは、現在しかない演劇のひとつのあり方だと思う。という意味において、記録しておきたい。（M）

◎写真集

珠かな子 写真集「肌に降る七星」

978-4-88375-446-5／B5判・80頁・カバー装・税別2500円

●「日差しを浴びてその肌は、小さな星屑がスパークするかのようにきらめいていた」――珠かな子が、七菜乃の原初の力と「蜜」を写す！

珠かな子 写真集「いまは、まだ見えない彗星」

978-4-88375-371-0／B5判・64頁・ハードカバー・税別2700円

●私にとってセルフポートレートは、〝可愛さと強さの脅迫〟だ。女の子は強くなれる、そう願っている――珠かな子、待望の写真集！

村田兼一 写真集「宵待姫 十三夜」

978-4-88375-469-4／B5判・96頁・ハードカバー・税別3200円

●村田兼一の原点、禁断の手彩色写真集！ エロスとタナトスが交錯する13の秘密の夜。自身が見た夢などを添えた濃密な魔術的世界。

村田兼一 写真集「女神の棲家」

978-4-88375-416-8／B5判・96頁・ハードカバー・税別3200円

●古の女神を現代の少女に重ね合わる――魔術的なエロスやタナトスと、御伽のような叙情性が混交する村田兼一写真集、第7弾！

村田兼一 写真集「月の魔法」

978-4-88375-354-3／B5判・96頁・ハードカバー・税別3200円

●禁忌を解く魔法――月乃ルナをモデルに生み出された、マジカルで濃密なエロスに満ちたおとぎの世界。

トレヴァー・ブラウン×七菜乃「トレコス」

978-4-88375-298-0／B5判変型・80頁・ハードカバー・税別2750円

●トレヴァー描く、かわいくてシニカルな少女に七菜乃が扮した〝トレコス〟全作品！ トレヴァーの原画はもちろん、メイキング写真も収録！

美島菊名 写真作品集「HOPE」

978-4-88375-308-6／B5判・64頁・ハードカバー・税別2750円

●少女よ あなたは 世界を変える――少女の無垢と欲望を、インパクトあるヴィジュアルで表現してきた美島菊名、初の写真作品集！

谷敦志 写真集「D. P Collage Series」

978-4-88375-283-6／A4判・64頁・ハードカバー・税別3800円

●妖しく溶け合う、肉体とオブジェ。異型の写真家・谷敦志が、女体のコラージュによって生み出した極北の美の世界。A4サイズの豪華版！

谷敦志 写真集「Flowers and Nudes」

978-4-88375-284-3／A4判・64頁・ハードカバー・税別3800円

●透き通るような静けさをまとう、ヌードと花。進化し続ける孤高のアーティストの「今」が詰まった、最新写真集！ A4サイズの豪華版！

谷敦志 写真集「アンビバレンス」

978-4-88375-148-8／A5判・64頁・ハードカバー・税別2800円

●ダークでカオティック、フェティッシュでアヴァンギャルド、そして最高にスタイリッシュ！ 異型の写真家の処女写真集!!

堀江ケニー 写真集「恍惚の果てへ」

978-4-88375-139-6／A5判変型・96頁・カバー装・税別2200円

●澄んだ空気感の中で恍惚の果てへ導かれる―湖や廃墟で撮った、堀江ケニーならではの幻影的作品を集めた待望の写真集！

◎幻想系・少女系

たま 画集「Deep Memories～少女主義的水彩画集VII」

978-4-88375-451-9／B5判・64頁・ハードカバー・税別2700円

●深く落ちた記憶の欠片、透明な絵の具で彩って、5つに束ねて留めました。記憶の底にある、可愛らしくも不気味な楽園にようこそ！

高田美苗 作品集「箱庭のアリス」

978-4-88375-393-2／B5判・64頁・ハードカバー・税別2700円

●混合技法によるタブローから銅版画まで、少女をモチーフとした夢幻世界を描き続ける高田美苗の軌跡を集約した、待望の作品集！

◎小説・コミック・評論・エッセイ

◎ナイトランド・クォータリー（ホラー＆ダーク・ファンタジー）

ナイトランド・クォータリー vol.31 往方の王、永遠の王～アーサー・ペンドラゴン

978-4-88375-487-8／A5判・224頁・並製・税別2000円

ナイトランド・クォータリー vol.30 暗黒のメルヘン～闇が語るもの

978-4-88375-478-6／A5判・176頁・並製・税別1800円

〈増刊〉妖精が現れる！～コティングリー事件から現代の妖精物語へ

978-4-88375-445-8／A5判・200頁・並製・税別1800円

◎TH Series ADVANCED（評論・エッセイ）

樋口ヒロユキ「恐怖の美学～なぜ人はゾクゾクしたいのか」

978-4-88375-482-3／320頁・税別2500円

フロリス・ドラットル「フェアリーたちはいかに生まれ愛されたか～イギリス妖精信仰――その誕生から「夏の夜の夢」へ」

978-4-88375-474-8／320頁・税別2500円

◎TH Literature Series

篠田真由美「レディ・ヴィクトリア完全版1～セイレーンは翼を連ねて飛ぶ」

978-4-88375-485-4／四六判・352頁・カバー装・税別2500円

橋本純「妖幽夢幻～河鍋暁斎 妖霊日誌」

978-4-88375-477-9／四六判・320頁・カバー装・税別2500円

M・ジョン・ハリスン「ヴィリコニウム～パステル都市の物語」

978-4-88375-460-1／320頁・税別2500円

ケン・リュウ他「再着装(リスリーヴ)の記憶～〈エクリプス・フェイズ〉アンソロジー」

978-4-88375-450-2／384頁・税別2700円

SWERY(末弘秀孝)「ディア・アンビバレンス～口髭と〈魔女〉と吊られた遺体」

978-4-88375-454-0／416頁・税別2500円

ケイト・ウィルヘルム「翼のジェニー～ウィルヘルム初期傑作選」

安田均他訳／978-4-88375-241-6／256頁・税別2400円

石神茉莉「蒼い琥珀と無限の迷宮」

978-4-88375-365-9／四六判・320頁・カバー装・税別2400円

図子慧「愛は、こぼれるqの音色」

978-4-88375-345-1／四六判・256頁・カバー装・税別2200円

友成純一「蔵の中の鬼女」

978-4-88375-278-2／四六判・304頁・カバー装・税別2400円

◎ナイトランド叢書（TH Literature Series）いずれも四六判

アーサー・コナン・ドイル「妖精の到来～コティングリー村の事件」

井村君江訳／978-4-88375-440-3／192頁・税別2000円

キム・ニューマン「《ドラキュラ紀元》われはドラキュラ――ジョニー・アルカード」

鍛治靖子訳／上巻384頁・税別2500円／下巻432頁・税別2700円

キム・ニューマン「《ドラキュラ紀元一九五九》ドラキュラのチャチャチャ」

鍛治靖子訳／978-4-88375-432-8／576頁・税別3600円

キム・ニューマン「《ドラキュラ紀元一九一八》鮮血の撃墜王」

鍛治靖子訳／978-4-88375-327-7／672頁・税別3700円

キム・ニューマン「ドラキュラ紀元一八八八」

鍛治靖子訳／978-4-88375-311-6／576頁・税別3600円

クラーク・アシュトン・スミス「魔術師の帝国《3 アヴェロワーニュ篇》」

安田均他訳／978-4-88375-409-0／320頁・税別2400円

クラーク・アシュトン・スミス「魔術師の帝国《2 ハイパーボリア篇》」

安田均他訳／978-4-88375-256-0／272頁・税別2300円

E&H・ヘロン「フラックスマン・ロウの心霊探究」

三浦玲子訳／978-4-88375-361-1／272頁・税別2300円

E・H・ヴィシャック「メドゥーサ」

安原和見訳／978-4-88375-339-0／272頁・税別2300円

M・P・シール「紫の雲」

南條竹則訳／978-4-88375-336-9／320頁・税別2400円

◎TH Art series

◎PICK UP

真珠子作品集「真珠子メモリアル〜〝娘〟を育んだ20年」
978-4-88375-483-0／B5判・128頁・ハードカバー・税別3200円
●天衣無縫なガーリーアート! 渋谷PARCOなどでの個展等、多彩な活動を続けている真珠子の20年の軌跡を凝縮した記念作品集!

椎木かなえ 画集「虚の構築」
978-4-88375-475-5／A5判・64頁・ハードカバー・税別2700円
●無意識を彷徨い、構築する——形容し難い不可思議さ。シュールだけどユーモラス。椎木かなえが闇の中から構築した〝虚〟の世界!

イヂチアキコ 画集「Dignity」
978-4-88375-462-5／A4判・48頁・並製・税別1500円
●日本画の手法により、現代に生きる少女の心性を寓意によって描き出してきたイヂチアキコ。画集『イルシオン』以降の作品を集約!

「楽園の美女たち Paradise Garden〜現代美人画集」
978-4-88375-463-2／A4判・80頁・カバー装・税別2200円
●美しさ、艶やかさ、妖しさ…それぞれのスタイルで探究された現代美人画の数々。久下じゅんこ、樋口ひろ子、九鬼匡規など8作家収録!

「甲秀樹 人体デッサン 男性ポーズ集 ディープシーン」
978-4-88375-455-7／B5判・160頁・ハードカバー・税別2700円
●ソロ、回転アングル、フェティッシュ、絡みなど裸体ポーズ写真を約500点収録。こんなディープシーンを描きたかった! 絵描きのバイブル!

ウォルター・デ・ラ・メア「ダン・アダン・デリー〜妖精たちの輪舞曲」
978-4-88375-443-4／A5判変形・224頁・カバー装・税別2000円
●デ・ラ・メアの幻想味豊かな詩に、ラスロップが愛らしく想像力豊かな挿画を添えた、読者を夢幻の世界へいざなう、夢見る大人の絵本!

北見隆 装幀画集「書物の幻影」
978-4-88375-398-7／B5判・96頁・ハードカバー・税別3200円
●赤川次郎、恩田陸、中島らも、津原泰水…あのワクワクは、この絵とともにあった! 40年の装幀画業から、約400点を収録した決定版画集!

北見隆 作品集「本の国のアリス〜存在しない書物を求めて」
978-4-88375-223-5／A5判・64頁・ハードカバー・税別2750円
●本そのものが、「アリス」の物語の、愉快な舞台〈ワンダーランド〉に! 本の形をした"ブックアート"を中心に、不思議な物語に満ちた作品集!!

深瀬優子(絵) 最合のぼる(文・写真・構成)「柔らかなビー玉〜暗黒メルヘン絵本シリーズ5」
978-4-88375-470-0／B5判・64頁・カバー装・税別2255円
●「赤ずきん」「ピーター・パン」「星のひとみ」など、おなじみの童話を元に生み出された、可愛らしくもダークなヴィジュアル物語!

須川まきこ(絵) 最合のぼる(文・写真・構成)「甘い部屋〜暗黒メルヘン絵本シリーズ4」
978-4-88375-457-1／B5判・64頁・カバー装・税別2255円
●「一寸法師」「鶴の恩返し」など、おなじみの童話を元に生み出された、須川まきこと、最合のぼるによるヴィジュアル物語!

鳥居椿(絵) 最合のぼる(文・写真・構成)「青いドレスの女〜暗黒メルヘン絵本シリーズ3」
978-4-88375-427-4／B5判・64頁・カバー装・税別2255円
●こんな美しい悪夢なら毎晩でも見たい——深澤翠／不穏な空気感で少女を描く鳥居椿と、最合のぼるによるヴィジュアル物語!

eat「DARK ALICE-Heart Disease-(ハート・ディジーズ)」
978-4-88375-438-0／A5判・224頁・カバー装・税別1295円
●摩訶不思議な世界で、奇妙な境遇を生きる者たちのトラウマティック・メルヘン!! 描き下ろし・ホワイト誕生の秘話も収録!!

小川貴一郎 作品集「監禁芸術 confinement art」
978-4-88375-419-9／A5判・128頁・カバー装・税別2500円
●1日目、イヴ・サンローランに蟻を描いた。COVID-19の流行で渡仏が延期になり、緊急事態宣言発令中、家にこもって制作し続けた芸術の記録。

◎人形・オブジェ作品集

田中流 球体関節人形写真集「Dolls Ⅱ〜瞳に映る永遠の記憶」
978-4-88375-480-9／A5判・96頁・カバー装・税別2500円
●「Dolls〜瞳の奥の静かな微笑み」に続く人形写真集。可愛いものから個性的なものまで、23人の作家の多彩な人形作品を掲載!

田中流 写真集「Dolls〜瞳の奥の静かな微笑み」
978-4-88375-373-4／A5判・96頁・カバー装・税別2300円
●数多くの人形に接してきた写真家・田中流が、28人の人形作家の作品を撮影し、現代の創作人形の潮流をも浮き彫りにした写真集!

「Dolls in labyrinth〜田中流・人形写真館」
978-4-88375-449-6／A5判・112頁・並製・税別1636円
●球体関節人形たちの夢の迷宮。可愛らしかったり妖しげだったり…田中流が、12人の人形作家の作品の魅力を写し出した写真集。

清水真理 人形作品集「VITA NOVA〜革命の天使」
978-4-88375-464-9／B5判・64頁・ハードカバー・税別2700円
●ハルピンの束の間の栄華と、刹那的な享楽。球体関節人形と人形オブジェで、歴史の陰翳の中に生きた者たちを描き出した幻影の劇場!

清水真理 人形作品集「Wonderland」
978-4-88375-364-2／B5判・64頁・ハードカバー・税別2750円
●肉体と霊魂、光と闇、聖と俗…それらの狭間で息づく、人形たちのワンダーランド。多彩な活躍を続ける清水の近年の作品の魅力を凝縮!

神宮字光 人形作品集「Cocon」
978-4-88375-378-9／A5判・64頁・ハードカバー・税別2700円
●ビスクなどで作られた愛おしい人形達がさまざまなシチュエーションの中で遊ぶ、かわいくも、ときにシュールでミラクルな世界!

ホシノリコ 作品集「蒼燈のばら」
978-4-88375-326-0／B5判・64頁・ハードカバー・税別2750円
●艶かしく息づく球体関節人形、幻想的な物語奏でるオブジェ。ホシノの10年の歩みをまとめた待望の作品集! 写真＝吉田良、田中流

森馨 人形作品集「Ghost marriage〜冥婚〜」
978-4-88375-236-2／B5判・64頁・ハードカバー・税別2750円
●妖しい美しさと、哀しいエロスを湛えた、森馨の球体関節人形。その蠱惑的な肢体を写真家・吉成行夫が撮影した、闇の色香ただよう写真集!

林美登利 人形作品集「Night Comers〜夜の子供たち」
978-4-88375-288-1／A5判・96頁・ハードカバー・税別2750円
●異形の子供たちは、夜をさまよう——「Dream Child」に続く、人形・林美登利、写真・田中流、小説・石神茉莉のコラボ、第2弾!

与偶 人形作品集「フルケロイド FULLKELOID DOLLS」
978-4-88375-265-2／A5判・68頁・ハードカバー・税別2750円
●園子温推薦! 多くの人の心に突き刺さっている、凄みのある作品たち。20年の作家生活をここに総括。横4倍になる綴じ込み2枚付!

木村龍 作品集「光速ノスタルジア」
978-4-88375-245-4／B5判・96頁・ハードカバー・税別3500円
●ボックスアートから彫像的作品、球体関節人形、絵画などまで、妖美で奇矯、かつ純真な世界を濃密に凝縮した、待望の初作品集!!

芳賀一洋 作品集「錠前屋のルネはレジスタンスの仲間」
978-4-88375-331-4／A5判・224頁・並製・税別2222円
●パリの街並みや日本の昭和的風景などを精巧なミニチュアで再現した驚異の作品群。その40作以上を郷愁あふれる写真に収めた作品集。

No.85 目と眼差しのオブセッション

A5判・208頁・並装・1389円（税別）・ISBN978-4-88375-433-5

●窃視、邪視から千里眼、眼球まで、オブセッションの数々! 図版構成/泥方陽菜・神宮字光・下田ひかり、邪視にまつわる民俗史、眼球考～ルドンの絵から、映画から考えた覗き見の功罪、「屋根裏の散歩者」の愉悦、法医学オプトグラフィー、千里眼事件、『ジャガーの眼』を通して唐十郎が寺山修司に捧げたもの、panpanyaが「見る」世界 ほか

No.84 悪の方程式～善を疑え!!

A5判・224頁・並装・1389円（税別）・ISBN978-4-88375-421-2

●「悪」を意識することは、この世の「善」に対して疑いを差し挟むことだ――ダークナイト・トリロジーにみる悪の本質、〈アート〉と〈革命〉は常に悪である～テロ的アートの系譜、「黒い幽霊団（ブラック・ゴースト）」には悪意がない、警官を蹴るチャップリン、悪いヤツはだいたいイケメン～少女漫画におけるモラルとエロス、娼婦と聖性ほか満載!

No.83 音楽、なんてストレンジな!～音楽を通して垣間見る文化の前衛、または裏側

A5判・224頁・並装・1389円（税別）・ISBN978-4-88375-412-0

●パンクからクラシックまで、音楽をめぐる少々ストレンジなイマジネーション! 恍惚のアヴァンギャルド音楽偏愛史、パンクとポストパンクの思想的地下水脈、イスラムにおける音楽、近代日本の音楽の闇、ワーグナーの共苦と革命、バッハのもとに本当にニシンは降ったのか他

No.82 もの病みのヴィジョン

A5判・224頁・並装・1389円（税別）・ISBN978-4-88375-402-1

●「病み」=「闇」のヴィジョン。人形作家・与偶トークイベントレポ、梅毒をめぐる幾つかの逸話と謎、舞踏病と死の舞踏、「吸血鬼ノスフェラトゥ」とペストのパンデミック、草間彌生の小説『すみれ強迫』、美人薄命の文化史、病と日本人、舞踊家・土方巽の〈病み〉、澁澤龍彥と病ほか

No.81 野生のミラクル

A5判・208頁・並装・1389円（税別）・ISBN978-4-88375-389-5

●我々は野の何を表現の糧にしてきたか。ケロッピー前田インタビュー～野生を取り戻してテクノロジーを乗りこなせ、管理された野生、粘菌、牧神、人豚、八化けタヌキ、シュルレアリスムのアフリカ、変身人間、キム・ギヨンが描く〝オス〟と〝メス〟、異類婚姻譚、動物フォークロアほか

No.80 ウォーク・オン・ザ・ダークサイド～闇を想い、闇を進め

A5判・224頁・並装・1389円（税別）・ISBN978-4-88375-376-5

●新たな想像力は闇から生まれる。［図版構成］ 濵口真央、C7、新宅和音、紺野真弓、宮本香那、萌木ひろみ、谷原菜摘子。タスマニアの美術館MONA、書肆ゲンシシャの驚異のコレクション、日本の闇を感じさせるゲゲゲスポット紀行、萩尾望都が描き始めた「楽園の裏側」、カタコンブほか。

No.79 人形たちの哀歌

A5判・240頁・並装・1389円（税別）・ISBN978-4-88375-363-5

●［図版構成］田中流写真作品（人形=日隈愛香・SAKURA・ホシノリコ・舘野桂子）・清水真理・野原 tamago・神宮字光、現代の〝生き人形〟～中嶋清八・井桁裕子・衣・森馨・佐藤久雄、菅実花、ロボット・アンドロイド演劇、映画『オテサーネク』ほか。追悼・遠藤ミチロウなども。

No.78 ディレッタントの平成史～令和を生きる前に振り返りたい私の「平成」

A5判・256頁・並装・1389円（税別）・ISBN978-4-88375-350-5

●私たちが感じ取ってきた「平成」を振り返る。TH的・平成年表、極私的平成の三十年間（友成純一）、平成ゾンビ考～「終わりなき日常」から「サバイバル」へ、舞踏の平成、アニメ『どろろ』に見る内実の変容、死体ビデオと90年代悪趣味ブーム、SNSという「ネオ世間」の出現、IT盛衰、「今日の反核反戦展」、酒見賢一論ほか。

No.77 夢魔～闇の世界からの呼び声

A5判・224頁・並装・1389円（税別）・ISBN978-4-88375-340-6

●不穏さに満ちた夢の世界へようこそ。 mizunOE、飴屋晶貴、亜由美、林良文、タイナカジュンペイ、「メアリーの総て」と『フランケンシュタイン』の悪夢、《夢》は現実を超えるか～古代記紀神話から『君の名は。』まで、ラース・フォン・トリアー「ヨーロッパ」、『エルム街の悪夢』、『鏡の国の孫悟空』、『ルクンドオ』ほか。

No.76 天使／堕天使～閉塞したこの世界の救済者

A5判・224頁・並装・1389円（税別）・ISBN978-4-88375-330-7

●天使や堕天使から発した想像力。村田兼一、ホシノリコ、『ベルリン・天使の詩』、ボカノウスキー『天使』がいたころ、天使と日本人、イスラムの堕天使たち、「天使の玉ちゃん」と〈失われた子供時代〉、『デビルマン』飛鳥了、熊楠の天使／天子と男色ほか。ジャ・ジャンクー論（藤井省三）、アジアフォーカス2018レポなども。

No.75 秘めごとから覗く世界

A5判・256頁・並装・1389円（税別）・ISBN978-4-88375-316-1

●秘めごとが生む物語。ステュ・ミード、中井結、宮本香那、『檸檬』『四畳半襖の裏張り』などに見る秘めごとの諸相、文学における「告白」、J・T・リロイの事情、自販機本の原稿書きが「映画芸術」の編集長に教えられたこと ほか。小特集としてマッケローニと映画「スティルライフオブメモリーズ」、追悼・ケイト・ウィルヘルム。

No.74 罪深きイノセンス

A5判・224頁・並装・1389円（税別）・ISBN978-4-88375-309-3

●無垢への信奉とそれが持つ残酷さ。美島菊名、村田兼一、蟲川ギニョール、Hajime Kinoko、ドストエフスキーと無垢なるもの、わたなべまさこ『聖ロザリンド』と萩尾望都『トーマの心臓』、『悪童日記』と『フランケンシュタイン』、『小さな悪の華』と『乙女の祈り』、少女ポリアンナほか。

No.73 変身夢譚～異分子になることの願望と恐怖

A5判・224頁・並装・1389円（税別）・ISBN978-4-88375-299-7

●miyako（異色肌ギャル）インタビュー 、トレヴァー・ブラウン×七菜乃、別人化マニュアル、変身譚としてのギリシア神話、バルテュスと鏡～少女の変身を映すもの、変装から変身へ～怪盗から見る映画史、女性への抑圧が生み出す変身～『キャット・ピープル』とその系譜ほか。

No.72 グロテスク～奇怪なる、愛しきもの

A5判・224頁・並装・1389円（税別）・ISBN978-4-88375-289-8

●林美登利～異形の子供に惜しみのなく注がれる愛情、立島夕子～瀬戸際から発せられた生命の賛歌、たま～可愛らしい少女の中に秘められた不気味な何かを暴く、黒沢美香～既成の価値観に収まらない名前のない景色の豊満さ、畔亭数久とその時代、謎のバンド ザ・レジデンツ ほか。

No.71 私の、内なる戦い～"生きにくさ"からの表現

A5判・224頁・並装・1389円（税別）・ISBN978-4-88375-273-7

●生きにくさから生まれてきた表現―。渡辺篤（現代美術家）～ひきこもり体験からアートへ／若林美保（ストリッパー） インタビュー／与偶（人形作家）～人形によって人に何かを与え、それが自身の〝生〟も支えている／石塚桜子（画家）～一筆一筆に感じられる、祈りのような叫び ほか。

No.70 母性と、その魔性～呪縛が生み出す物語

A5判・224頁・並装・1389円（税別）・ISBN978-4-88375-260-7

●母性による呪縛がなにをもたらし、どんな物語を生んだのか―。「母がしんどい」などで共感を呼ぶマンガ家・田房永子や、ラブドールを妊娠させた作品が話題になった菅実花のインタビューのほか、「三島由紀夫の同性愛と母性の不在」など、神話や文学等多様な見地から俯瞰します。

No.69 死想の系譜～いま想う、死と我々の未来

A5判・240頁・並装・1389円（税別）・ISBN978-4-88375-251-5

●死を想うことで育まれる想像力。釣崎清隆×笹山直規によるメキシコ死体合宿レポ、LOVSTARのエッセイ漫画「死体愛好家」、「死の舞踏絵画からブリューゲル、ボス、そしてヴァニタス」、「ショーペンハウアーの『自殺について』」、「ボルタンスキー巡礼」、「SFにみる近未来の死生観」ほか。

No.68 聖なる幻想のエロス

A5判・208頁・並装・1389円（税別）・ISBN978-4-88375-244-7

●エロスとは、幻想だ。木村龍、村田兼一、甲秀樹、七菜乃、林良文などの作品を幻想のエロスの見地から解題・紹介したほか、「戦争とエロティシズム」、カナザワ映画祭「昼下がりの前衛的エロ映画特集」ルポ、「イケメンゴリラから日活ロマンポルノまで」など、さまざまなエロスを逍遥。

◎ExtrART(エクストラート)〜異端派ヴィジュアルアート誌

file.35◎FEATURE:幻想の王国へ、ようこそ。
A4判・112頁・並装・1250円(税別)・ISBN978-4-88375-486-1
●エセム万、網代幸介、塚本紗知子、松本ナオキ、ミルヨウコ、雛菜雛子、塚本穴骨、田中流、下山直紀、村上仁美、沖綾乃、ジュリエットの数学、すうひゃん。

file.34◎FEATURE:美のゆらぎ、闇の鼓動
A4判・112頁・並装・1250円(税別)・ISBN978-4-88375-479-3
●三谷拓也、高久梓、安藤朱里、日野まき、藤浪理恵子、西村藍、六原龍、戸田和子、SRBGENk、shichigoro-shingo、雪駄、異形のヴンダーカンマー展

file.33◎FEATURE:聞こえぬ声を聞く
A4判・112頁・並装・1250円(税別)・ISBN978-4-88375-471-7
●土谷寛枇、小野隆生、Sui Yumeshima、鶴見厚子、大西茅布、芳賀一洋、駒形克哉、清水真理、松平一民、太郎賞展、i.m.a.展立体部門

file.32◎FEATURE:たましいの棲むところ
A4判・112頁・並装・1200円(税別)・ISBN978-4-88375-466-3
●衣[hatori]、安藤榮作、村上仁美、西條冴子、FREAKS CIRCUS、岡本瑛里、宮崎まゆ子、前田彩華、アンタカンタ、たま、mumei、真木環

file.31◎FEATURE:動物と花のワンダー!
A4判・112頁・並装・1200円(税別)・ISBN978-4-88375-459-5
●石塚隆則、吉田泰一郎、森勉、水野里奈、萩原和奈可、永見由子、珠かな子、椎木かなえ、金澤弘太、雫石知之、Sitry、呪みちる×古川沙織

file.30◎FEATURE:揺らぐ心象の迷宮
A4判・112頁・並装・1200円(税別)・ISBN978-4-88375-452-6
●宮本香那、ÔБ、川上勉、高松潤一郎、田中流、大山菜々子、塩野ひとみ、かつまたひでゆき、Ma marumaru、シン・ニッポン風土記 ほか

file.29◎FEATURE:見る/見えることの異相
A4判・112頁・並装・1200円(税別)・ISBN978-4-88375-442-7
●金巻芳俊、倉崎稜希、泥方陽菜、山村まゆ子、根橋洋一、平良志季、畫正、吉田有花、高齊りゅう、奥村あか、須川まきこ ほか

file.28◎FEATURE:少女への夢想曲
A4判・112頁・並装・1200円(税別)・ISBN978-4-88375-436-6
●イヂチアキコ、くるはらきみ、九鬼匡規、鈴木那奈、傘嶋メグ、蕾、吉岡里奈、中尾変、吉田和夏、清水真理、田中流、林美登利

file.27◎FEATURE:死を想い、生を描く
A4判・112頁・並装・1200円(税別)・ISBN978-4-88375-430-4
●亀井三千代、伊東明日香、村上仁美、ある紗、田中童夏、キジメッカ、多賀新、東學、山本竜基、髙瀬実穂子、北見隆、後藤麦×今大路智枝子

file.26◎FEATURE:リアルを紡ぎ出す
A4判・112頁・並装・1200円(税別)・ISBN978-4-88375-417-5
●戸泉恵徳、建石修志、山中綾子、田川弘、中島綾美、吉田有花×宮崎まゆ子×きゃらあい、蠅田式、四学科松太、萌木ひろみ×生熊奈央、寺澤智恵子ほか

◎トーキングヘッズ叢書(TH Seires)

No.92 アヴァンギャルド狂詩曲〜そこに未来は見えたか?
A5判・224頁・並装・1444円(税別)・ISBN978-4-88375-481-6
●新たな価値観を創出することを志したアヴァンギャルド的表現を見直し、新たな多様な表現を眺望してみよう! マン・レイ、合田佐和子、田部光子、ヴェネチア・ビエンナーレ、舞踏はいまも前衛か、きゅんくんインタビュー、アヴァンギャルド映画、未来派とバウハウス、寺山修司による『市街劇ノック』、月刊漫画ガロの足跡他

No.91 夜、来たるもの〜マジカルな時間のはじまり
A5判・224頁・並装・1444円(税別)・ISBN978-4-88375-473-1
●「魔」的なものが支配する時間、それが夜だ! 神は闇を渡る、『稲生物怪録』、児童文学と少年少女の夜、裸のラリーズという《夜の夢》、ドイツ表現主義映画、『ナイトホークス』、稲垣足穂、埴谷雄高、『百億の昼と千億の夜』、妖精たちの長くて短い夜、『夜のガスパール』、金縛り・過眠症・夢遊病、高千穂の夜神楽他

No.90 ファム・ファタル/オム・ファタル〜狂おしく甘美な破滅
A5判・224頁・並装・1389円(税別)・ISBN978-4-88375-467-0
●危険な魔性の女、魔性の男たち——エヴァ、イザナミからラムまで、かぐや姫の正体、女奇術師・松旭斎天勝、カサノヴァの艶なる恋、高級娼婦コーラ・パール、クラーナハ、ジャンヌ・モロー、松本俊夫『薔薇の葬列』、キューブリック、横溝正史の美少年像、オペラ『カルメン』、妲己のお百、トレヴァー・ブラウン、アーバンギャルド他

No.89 魔都市狂騒〜都市の闇には、物語がある。
A5判・224頁・並装・1389円(税別)・ISBN978-4-88375-461-8
●都市の狂騒的な享楽と、頽廃的な闇——上海、ベルリン、ニューヨーク、円都と歌姫、東洋の魔窟・九龍城砦、酔いどれと怪物〜大都市ロンドン近代化の影、コペンハーゲンにあるヒッピーたちの独立自治村、美魔都市・京都、観音、遊郭から一大歓楽街へ〜浅草の歴史、ゴッサム・シティの光と影、都市から生まれる都市伝説他

No.88 少女少年主義〜永遠の幼な心
A5判・224頁・並装・1389円(税別)・ISBN978-4-88375-456-4
●永遠を夢見る少女、少年の魂は、時代や性差、生死をも超える—[図版構成]たま、須川まきこ、戸田和子、パメラ・ビアンコ、村田兼一、甲秀樹他/「恐るべき子供たち」などに見る少年少女たちの死と再生、少女主義者たちの文学、「不思議の国のアリス」の姉をめぐって、庵野秀明と宮崎駿、『紅楼夢』、鷗外と芥川のヴィタ・セクスアリス他

No.87 はだかモード〜はだける、素になる文化論
A5判・208頁・並装・1389円(税別)・ISBN978-4-88375-444-1
●タブー視されてきた「はだか」、そして「はだけること」をめぐる文化の諸相。珠かな子、七菜乃、彫師・SHIGEインタビュー、人はなぜ裸という無垢を捨てたか、黒田清輝と裸体画論争、偏愛のヌーディズム、絵本『すっぽんぽんのすけ』、映画におけるヌード表現史、バタイユとクロソウスキー、銭湯・温泉主義者たちの裸のユートピア他

No.86 不死者たちの憂鬱
A5判・224頁・並装・1389円(税別)・ISBN978-4-88375-439-7
●不死は幸福か?苦しみか?——『ポーの一族』、ヴァンパイアと浦島太郎、『ガリヴァー旅行記』、『火の鳥』からヒーラ細胞へ、クレア・ノースの孤独、ドリアン・グレイ、韓国SF、不老不死になれる(かもしれない)秘薬・霊薬・仙薬、荒川修作、不老不死を生きる童話世界の住民たち、サザエさんシステム、不死の怪物プルガサリ ほか

トーキングヘッズ叢書（TH series） No.93

美と恋の位相／偏愛のカタチ

編　者　アトリエサード
編集長　鈴木孝（沙月樹 京）
編　集　岩田恵／望月学英・徳岡正肇・田中鷹虎
協　力　岡和田晃

発行日　2023年2月7日

発行人　鈴木孝
発　行　有限会社アトリエサード
東京都豊島区南大塚 1-33-1 〒170-0005
TEL.03-6304-1638 FAX.03-3946-3778
http://www.a-third.com/
th@a-third.com
振替口座／00160-8-728019
発　売　株式会社書苑新社
印　刷　株式会社平河工業社
定　価　本体1444円＋税
ISBN978-4-88375-488-5 C0370 ¥1444E

出版物一覧

http://www.a-third.com/

ご意見・ご感想をお寄せ下さい。
Webで受け付けています。
新刊案内などのメール配信申込も
Webで受付中!!

●Facebook　http://www.facebook.com/ateliethird
●編集長twitter　https://twitter.com/st_th

アトリエサードHP

AMAZON（書苑新社発売の本）

A F T E R W O R D

■こんな特集を組んでおいてなんだけど、美しいものは苦手だ。なんつーか、完璧な造形、バランスというのは、ちょっと遠慮してしまう。というか、美を決めるのは人間であって、その多数決に乗りたくない、っていうとこもある。AIで気軽に絵が描けるようになって、表紙描かせたろかと思わないでもないけど、でもそうしたものって、基本的にはみんなの嗜好の平均値で多数決の結果。そこからどうしてもズレてしまうものを愛でたいのですよ（といいつつ、好きなものは好きだけどね）。で、次はExtrARTが3月下旬、THが4月末です！（S）
★弦巻稲荷日記ー「バーフバリ」のラージャマウリ監督の新作「RRR」。ビームが歌うコルマンビーマーをヘビロテしながら仕事している。ここで膝をついたなら、大地の女神はお前を息子（娘）と認めない。まだまだ膝はつかない。今号が出る頃にはドルビーサウンド版の上映も！（通うのだ）以下次号（め）

■展覧会・個展や上映・上演等の情報は、編集部あてにお送りください（なるべく発売の1カ月半前までに。本誌は1・4・7・10の各月末発売です）。
■絵画等の持ち込みは、郵送（コピーをお送りください）またはメール（HPがある場合）で受け付けています。興味を持たせて頂いた方は、特集や個展など、合うタイミングでご紹介させて頂きます。
■巻末の「TH特選品レビュー」では、ここ数ヶ月の文学・アート・映画・舞台等のレビューを募集中。1本400字以内で、数本お送り下さい。採用の方には掲載誌を進呈します（原稿料はありません）。THの色にあったものかどうかも採否の基準になります。投稿はメール（th@a-third.com）でOK。
■詳しくはホームページもご覧ください。
※応募の際には、本名・筆名・住所・TEL・E-mail・年齢・職業・趣味の傾向等簡単な自己紹介・本書のご感想を必ずお書き添え下さい。
※恐れ入りますが、原則的に採用の方にのみご連絡を差し上げています。ご了承ください。

アトリエサードの出版物の購入のしかた・通信販売のご案内

● TH series（トーキングヘッズ叢書）の取扱書店は、http://www.a-third.com/ へ。定期購読は富士山マガジンサービス及び小社直販にて受付中！（www.a-third.com のトップページにリンクあり）●書店店頭にない場合は、書店へご注文下さい（発売＝書苑新社と指定して下さい。全国の書店からOK）。●ネット書店もご活用下さい。

●アトリエサードのネット通販でもご購入できます。

■各書籍の詳細画面でショッピングカートがご利用になれます。■郵便振替 / 代金引換 / PayPal で決済可能。

■インターネットをご利用になれない方は、郵便局より郵便振替にて直接ご送金いただいても結構です（送料の加算は不要！連絡欄に希望書名・冊数を明記のこと）。入金の通知が届き次第お送りいたします（お手元に届くまで、だいたい1週間～10日ほどお待ち下さい）。振込口座／00160－8－728019　加入者名／有限会社アトリエサード
■またTEL.03-6304-1638にお電話いただければ、代金引換での発送も可能です（取扱手数料350円が別途かかります）